2025年度版

よくわかる社労士

合格するための

過去10年

本試験問題集

2 雇用・徴収・労一

TAC社会保険

JN037772

TAC出版

TAC PUBLISHING Group

はじめに

　社労士試験は10科目と出題範囲も広く、また内容もかなり細かくなってきています。その結果、多くの受験生が学習の的を絞れずに困惑しているのが現状ではないでしょうか。ところが、過去10年間の試験問題を子細に分析・検討してみると、各科目とも、内容の類似した、極端な場合には全く同じ問題がくり返し出題されていることがわかります。したがって過去の出題傾向をしっかり把握しておけば、ムダのない的を絞った学習が可能となるわけです。

　以上のことを踏まえ本書は、過去10年間の本試験問題を、科目ごとに項目別に「一問一答形式」にまとめました。ここ最近の択一式試験では、「組合せ問題」や正解の個数を選ばせる「個数問題」も出題されていますが、一問一答形式で学習を進めていけば、どのような出題方式にも対応しうる力をつけることができます。また、選択式問題では、本試験の出題形式のまま載せてありますので、実践的な演習が行えます。

　さらに、本書の解説においては、過去問を「解く」だけでなく、あわせて確認しておきたい「ポイント」や「プラスα」の知識も充実させました。また、同シリーズの『合格テキスト』と併用していただくと、より学習効果が高まります。

　以上のような特徴をもった本書を学習することにより、「社労士本試験において何が求められているか」を明確につかむことができ、自信をもって本試験に臨むことができるはずです。

　受験生の皆さんが本書を利用され、限られた学習時間を少しでも有効に活用されて、所期の志を達成されることを心よりお祈りいたします。

2024年9月

TAC社会保険労務士講座
教材制作チーム一同

　本書は、2024年9月10日現在において公布され、かつ、2025年本試験受験案内が発表されるまで施行されることが確定しているものに基づいて作成しております。

　なお、2024年9月11日以降に法改正のあるもの、また法改正はなされているが、施行規則等で未だ細目について定められていないものについては、2025年2月上旬より、小社ホームページにて「法改正情報」を順次公開いたします。

TAC出版書籍販売サイト「サイバーブックストア」
https://bookstore.tac-school.co.jp

本書の構成と効果的な活用法

本書の構成要素

令和6年度の本試験問題を各項目の冒頭に掲載し、最新の本試験傾向が把握しやすい構成となっています。
その他は年度に関係なく、同シリーズの『合格テキスト』にあわせた順に掲載しています。

難問マーク
この問題は、最初は解けなくても不安になる必要はありません。解説をみて、最終的に解けるようになることを目標に進めていきましょう。

---

1 労働条件の原則、労働基準法の適用

最新出題 1問1
R6-1A 労働基準法第1条にいう、「人たるに値する生活」とは、社会の一般常識によって決まるものであるとされ、具体的には、「賃金の最低額を保障することによる最低限度の生活」をいう。

1問2
R6-1D 在籍型出向(出向元及び出向先双方と出向労働者との間に労働契約関係がある場合)の出向労働者については、出向元、出向先及び出向労働者三者間の取決めによって定められた権限と責任に応じて

1問2
H28-17 労働基準法第1条は、労働保護法たる労働基準法の基本理念を宣明したものであって、本法各条の解釈にあたり基本観念として常に考慮されなければならない。

1問3
H29-4? 労働基準法第1条にいう「人たるに値する生活」には、労働者の標準家族の生活をも含めて考えることとされているが、この「標準家族」の範囲は、社会の一般通念にかかわらず、「配偶者、子、父母、孫及び祖父母のうち、当該労働者によって生計を維持しているもの」とされている。

1問4
R4-4A 労働基準法第1条にいう「労働関係の当事者」には、使用者及び労働者のほかに、それぞれの団体である使用者団体と労働組合も含まれる。

1問5
R3-1A 労働基準法第1条第2項にいう「この基準を理由として」とは、労働基準法に規定があることが決定的な理由となって、労働条件を低下させている場合をいうことから、社会経済情勢の変動等他に決定的な理由があれば、同条に抵触するものではない。

1問6
H29-2? 同居の親族は、事業主と居住及び生計を一にするものとされ、その就労の実態にかかわらず労働基準法第9条の労働者に該当することがないので、当該同居の親族に労働基準法が適用されることはない。

【出題年度と問題番号の見方】
全問、出題年度と問題番号つきです。年度マークの見方は次のとおりです。

R5-1A 令和5年の択一式、問1のA肢で出題
R5-選 令和5年の選択式で出題

※出題年度・問題番号に「改」と表示している問題は、法改正等により、一部改題が入っているものです。

なお、出題年度によって、年度マークを太字と細字で分けて表示しています。
令和6年～令和2年の直近5年分は太字で強調(例 **R5-1A**)。さらにさかのぼった6～10年前の問題(令和元年～平成27年)は細字(例H30-1A)となっています。
※労働保険の保険料の徴収等に関する法律については、労働者災害補償保険法の問8～10、雇用保険法の問8～10に分けて出題されることから、以下のように表示しています。
H30-災8A 平成30年の択一式、労働者災害補償保険法、問8のA肢で出題
H30-雇8A 平成30年の択一式、雇用保険法、問8のA肢で出題

付属の「こたえかくすシート」で解答を隠しながら学習することができるので、とても便利です。

答1 ✕ 法1条。労働基準法第○○○○○に値する生活」とは、日本国憲法第25条第1○○○○○最低限度」の生活を内容とするもので○○○○○を保障することによってのみ達せられ○○○○○によって決まるものである。

答2 ○ 法10条、昭和61.0○○○○○しい。なお、移籍型出向については、○○○○○としての責任を負う。

答2 ○ 法1条、昭和22.9.13発基○○○。設問の通り正しい。

答3 ✕ 法1条、昭和22.9.13発基17号、昭和22.11.27発発401号。標準家族の範囲は、その時その社会の一般通念によって理解されるべきものであるとされている。

答4 ○ 法1条2項。設問の通り正しい。

労働関係とは、使用者・労働者間の「労務提供－賃金支払」を軸とする関係をいい、その当事者とは、使用者及び労働者のほかに、それぞれの団体、すなわち、使用者団体と労働組合を含む。

答5 ○ 法1条2項、昭和63.3.14発発150号。設問の通り正しい。

int 設問の規定（法1条2項）については、労働条件の低下が労働基準法の基準を理由としているか否かに重点を置いて判断するものであり、社会経済情勢の変動等他に決定的な理由がある場合には、当該規定には抵触しない。

答6 ✕ 法116条2項、昭和54.4.2基発153号。同居の親族であっても、常時同居の親族以外の労働者を使用する事業において一般事務又は現場作業等に従事し、かつ、事業主の指揮命令に従っていることが明確であり、就労の実態が他の労働者と同様であって、賃金もこれに応じて支払われている場合には、その同居の親族は、労働基準法上の労働者として取り扱われ、同法が適用される。

int 同居の親族のみを使用する事業は、労働基準法の適用が除外されているが、同居の親族のほかに1人でも労働者を使用する事業は、労働基準法の適用事業となる。

【解答の見方】
TACの過去10の解答は、問題の論点をおさえるだけでなく、周辺知識のインプットも効果的に行えるよう、解説にとくにこだわっています。

Point 超重要事項のまとめです。

プラスα 問題と一緒に確認しておきたい内容です。

まず1周目は、問題を解き、解答をあわせていくことに専念し、2周目以降は、解説を読みながら、知識の拡充をしていってください。

＋ここが便利！

過去問検索索引
本書の索引は過去問の番号から該当頁の検索ができるように組み立てられています。解きたい問題がすぐに探し出せて便利です。

効果的な活用法

○**受験経験のある方は、年度順に解きましょう！**
　① まずはR6〜2問題を解く（年度マークが太字の問題）
　② 終わったらR元〜H27問題を解く（年度マークが細字の問題）
　③ 間違えた問題を中心によく復習。同シリーズの『合格テキスト』も併用し、全体をマスターしましょう！

○**初学者の方は、優先順位の高いものから順に解きましょう！**
　① マークなし問題を解く
　② ①が確実に解けるようになったら難マークのある問題にチャレンジ！

参考 学習スケジュールのイメージ

	〜3月	4月〜6月	7月、8月
受験経験者	R6〜2(太字)	R元〜H27(細字)	間違えた問題を中心に繰り返し演習
初学者	マークなし	難問題	

よくわかる社労士シリーズの活用法

　「よくわかる社労士」シリーズは、社労士試験の完全合格を実現するための、実践的シリーズです。過去10年分の本試験傾向を網羅的につかめる『合格するための過去10年本試験問題集』と、条文ベースの本文で確実に理解することができる『合格テキスト』を中心としたシリーズ構成で、常に変化していく試験傾向にも柔軟に対応できる力を身につけていくことができます。

学習の流れ

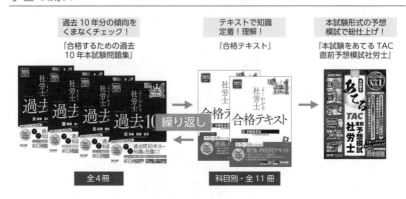

過去10年分の傾向を
くまなくチェック！

『合格するための過去
10年本試験問題集』

全4冊

繰り返し

過去問10年分が
知識を完璧に！

テキストで知識
定着！理解！

『合格テキスト』

科目別・全11冊

本試験形式の予想
模試で総仕上げ！

『本試験をあてるTAC
直前予想模試社労士』

社会保険労務士試験の概要

試験概要・実施スケジュール

受験案内配布	4月中旬〜
受験申込受付期間	4月中旬〜5月下旬(令和6年は4月15日〜5月31日) ※インターネット申込み、または郵送申込み
試験日程	8月下旬(令和6年は8月25日)
合格発表	10月上旬(令和6年は10月2日)
受験料	15,000円

主な受験資格

学校教育法(昭和22年法律第26号)による大学、短期大学、専門職大学、専門職短期大学若しくは高等専門学校(5年制)を卒業した者(専攻の学部学科は問わない)
行政書士となる資格を有する者

※詳細は「全国社会保険労務士会連合会試験センター」のホームページにてご確認ください。

試験形式

選択式	8問出題（40点満点〈1問あたり空欄が5つ〉）　解答時間は80分 文章中の5つの空欄に、選択肢の中から正解番号を選び、マークシートに記入します。
択一式	70問出題（70点満点）　解答時間は210分 5つの選択肢の中から、正解肢をマークシートに記入します。

合格基準

　合格基準について、年度により多少の前後がありますが、例年総得点の7割程度となります。それぞれの試験における総得点の基準と、各科目ごとの基準との両方をクリアする必要があります。

参考 令和5年度本試験の合格基準

選択式：総得点26点以上、各科目3点以上
択一式：総得点45点以上、各科目4点以上

試験科目

科目名	選択式	択一式
労働基準法	2科目 混合問題で1問	7問
労働安全衛生法		3問
労働者災害補償保険法	1問	7問
雇用保険法	1問	7問
労働保険の保険料の徴収等に関する法律	なし	6問
労務管理その他の労働に関する一般常識	1問	10問
社会保険に関する一般常識	1問	
健康保険法	1問	10問
厚生年金保険法	1問	10問
国民年金法	1問	10問

過去5年間の受験者数・合格者数の推移

年　度	令和元年	令和2年	令和3年	令和4年	令和5年
受験申込者数	49,570人	49,250人	50,433人	52,251人	53,292人
受験者数	38,428人	34,845人	37,306人	40,633人	42,741人
合格者数	2,525人	2,237人	2,937人	2,134人	2,720人
合格率	6.6%	6.4%	7.9%	5.3%	6.4%

**詳細の受験資格や受験申込み及びお問合せは
「全国社会保険労務士会連合会試験センター」へ
https://www.sharosi-siken.or.jp**

● C O N T E N T S ●

1 雇用（雇用保険法）

2　徴収（労働保険の保険料の徴収等に関する法律）

3　労一（労務管理その他の労働に関する一般常識）

1 雇用
（雇用保険法）

雇用保険法

凡　例

法	→雇用保険法
法附則	→雇用保険法附則
令	→雇用保険法施行令
令附則	→雇用保険法施行令附則
則	→雇用保険法施行規則
則附則	→雇用保険法施行規則附則
徴収法	→労働保険の保険料の徴収等に関する法律
番号法	→行政手続における特定の個人を識別するための番号の利用等に関する法律
労審法	→労働保険審査官及び労働保険審査会法
厚労告	→厚生労働省告示〔平成12年以前：労働省告示(労告)〕
行政手引	→雇用保険に関する業務取扱要領(職業安定行政手引)

雇用：目次

雇用：択一式出題ランキング

1位　基本手当の受給期間及び給付日数（35問）
2位　被保険者及び適用除外（27問）
2位　雇用継続給付（27問）

1 総則

①問1
□□□
R元-4A
難

雇用保険に関する事務(労働保険徴収法施行規則第1条第1項に規定する労働保険関係事務を除く。)のうち都道府県知事が行う事務は、雇用保険法第5条第1項に規定する適用事業の事業所の所在地を管轄する都道府県知事が行う。

①問2
□□□
R4-7C
難

厚生労働大臣は、基本手当の受給資格者について給付制限の対象とする「正当な理由がなく自己の都合によって退職した場合」に該当するかどうかの認定をするための基準を定めようとするときは、あらかじめ労働政策審議会の意見を聴かなければならない。

2 適用事業

②問1
□□□
R4-2D

日本国内において事業を行う外国会社(日本法に準拠してその要求する組織を具備して法人格を与えられた会社以外の会社)は、労働者が雇用される事業である限り適用事業となる。

②問2
□□□
R4-2E

事業とは、経営上一体をなす本店、支店、工場等を総合した企業そのものを指す。

②問3
□□□
R4-2A

法人格がない社団は、適用事業の事業主とならない。

②問4
□□□
R4-2B

雇用保険に係る保険関係が成立している建設の事業が労働保険徴収法第8条の規定による請負事業の一括が行われた場合、被保険者に関する届出の事務は元請負人が一括して事業主として処理しなければならない。

1答1 ○ 則1条3項。設問の通り正しい。

1答2 ○ 法33条2項、法72条1項。設問の通り正しい。

2答1 ○ 行政手引20051。設問の通り正しい。

2答2 × 行政手引20002。雇用保険法において「事業」とは、経営上一体をなす本店、支店、工場等を総合した企業そのものを指すのではなく、個々の本店、支店、工場、鉱山、事務所のように、一つの経営組織として独立性をもった経営体をいう。

2答3 × 行政手引20002。雇用保険法において「事業主」とは、当該事業についての法律上の権利義務の主体となるものをいい、法人格がない社団も適用事業の事業主となり得る。

2答4 × 法7条、行政手引20002。請負事業の一括が行われた場合であっても、被保険者に関する届出の事務等、雇用保険法の規定に基づく事務については、元請負人、下請負人がそれぞれ別個の事業主として処理しなければならない。

雇用

2問5
□□□
H30-7ア
　適用事業の事業主は、雇用保険の被保険者に関する届出を事業所ごとに行わなければならないが、複数の事業所をもつ本社において事業所ごとに書類を作成し、事業主自らの名をもって当該届出をすることができる。

2問6
□□□
H30-7ウ
　雇用保険法の適用を受けない労働者のみを雇用する事業主の事業（国、都道府県、市町村その他これらに準ずるものの事業及び法人である事業主の事業を除く。）は、その労働者の数が常時5人以下であれば、任意適用事業となる。

2問7
□□□
H30-7イ
　事業主が適用事業に該当する部門と任意適用事業に該当する部門を兼営している場合、それぞれの部門が独立した事業と認められるときであっても、すべての部門が適用事業となる。

2問8
□□□
R4-2C
　事業主が適用事業に該当する部門と暫定任意適用事業に該当する部門とを兼営する場合、それぞれの部門が独立した事業と認められるときであっても当該事業主の行う事業全体が適用事業となる。

---

3 被保険者及び適用除外

最新問題

3問1
□□□
R6-1A
　報酬支払等の面からみて労働者的性格の強い者と認められる株式会社の代表取締役は被保険者となるべき他の要件を満たす限り被保険者となる。

3問2
□□□
R6-1B
　適用事業の事業主に雇用されつつ自営業を営む者は、当該適用事業の事業主の下での就業条件が被保険者となるべき要件を満たす限り被保険者となる。

3問3
□□□
R6-1C
　労働者が長期欠勤して賃金の支払を受けていない場合であっても、被保険者となるべき他の要件を満たす雇用関係が存続する限り被保険者となる。

2答5 ○ 則3条、行政手引22001。設問の通り正しい。

2答6 × 法5条1項、法附則2条1項、令附則2条、行政手引20105。任意適用事業（暫定任意適用事業）となるのは、**常時5人未満の労働者を雇用する個人経営の農林水産の事業**（船員が雇用される事業を除く。）である。また、雇用保険法においては、**労働者が雇用される事業を適用事業とする**とされており、雇用保険法の適用を受けない労働者のみを雇用する事業主の事業については、その数のいかんにかかわらず、適用事業として取り扱う必要はないとされている。

2答7 × 行政手引20106。設問の場合、それぞれの部門が独立した事業と認められるときは、適用事業に該当する部門のみが適用事業となる。

2答8 × 行政手引20106。事業主が適用事業に該当する部門と暫定任意適用事業に該当する部門とを兼営する場合で、それぞれの部門が独立した事業と認められる場合は、適用事業に該当する部門のみが適用事業となる。

3答1 × 法4条1項、行政手引20351。代表取締役は被保険者とならない。

3答2 ○ 法4条1項、行政手引20352。設問の通り正しい。

3答3 ○ 法4条1項、行政手引20352。設問の通り正しい。

❸問4 中小企業等協同組合法に基づく企業組合の組合員は、組合との間
□□□ に同法に基づく組合関係があることとは別に、当該組合との間に使
R6-1D 用従属関係があり当該使用従属関係に基づく労働の提供に対し、そ
の対償として賃金が支払われている場合、被保険者となるべき他の
要件を満たす限り被保険者となる。

❸問5 学校教育法に規定する大学の夜間学部に在籍する者は、被保険者
□□□ となるべき他の要件を満たす限り被保険者となる。
R6-1E

以下の問題において「一般被保険者」とは、高年齢被保険者、短期雇用特
例被保険者及び日雇労働被保険者を除いた被保険者をいうものとする。

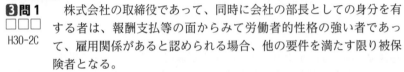

❸問1 株式会社の取締役であって、同時に会社の部長としての身分を有
□□□ する者は、報酬支払等の面からみて労働者的性格の強い者であっ
H30-2C て、雇用関係があると認められる場合、他の要件を満たす限り被保
険者となる。

❸問2 名目的に就任している監査役であって、常態的に従業員として事
□□□ 業主との間に明確な雇用関係があると認められる場合は、被保険者
R5-1A となる。

❸問3 農業協同組合、漁業協同組合の役員は、雇用関係が明らかでない
□□□ 限り雇用保険の被保険者とならない。
H27-1A

❸問4 特定非営利活動法人（ＮＰＯ法人）の役員は、雇用関係が明らかな
□□□ 場合であっても被保険者となることはない。
H30-2D

❸問5 専ら家事に従事する家事使用人は、被保険者とならない。
□□□
R5-1B

❸答4 ○ 法4条1項、行政手引20351。設問の通り正しい。

❸答5 ○ 法4条1項、法6条4号、則3条の2,3号、行政手引20303。設問の通り正しい。

---

❸答1 ○ 法4条1項、行政手引20351。設問の通り正しい。

プラスα

> 株式会社の代表取締役が被保険者になることはない。

❸答2 ○ 法4条1項、行政手引20351。設問の通り正しい。監査役については、会社法上従業員との兼職禁止規定があるので、原則として被保険者とならないが、名目的に監査役に就任しているに過ぎず、常態的に従業員として事業主との間に明確な雇用関係があると認められる場合は被保険者となり得る。

❸答3 ○ 法4条1項、行政手引20351。設問の通り正しい。

❸答4 × 法4条1項、行政手引20351。特定非営利活動法人（ＮＰＯ法人）の役員は、雇用関係が明らかな場合であれば被保険者となりうる。

❸答5 ○ 法4条1項、行政手引20351。設問の通り正しい。

❸問6 個人事業の事業主と同居している親族は、当該事業主の業務上の指揮命令を受け、就業の実態が当該事業所における他の労働者と同様であり、賃金もこれに応じて支払われ、取締役等に該当しない場合には、被保険者となる。

R5-1C

❸問7 労働日の全部又はその大部分について事業所への出勤を免除され、かつ、自己の住所又は居所において勤務することを常とする在宅勤務者は、事業所勤務労働者との同一性が確認できる場合、他の要件を満たす限り被保険者となりうる。

H30-2A

❸問8 生命保険会社の外務員、損害保険会社の外務員、証券会社の外務員は、その職務の内容、服務の態様、給与の算出方法等からみて雇用関係が明確でないので被保険者となることはない。

H27-1E

❸問9 身体上若しくは精神上の理由又は世帯の事情により就業能力の限られている者、雇用されることが困難な者等に対して、就労又は技能の習得のために必要な機会及び便宜を与えて、その自立を助長することを目的とする社会福祉施設である授産施設の職員は、他の要件を満たす限り被保険者となる。

H30-2E

難

❸問10 一般被保険者たる労働者が長期欠勤している場合、雇用関係が存続する限り賃金の支払を受けていると否とを問わず被保険者となる。

H30-2B

❸問11 労働者が長期欠勤している場合であっても、雇用関係が存続する限り、賃金の支払を受けているか否かにかかわらず、当該期間は算定基礎期間に含まれる。

R3-3C

❸問12 ワーキング・ホリデー制度による入国者は、旅行資金を補うための就労が認められるものであることから、被保険者とならない。

R5-1D

❸答6 ○　法４条１項、行政手引20351。設問の通り正しい。個人事業の事業主と同居している親族は、原則として被保険者とならないが、設問の条件を満たす者は被保険者となる。

❸答7 ○　法４条１項、行政手引20351。設問の通り正しい。なお、設問の「事業所勤務労働者との同一性」とは、所属事業所において勤務する他の労働者と同一の就業規則等の諸規定（その性質上在宅勤務者に適用できない条項を除く。）が適用されること〔在宅勤務者に関する特別の就業規則等（労働条件、福利厚生が他の労働者とおおむね同等以上であるものに限る。）が適用される場合を含む。〕をいう。

❸答8 ×　法４条１項、行政手引20351。設問の者は、その職務の内容、服務の態様、給与の算出方法等の実態により判断して雇用関係が明確である場合は、被保険者となる。

❸答9 ○　法４条１項、行政手引20351。設問の通り正しい。なお、授産施設の作業員（職員は除く。）は、原則として、被保険者とならない。

❸答10 ○　法４条１項、行政手引20352。設問の通り正しい。

❸答11 ○　法22条３項、行政手引20352。設問の通り正しい。

Point 労働者が長期欠勤している場合であっても、雇用関係が存続する限り賃金の支払を受けていると否とを問わず被保険者となり、また、この期間は、基本手当の所定給付日数等を決定するための基礎となる算定基礎期間に算入される。

❸答12 ○　法４条１項、行政手引20352。設問の通り正しい。

3 問13
□□□
R5-1E

日本の民間企業等に技能実習生(在留資格「技能実習 1 号イ」、「技能実習 1 号ロ」、「技能実習 2 号イ」及び「技能実習 2 号ロ」の活動に従事する者)として受け入れられ、講習を経て技能等の修得をする活動を行う者は被保険者とならない。

3 問14
□□□
R3-1B
🈔難

所定労働時間が 1 か月の単位で定められている場合、当該時間を12分の52で除して得た時間を 1 週間の所定労働時間として算定する。

3 問15
□□□
R3-1C
🈔難

1 週間の所定労働時間算定に当たって、 4 週 5 休制等の週休2日制等 1 週間の所定労働時間が短期的かつ周期的に変動し、通常の週の所定労働時間が一通りでないとき、 1 週間の所定労働時間は、それらの加重平均により算定された時間とする。

3 問16
□□□
R3-1D
🈔難

労使協定等において「 1 年間の所定労働時間の総枠は○○時間」と定められている場合のように、所定労働時間が 1 年間の単位で定められている場合は、さらに、週又は月を単位として所定労働時間が定められている場合であっても、 1 年間の所定労働時間の総枠を52で除して得た時間を1週間の所定労働時間として算定する。

3 問17
□□□
R3-1A

雇用契約書等により 1 週間の所定労働時間が定まっていない場合やシフト制などにより直前にならないと勤務時間が判明しない場合、勤務実績に基づき平均の所定労働時間を算定する。

3 問18
□□□
R3-1E

雇用契約書等における 1 週間の所定労働時間と実際の勤務時間に常態的に乖離がある場合であって、当該乖離に合理的な理由がない場合は、原則として実際の勤務時間により 1 週間の所定労働時間を算定する。

3 問19
□□□
H27-1B

当初の雇入れ時に31日以上雇用されることが見込まれない場合であっても、雇入れ後において、雇入れ時から31日以上雇用されることが見込まれることとなった場合には、他の要件を満たす限り、その時点から一般被保険者となる。

3 問20
□□□
H27-1C

学校教育法第 1 条、第124条又は第134条第 1 項の学校の学生又は生徒であっても、休学中の者は、他の要件を満たす限り雇用保険法の被保険者となる。

3 答13 ×　法４条１項、行政手引20352。設問の技能実習生は、受入先の事業主と雇用関係にあるので、被保険者となる。

3 答14 ○　行政手引20303。設問の通り正しい。

3 答15 ○　行政手引20303。設問の通り正しい。

3 答16 ×　行政手引20303。所定労働時間が１年間の単位で定められている場合であっても、さらに、週又は月を単位として所定労働時間が定められている場合には、当該週又は月を単位として定められた所定労働時間により１週間の所定労働時間を算定することとされている。

3 答17 ○　行政手引20303。設問の通り正しい。

3 答18 ○　行政手引20303。設問の通り正しい。

3 答19 ○　法４条１項、法６条２号、行政手引20303。設問の通り正しい。

3 答20 ○　法６条４号、則３条の2,2号、行政手引20303。設問の通り正しい。

3 問21
□□□
H27-1D

国家公務員退職手当法第2条第1項に規定する常時勤務に服することを要する者として国の事業に雇用される者のうち、離職した場合に法令等に基づいて支給を受けるべき諸給与の内容が、求職者給付、就職促進給付の内容を超えると認められる者は、雇用保険の被保険者とはならない。

3 問22
□□□
R2-1C

雇用保険の被保険者が国、都道府県、市町村その他これらに準ずるものの事業に雇用される者のうち、離職した場合に、他の法令、条例、規則等に基づいて支給を受けるべき諸給与の内容が法の規定する求職者給付及び就職促進給付の内容を超えると認められるものであって雇用保険法施行規則第4条に定めるものに該当するに至ったときは、その日の属する月の翌月の初日から雇用保険の被保険者資格を喪失する。

3答21 ○ 法6条6号、則4条1項1号。設問の通り正しい。

国、都道府県、市町村その他これらに準ずるもの（行政執行法人等）の事業に雇用される者のうち、離職した場合に、他の法令、条例、規則等に基づいて支給を受けるべき諸給与の内容が、求職者給付及び就職促進給付の内容を超えると認められる者であって、厚生労働省令で定めるものは、被保険者とならない。

3答22 × 法6条6号、行政手引20604。設問の場合は、「その日の属する月の翌月の初日から」ではなく、「**その日**に」雇用保険の被保険者資格を喪失したものとして取り扱われる。

被保険者資格を喪失する日
・離職した日の翌日
・死亡した日の翌日
・被保険者が、適用要件に該当しなくなった日（例：被保険者であった者が被保険者として取り扱われない取締役等となった場合）
・事業が廃止され、又は終了した日の翌日
・暫定任意適用事業について厚生労働大臣（都道府県労働局長）の保険関係の消滅の認可があった日の翌日
・登録型派遣労働者を含む有期契約労働者については、原則として、最後の雇用契約期間の終了日の翌日　　　　　　　　・・・等

4問1
□□□
R4-1E
　2の事業所に雇用される65歳以上の者は、各々の事業における1週間の所定労働時間が20時間未満であり、かつ、1週間の所定労働時間の合計が20時間以上である場合、事業所が別であっても同一の事業主であるときは、特例高年齢被保険者となることができない。

4問2
□□□
R4-1C
　特例高年齢被保険者が1の適用事業を離職したことにより、1週間の所定労働時間の合計が20時間未満となったときは、特例高年齢被保険者であった者がその旨申し出なければならない。

4問3
□□□
R4-1A
　特例高年齢被保険者が1の適用事業を離職した場合に支給される高年齢求職者給付金の賃金日額は、当該離職した適用事業において支払われた賃金のみにより算定された賃金日額である。

4問4
□□□
H29-3A
　公共職業安定所長は、短期雇用特例被保険者資格の取得の確認を職権で行うことができるが、喪失の確認は職権で行うことができない。

④答 1 ○ 法37条の5,1項１号、行政手引1070。設問の通り正しい。特例高年齢被保険者に係る適用事業については、二の事業主は異なる事業主である必要があるため、事業所が別であっても同一の事業主である場合は、適用要件を満たさない。

＜高年齢被保険者の特例＞

２以上の事業主の適用事業に雇用される65歳以上の者であって次に掲げる①～③のいずれにも該当する者が、厚生労働大臣に申し出た場合には、２の適用事業のそれぞれにおいて高年齢被保険者となることができる(当該申出をして高年齢被保険者となった者を特例高年齢被保険者という。)。

① **２以上**の事業主の適用事業に雇用される**65歳以上**の者であること。

② １の事業主の適用事業における１週間の所定労働時間が**20時間未満**であること。

③ ２の事業主の適用事業(申出を行う労働者の１の事業主の適用事業における１週間の所定労働時間が**５時間以上**であるものに限る。)における１週間の所定労働時間の**合計が20時間以上**であること。

④答 2 ○ 法37条の5,2項。設問の通り正しい。

④答 3 ○ 法37条の6,2項。設問の通り正しい。

④答 4 × 法９条１項、法38条２項、法81条、則１条１項、２項、則66条、行政手引21301。喪失の確認も職権で行うことができる。

> 厚生労働大臣(権限は公共職業安定所長に委任されている。)は、法７条(被保険者に関する届出)の規定による**届出**若しくは法８条(確認の請求)の規定による**請求**により、又は**職権**で、労働者が**被保険者となったこと又は被保険者でなくなったこと**の確認を行うものとする。

4 問 5
□□□
R元-4D

雇用保険法第38条第1項に規定する短期雇用特例被保険者に該当するかどうかの確認は、厚生労働大臣の委任を受けたその者の住所又は居所を管轄する都道府県知事が行う。

4 問 6
□□□
H29-3B

文書により、一般被保険者となったことの確認の請求をしようとする者は、その者を雇用し又は雇用していた事業主の事業所の所在地を管轄する公共職業安定所の長に所定の請求書を提出しなければならない。

4 問 7
□□□
H29-3C

日雇労働被保険者に関しては、被保険者資格の確認の制度が適用されない。

4 問 8
□□□
H29-3E
難

公共職業安定所長は、確認に係る者を雇用し、又は雇用していた事業主の所在が明らかでないために当該確認に係る者に対する通知をすることができない場合においては、当該公共職業安定所の掲示場に、その通知すべき事項を記載した文書を掲示しなければならない。

4 問 9
□□□
R2-1B

公共職業安定所長は、雇用保険被保険者資格喪失届の提出があった場合において、被保険者でなくなったことの事実がないと認めるときは、その旨につき当該届出をした事業主に通知しなければならないが、被保険者でなくなったことの事実がないと認められた者に対しては通知しないことができる。

答5 ×　法38条2項、法81条2項、則1条1項、2項、5項、則66条、行政手引20951。短期雇用特例被保険者に該当するかどうかの確認は、厚生労働大臣の委任を受けた「当該被保険者を雇用する適用事業の事業所の所在地を管轄する公共職業安定所の長」が行うこととされている。

答6 ○　則8条2項。設問の通り正しい。なお、この場合において、証拠があるときはこれを添えなければならない。

> 口頭で確認の請求をしようとする者は、所定の事項をその者を雇用し又は雇用していた事業主の事業所の所在地を管轄する公共職業安定所長に陳述し、証拠があるときはこれを提出しなければならない。

答7 ○　法43条4項。設問の通り正しい。

答8 ○　則9条2項。設問の通り正しい。

> 公共職業安定所長は、労働者が被保険者となったこと又は被保険者でなくなったことの確認をしたときは、それぞれ、雇用保険被保険者資格取得確認通知書又は雇用保険被保険者資格喪失確認通知書により、その旨を当該確認に係る者及びその者を雇用し、又は雇用していた事業主に通知しなければならない。この場合において、当該確認に係る者に対する通知は、当該事業主を通じて行うことができる。なお、設問の掲示をした場合には、掲示があった日の翌日から起算して7日を経過したときに、確認に係る通知があったものとみなされる。

答9 ×　則11条1項。設問の場合は、当該届出をした事業主のみならず、被保険者でなくなったことの事実がないと認められた者に対しても通知しなければならない。

5 適用事業所に関する届出

⑤問 1
□□□
H28-1B

　事業主は、事業所を廃止したときは、事業の種類、被保険者数及び事業所を廃止した理由等の所定の事項を記載した届書に所定の書類を添えて、事業所の所在地を管轄する公共職業安定所の長に提出しなければならない。

⑤問 2
□□□
H28-1E

　一の事業所が二つに分割された場合は、分割された二の事業所のうち主たる事業所と分割前の事業所は同一のものとして取り扱われる。

6 日雇労働被保険者以外の被保険者に関する届出

最新問題

⑥問 1
□□□
R6-4C
難

　雇用する労働者が退職勧奨に応じたことで離職したことにより被保険者でなくなった場合、事業主は、離職証明書及び当該退職勧奨により離職したことを証明する書類を添えて、その事業所の所在地を管轄する公共職業安定所長に雇用保険被保険者資格喪失届を提出しなければならない。

5 答1 ○　則141条。設問の通り正しい。なお、設問の届書（雇用保険適用事業所廃止届）は、その廃止の日の翌日から起算して**10日以内**に提出しなければならない。

> 適用事業所設置（廃止）届は、年金事務所を経由して提出することができる。また、次に掲げる区分に応じ、当該区分ごとに定める届書と併せて提出する場合には、所轄労働基準監督署長又は年金事務所を経由して提出することができる。
> ・適用事業所設置届…健康保険及び厚生年金保険の新規適用届又は労働保険の保険関係成立届（一定のものを除く。）
> ・適用事業所廃止届…健康保険及び厚生年金保険の適用事業所全喪届

5 答2 ○　行政手引22101。設問の通り正しい。なお、二の事業所が一の事業所に統合された場合は、統合後の事業所と統合前の二の事業所のうち主たる事業所を同一のものとして取り扱う。

> 事業所の分割又は統合が行われた場合における事業所の設置又は廃止の届出は、従たる事業所について行い、主たる事業所については、行う必要がない。ただし、事業所の名称、所在地に変更がある場合は、その旨の届出は必要である。

6 答1 ○　法7条、則7条1項2号、則36条9号。設問の通り正しい。

6問2 事業主は、その雇用する労働者が離職した場合、当該労働者が離
□□□ 職の日において59歳未満であり、雇用保険被保険者離職票(以下本
R6-4A 問において「離職票」という。)の交付を希望しないときは、事業所
の所在地を管轄する公共職業安定所長に対して雇用保険被保険者離
職証明書(以下本問において「離職証明書」という。)を添えずに雇
用保険被保険者資格喪失届を提出することができる。

6問1 事業年度開始の時における資本金の額が1億円を超える法人は、
□□□ その雇用する労働者が当該事業主の行う適用事業に係る被保険者と
R4-3D なったことについて、資格取得届に記載すべき事項を、電気通信回
線の故障、災害その他の理由がない限り電子情報処理組織を使用し
て提出するものとされている。

6問2 事業主は、事業所の所在地を管轄する公共職業安定所の長に提出
□□□ する所定の資格取得届を、年金事務所を経由して提出することがで
R4-3B きる。

6問3 適用事業に雇用された者で、雇用保険法第6条に定める適用除
□□□ 外に該当しないものは、雇用契約の成立日ではなく、雇用関係に入
R2-1D った最初の日に被保険者資格を取得する。

6問4 暫定任意適用事業の事業主がその事業について任意加入の認可を
□□□ 受けたときは、その事業に雇用される者は、当該認可の申請がなさ
R2-1E れた日に被保険者資格を取得する。

6 答2 ○　法7条、則7条1項、3項。設問の通り正しい。

---

6 答1 ○　則6条9項。設問の通り正しい。

6 答2 ○　則6条2項。設問の通り正しい。

6 答3 ○　法4条1項、行政手引20551。設問の通り正しい。

> 被保険者資格を取得する日
> ・適用事業に雇用されるに至った日
> ・暫定任意適用事業が、法人化又は労働者の増加等によって適用事業となった日
> ・暫定任意適用事業の任意加入の申請について、厚生労働大臣（都道府県労働局長）の認可があった日
> ・1週間の所定労働時間が20時間未満の者については、適用事業に1週間の所定労働時間が20時間以上かつ31日以上の雇用見込みがある労働者として雇用されるに至った日　　　　　・・・等

6 答4 ×　行政手引20556。設問の者は、「当該認可の申請がなされた日」ではなく「当該認可があった日」に被保険者資格を取得する。

6 問5
☐☐☐
H29-3D
公共職業安定所長は、一般被保険者となったことの確認をしたときは、その確認に係る者に雇用保険被保険者証を交付しなければならないが、この場合、被保険者証の交付は、当該被保険者を雇用する事業主を通じて行うことができる。

6 問6
☐☐☐
R4-3C
事業主は、その雇用する労働者が当該事業主の行う適用事業に係る被保険者でなくなったことについて、当該事実のあった日の属する月の翌月10日までに、雇用保険被保険者資格喪失届に必要に応じ所定の書類を添えて、その事業所の所在地を管轄する公共職業安定所の長に提出しなければならない。

6 問7
☐☐☐
R4-3E
事業主は、59歳以上の労働者が当該事業主の行う適用事業に係る被保険者でなくなるとき、当該労働者が雇用保険被保険者離職票の交付を希望しないときでも資格喪失届を提出する際に雇用保険被保険者離職証明書を添えなければならない。

6 問8
☐☐☐
H28-1D
難
事業主は、その雇用する被保険者が官民人事交流法第21条第1項に規定する雇用継続交流採用職員でなくなったときは、当該事実のあった日の翌日から起算して10日以内に雇用継続交流採用終了届に所定の書類を添えて、その事業所の所在地を管轄する公共職業安定所の長に提出しなければならない。

6 問9
☐☐☐
H28-1A
事業主は、その雇用する被保険者を当該事業主の一の事業所から他の事業所に転勤させたときは、当該事実のあった日の翌日から起算して10日以内に雇用保険被保険者転勤届を転勤前の事業所の所在地を管轄する公共職業安定所の長に提出しなければならない。

6答5 ○ 則10条１項、２項。設問の通り正しい。

プラスα

事業主を通じて行うことができるもの
①「雇用保険被保険者資格取得確認通知書」「雇用保険被保険者資格喪失確認通知書」による被保険者資格確認の通知
②「雇用保険被保険者証」「雇用保険被保険者離職票」「雇用保険被保険者休業開始時賃金証明票」「雇用保険被保険者休業・所定労働時間短縮開始時賃金証明票」の交付

6答6 × 則７条１項。雇用保険被保険者資格喪失届は、「当該事実のあった日の属する月の翌月10日まで」ではなく、「当該事実のあった日の翌日から起算して10日以内」に提出しなければならない。

6答7 ○ 則７条３項。設問の通り正しい。

Point

被保険者でなくなったことの原因が離職であるとき

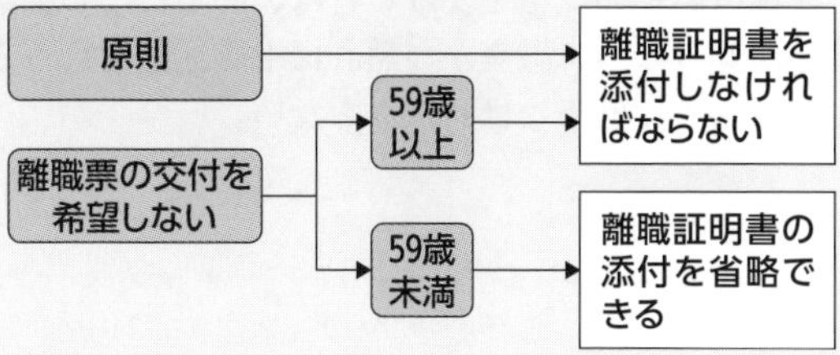
原則
離職票の交付を希望しない
59歳以上
59歳未満
離職証明書を添付しなければならない
離職証明書の添付を省略できる

6答8 ○ 則12条の２。設問の通り正しい。

6答9 × 則13条１項。雇用保険被保険者転勤届は、**転勤後**の事業所の所在地を管轄する公共職業安定所の長に提出しなければならない。

プラスα

(1)転勤届は、年金事務所を経由して提出することができる。
(2)特例高年齢被保険者にあっては、転勤に係る届書を特例高年齢被保険者本人が管轄公共職業安定所の長に提出しなければならない。

⑥問10 　事業主は、その雇用する被保険者を当該事業主の1の事業所から他の事業所に転勤させた場合、両事業所が同じ公共職業安定所の管轄内にあっても、当該事実のあった日の翌日から起算して10日以内に雇用保険被保険者転勤届を提出しなければならない。

□□□
R4-3A

⑥問11 　事業主は、その雇用する被保険者(日雇労働被保険者を除く。)の個人番号(番号法第2条第5項に規定する個人番号をいう。)が変更されたときは、速やかに、個人番号変更届をその事業所の所在地を管轄する公共職業安定所の長に提出しなければならない。

□□□
H28-1C

7 失業等給付の種類

[過去問]

⑦問1 　求職者給付の支給を受ける者は、必要に応じ職業能力の開発及び向上を図りつつ、誠実かつ熱心に求職活動を行うことにより、職業に就くように努めなければならない。

□□□
H29-1A

⑥答10 ○ 則13条1項、行政手引21752。設問の通り正しい。転勤後の事業所が転勤前と同じ公共職業安定所の管轄内にあっても、雇用保険被保険者転勤届を提出しなければならない。なお、雇用保険被保険者転勤届を提出すべき「転勤」とは、被保険者の勤務する場所が同一の事業主の一の事業所から他の事業所に変更されるに至ったことをいう。

⑥答11 ○ 則14条。設問の通り正しい。

> 特例高年齢被保険者にあっては、個人番号変更届は、特例高年齢被保険者本人が管轄公共職業安定所の長に提出しなければならない。

⑦答1 ○ 法10条の2。設問の通り正しい。

最新問題

8問**1**　　Xは、令和3年4月1日にY社に週所定労働時間が40時間、休
□□□
R6-2　日が1週当たり2日の労働契約を締結して就職し、初めて被保険
者資格を得て同年7月31日に私傷病により離職した。令和5年11
月5日、Xは離職の原因となった傷病が治ゆしたことからZ社に
被保険者として週所定労働時間が40時間、休日が1週当たり2日
の労働契約を締結して就職した。その後Xは私傷病により令和6年
2月29日に離職した。

　　この場合、Z社離職時における基本手当の受給資格要件としての
被保険者期間として、正しいものはどれか。なお、XはY社及びZ
社において欠勤がなかったものとする。

A　3か月

B　3と2分の1か月

C　4か月

D　7か月

E　7と2分の1か月

8答1　正解　B

法13条1項、法14条。算定対象期間は、原則として、離職の日以前2年間であるが、当該期間に疾病、負傷その他厚生労働省令で定める理由により引き続き30日以上賃金の支払を受けることができなかった被保険者については、当該理由により賃金の支払を受けることができなかった日数を2年に加算した期間(その期間が4年を超えるときは、4年間)となる(受給要件の緩和)。

設問においては、Z社の離職日である令和6年2月29日以前2年間は、令和4年3月1日から令和6年2月29日であるが、このうちZ社就職日(令和5年11月5日)前の期間は、雇用保険法の被保険者ではないため、「疾病、負傷その他厚生労働省令で定める理由により引き続き30日以上賃金の支払を受けることができなかった被保険者」には該当せず、受給要件の緩和は行われない。したがって、設問においては、Z社離職の日以前2年間が算定対象期間となり、当該期間内にある被保険者期間は3と2分の1か月であるため、Bが正解となる。

8 問1
□□□
H29-2C
難

離職の日以前 2 年間に、疾病により賃金を受けずに15日欠勤し、復職後20日で再び同一の理由で賃金を受けずに80日欠勤した後に離職した場合、受給資格に係る離職理由が特定理由離職者又は特定受給資格者に係るものに該当しないとき、算定対象期間は 2 年間に95日を加えた期間となる。

8 問2
□□□
H29-2E

一般被保険者が離職の日以前 1 か月において、報酬を受けて 8 日労働し、14日の年次有給休暇を取得した場合、賃金の支払の基礎となった日数が11日に満たないので、当該離職の日以前 1 か月は被保険者期間として算入されない。

⑧答1 〇 法13条1項、行政手引50153。設問の通り正しい。傷病のため欠勤(賃金支払なし)し、復職後再び傷病のため欠勤(賃金支払なし)した場合、両者が全く**同一の理由**であって、**両者の間が30日未満**である場合には、それぞれの日数を算定対象期間に加えることができる。したがって、設問の場合は、算定対象期間は2年間に95日(15日＋80日)を加えた期間となる。

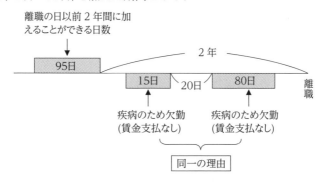

> **Point**
> 算定対象期間〔離職の日以前2年間(又は1年間)〕は、次の①～⑥に掲げる理由により**引き続き30日以上**賃金の支払を受けることができなかった者については、その賃金の支払を受けることができなかった日数を加算した期間(**最大限4年間**)となる。
> ①疾病、負傷(業務上・外の別は問わない)
> ②事業所の休業
> ③出産
> ④事業主の命による外国における勤務(海外出向)
> ⑤国と民間企業との間の人事交流に関する法律に規定する交流採用
> ⑥上記①～⑤の理由に準ずる理由であって、管轄公共職業安定所長がやむを得ないと認めるもの

⑧答2 × 法14条1項、行政手引21454、行政手引50501。年次有給休暇の日数は賃金の支払の基礎となった日数に含まれるため、当該離職の日以前1か月は被保険者期間として算入される。

> 「賃金支払基礎日数」とは、賃金の支払の基礎となった日数であるが、この場合、「賃金の支払の基礎となった日」とは、現実に労働した日であることを要しない。例えば、労働基準法第26条の規定による休業手当が支給された場合にはその休業手当の支給の対象となった日数、有給休暇がある場合にはその有給休暇の日数等は、賃金の支払の基礎となった日数に算入される。

8 問3
□□□
R元-1D

一般被保険者である日給者が離職の日以前1か月のうち10日間は報酬を受けて労働し、7日間は労働基準法第26条の規定による休業手当を受けて現実に労働していないときは、当該離職の日以前1か月は被保険者期間として算入しない。

8 問4
□□□
R元-1B

労働した日により算定された本給が11日分未満しか支給されないときでも、家族手当、住宅手当の支給が1月分あれば、その月は被保険者期間に算入する。

8 問5
□□□
R元-1C
(難)

二重に被保険者資格を取得していた被保険者が一の事業主の適用事業から離職した後に他の事業主の適用事業から離職した場合、被保険者期間として計算する月は、前の方の離職の日に係る算定対象期間について算定する。

8 問6
□□□
R元-1A

最後に被保険者となった日前に、当該被保険者が特例受給資格を取得したことがある場合においては、当該特例受給資格に係る離職の日以前における被保険者であった期間は、被保険者期間に含まれる。

8 問7
□□□
R元-1E

雇用保険法第9条の規定による被保険者となったことの確認があった日の2年前の日前における被保険者であった期間は被保険者期間の計算には含めないが、当該2年前の日より前に、被保険者の負担すべき額に相当する額がその者に支払われた賃金から控除されていたことが明らかである時期がある場合は、その時期のうち最も古い時期として厚生労働省令で定める日以後の被保険者であった期間は、被保険者期間の計算に含める。

8答3 ×　法14条1項、行政手引21454、行政手引50501。労働基準法26条の規定に基づく休業手当は賃金と認められ、また、日給者についても「賃金支払の基礎となった日数」には、現実に労働した日でなくても、休業手当支払の対象となった日が含まれるため、設問の場合は賃金支払基礎日数が11日以上となり、当該離職の日以前1か月は被保険者期間として算入される。**8答2**の プラスα 参照。

8答4 ×　法14条1項、行政手引50103。家族手当、住宅手当等の支給が1月分ある場合でも、本給が11日分未満しか支給されないときは、その月は、原則として、被保険者期間に算入しない。

8答5 ×　法14条1項、行政手引50103。設問の場合、被保険者期間として計算する月は、「**後の方**」の離職の日に係る算定対象期間について算定する。

8答6 ×　法14条2項1号。最後に被保険者となった日前に、当該被保険者が特例受給資格を取得したことがある場合においては、当該特例受給資格に係る離職の日以前における被保険者であった期間は、被保険者期間(の計算の基礎となる被保険者であった期間)に「含まれない」。

Point
> 被保険者期間の計算において、最後に被保険者となった日前に、当該被保険者が受給資格、高年齢受給資格又は特例受給資格を取得したことがある場合には、当該受給資格、高年齢受給資格又は特例受給資格に係る離職の日以前における被保険者であった期間は、被保険者期間(の計算の基礎となる被保険者であった期間)に含めない。

8答7 ○　法14条2項2号。設問の通り正しい。

9 基本手当の受給手続

最新問題

9 問 1
□□□
R6-4B
基本手当の支給を受けようとする者（未支給給付請求者を除く。）が離職票に記載された離職の理由に関し異議がある場合、管轄公共職業安定所に対し離職票及び離職の理由を証明することができる書類を提出しなければならない。

9 問 2
□□□
R6-4E
難
公共職業安定所長は、離職票を提出した者が雇用保険法第13条第1項所定の被保険者期間の要件を満たさないと認めたときは、離職票にその旨を記載して返付しなければならない。

過去問

9 問 1
□□□
H27-7B
基本手当の支給を受けようとする者（未支給給付請求者を除く。）が管轄公共職業安定所に出頭する場合において、その者が2枚以上の離職票を保管するときでも、直近の離職票のみを提出すれば足りる。

9 問 2
□□□
R元-3A
難
管轄公共職業安定所長は、基本手当の受給資格者の申出によって必要があると認めるときは、他の公共職業安定所長に対し、その者について行う基本手当に関する事務を委嘱することができる。

9 問 3
□□□
R2-2B
基本手当の受給資格者が求職活動等やむを得ない理由により公共職業安定所に出頭することができない場合、失業の認定を代理人に委任することができる。

⑨答1 ○　則19条1項。設問の通り正しい。

⑨答2 ○　則19条4項。設問の通り正しい。

---

⑨答1 ×　則19条1項。設問の場合は、その者が保管する2枚以上の離職票（雇用保険被保険者離職票）を提出しなければならない。

⑨答2 ○　則54条1項。設問の通り正しい。

⑨答3 ×　行政手引51252。失業の認定は、受給資格者本人の求職の申込みによって行われるものであるから、代理人による失業の認定はできない。

Point　次の場合には、代理人による失業の認定を受けることができる。
①未支給給付を請求しようとする場合（受給資格者が死亡した場合）
②受給資格者が公共職業訓練等を行う施設に入校中の場合

9問4
□□□
H27-7C

1日の労働時間が4時間以上の請負業務に従事した日についても、失業の認定が行われる。

9問5
□□□
H28-3オ

受給資格者が登録型派遣労働者として被保険者とならないような派遣就業を行った場合は、通常、その雇用契約期間が「就職」していた期間となる。

9問6
□□□
R5-2E

受給資格者が被保険者とならないような登録型派遣就業を行った場合、当該派遣就業に係る雇用契約期間につき失業の認定が行われる。

9問7
□□□
R5-2D

求職活動実績の確認のためには、所定の失業認定申告書に記載された受給資格者の自己申告のほか、求職活動に利用した機関や応募先事業所の確認印がある証明書が必要である。

9問8
□□□
H27-7D

失業の認定に係る求職活動の確認につき、地方自治体が行う求職活動に関する指導、受給資格者の住居所を管轄する公共職業安定所以外の公共職業安定所が行う職業相談を受けたことは、求職活動実績に該当しない。

⑨答4 ×　行政手引51255。設問の日は就職した日として扱われ、失業の認定は行われない。なお、「就職」とは、雇用関係に入るものはもちろん、**請負**、**委任**により**常時労務を提供**する地位にある場合、**自営業**を開始した場合等であって、原則として1日の労働時間が**4時間以上**のもの（4時間未満であっても被保険者となる場合を含む。）をいい、現実の収入の有無を問わない。

⑨答5 ○　行政手引51256。設問の通り正しい。

⑨答6 ×　法15条5項、行政手引51256。受給資格者が被保険者とならないような登録型派遣就業を行った場合は、通常、その雇用契約期間が「就職」していた期間であることとされるため、当該期間については失業の認定は行われない。

> **Point**
> 「失業の認定」とは、受給資格者が、労働の意思及び能力を有するにもかかわらず、職業に就くことができない状態にあることを公共職業安定所長が確認する行為である。

⑨答7 ×　法15条5項、行政手引51254。求職活動実績の確認については、失業認定申告書に記載された受給資格者の自己申告に基づいて判断することを原則とし、求職活動に利用した機関や応募先事業所の証明等（確認印等）は求めないこととされている。

⑨答8 ×　則28条の2,1項、行政手引51254。設問の指導や職業相談も、求職活動実績に該当する。求職活動実績として認められる求職活動には、公共職業安定所（船員を希望する者については、地方運輸局、船員雇用促進センター）、許可・届出のある民間需給調整機関（民間職業紹介機関、労働者派遣機関をいう。）が行う職業相談、職業紹介等が該当するほか、公的機関等（独立行政法人高齢・障害・求職者雇用支援機構、**地方自治体**、求人情報提供会社、新聞社等）が行う求職活動に関する指導、個別相談が可能な企業説明会等が含まれる。また、受給資格者の住居所を管轄する公共職業安定所**以外**の公共職業安定所が行う職業相談、職業紹介等を受けたことも当然に該当する。

⑨問9 受給資格者の住居所を管轄する公共職業安定所以外の公共職業安
□□□ 定所が行う職業相談を受けたことは、求職活動実績として認められ
R2-2A る。

⑨問10 許可・届出のある民間職業紹介機関へ登録し、同日に職業相談、
□□□ 職業紹介等を受けなかったが求人情報を閲覧した場合、求職活動実
R5-2B 績に該当する。

⑨問11 雇用保険法第33条に定める給付制限(給付制限期間が1か月とな
□□□ る場合を除く。)満了後の初回支給認定日については、当該給付制限
H28-3改 期間と初回支給認定日に係る給付制限満了後の認定対象期間をあわ
せた期間に求職活動を原則3回以上(給付制限期間が2か月の場合
は、原則2回以上)行った実績を確認できた場合に、他に不認定と
なる事由がある日以外の各日について失業の認定を行う。

⑨問12 基本手当に係る失業の認定日において、前回の認定日から今回の
□□□ 認定日の前日までの期間の日数が14日未満となる場合、求職活動
R5-2A を行った実績が1回以上確認できた場合には、当該期間に属する、
他に不認定となる事由がある日以外の各日について、失業の認定が
行われる。

⑨問13 自営の開業に先行する準備行為に専念する者については、労働の
□□□ 意思を有するものとして取り扱われる。
R2-2C

難

⑨問14 雇用保険の被保険者となり得ない短時間就労を希望する者であっ
□□□ ても、労働の意思を有すると推定される。
R2-2D

難

⑨問15 認定対象期間において一の求人に係る筆記試験と採用面接が別日
□□□ 程で行われた場合、求人への応募が2回あったものと認められる。
R2-2E

⑨答9 ○　行政手引51254。設問の通り正しい。**⑨答8**参照。

⑨答10 ×　法15条5項、行政手引51254。設問のように民間職業紹介機関へ登録し、求人情報を閲覧したのみでは、求職活動実績として取り扱われない。

⑨答11 ○　法15条5項、行政手引51254。設問の通り正しい。

認定対象期間中の求職活動実績は、原則として2回以上必要であるが、次のいずれかに該当する場合には、認定対象期間中に求職活動実績が1回以上あれば足りるものとされている。
・就職困難者である場合
・初回支給認定日（基本手当の支給に係る最初の失業の認定日）における認定対象期間（待期期間を除く。）である場合
・認定対象期間の日数が14日未満となる場合
・求人への応募を行った場合
・巡回職業相談所における失業の認定及び市町村長の取次ぎによる失業の認定を行う場合

⑨答12 ○　法15条5項、行政手引51254。設問の通り正しい。

⑨答13 ×　行政手引50102、行政手引51254。設問の者については、労働の意思を有するものとして取り扱うことはできない。

⑨答14 ×　行政手引50102、行政手引51254。雇用保険の被保険者となり得る短時間就労を希望する場合は、労働の意思を有するものと推定されるが、設問のように雇用保険の被保険者となり得ない短時間就労を希望する者は、労働の意思を有するものと推定されない。

⑨答15 ×　行政手引51254。書類選考、筆記試験、採用面接等が一の求人に係る一連の選考過程である場合には、そのいずれまでを受けたかにかかわらず、一の応募として取り扱われる。

⑨問16 失業の認定は、求職の申込みを受けた公共職業安定所において、
□□□ 原則として受給資格者が離職後最初に出頭した日から起算して4
H27-7A 週間に1回ずつ直前の28日の各日について行われる。

⑨問17 公共職業安定所長の指示した雇用保険法第15条第3項に定める
□□□ 公共職業訓練等を受ける受給資格者に係る失業の認定は、4週間
H28-3I に1回ずつ直前の28日の各日（既に失業の認定の対象となった日を
除く。）について行われる。

⑨問18 公共職業安定所長の指示した公共職業訓練を受ける受給資格者に
□□□ 係る失業の認定は、当該受給資格者が離職後最初に出頭した日から
R元-3B 起算して4週間に1回ずつ直前の28日の各日について行う。

⑨問19 失業の認定日が就職日の前日である場合、当該認定日において就
□□□ 労していない限り、前回の認定日から当該認定日の翌日までの期間
R5-2C について失業の認定をすることができる。

⑨問20 職業に就くためその他やむを得ない理由のため失業の認定日に管
□□□ 轄公共職業安定所に出頭することができない者は、管轄公共職業安
R元-3C 定所長に対し、失業の認定日の変更を申し出ることができる。

⑨問21 受給資格者が配偶者の死亡のためやむを得ず失業の認定日に管轄
□□□ 公共職業安定所に出頭することができなかったことを失業の認定日
H27-7E 後に管轄公共職業安定所長に申し出たとき、当該失業の認定日から
当該申出をした日の前日までの各日について失業の認定が行われる
ことはない。

⑨答16 ○ 法15条3項。設問の通り正しい。

⑨答17 × 法15条3項ただし書、則24条1項。設問の受給資格者に係る失業の認定は、**1月に1回**、**直前の月に属する各日**（既に失業の認定の対象となった日を除く。）について行うものとされている。

> **Point** 失業の認定は、求職の申込みを受けた公共職業安定所において、受給資格者が離職後最初に出頭した日から起算して4週間に1回ずつ直前の28日の各日について行うものとされているが、設問の者に係る失業の認定は、1月に1回、直前の月に属する各日（既に失業の認定の対象となった日を除く。）について行うものとされている。

⑨答18 × 法15条3項ただし書、則24条1項。公共職業安定所長の指示した公共職業訓練等を受ける受給資格者に係る失業の認定は、**1月に1回**、**直前の月に属する各日**（既に失業の認定の対象となった日を除く。）について行うものとされている。**⑨答17**の **Point** 参照。

⑨答19 × 法15条5項、行政手引51251。設問の場合、前回の認定日から「当該認定日」までの期間について失業の認定をすることができる。失業の認定日が就職日の前日である場合は、当該認定日を含めた期間（前回の認定日から当該認定日までの期間）について失業の認定をすることもできることとされている。また、設問において「認定日の翌日」は就職日であるため、失業の認定は行われない。

⑨答20 ○ 法15条3項、則23条1項1号。設問の通り正しい。

⑨答21 × 法15条3項ただし書、則23条1項1号、則24条2項2号、行政手引51351。設問の場合、管轄公共職業安定所長は、失業の認定日を変更することができるため、当該失業の認定日から当該申出を受けた日の前日までの各日について失業の認定が行われることがある。

9 問22 □□□ H28-3ｳ改　子弟の入学式又は卒業式等へ出席するため失業の認定日に管轄公共職業安定所に出頭することができない受給資格者は、原則として事前に申し出ることにより認定日の変更の取扱いを受けることができる。

9 問23 □□□ R元-3D　受給資格者が天災その他やむを得ない理由により公共職業安定所に出頭することができなかったときは、その理由がなくなった最初の失業の認定日に出頭することができなかった理由を記載した証明書を提出した場合、当該証明書に記載された期間内に存在した認定日において認定すべき期間をも含めて、失業の認定を行うことができる。

9 問24 □□□ H28-37　雇用保険法第10条の３に定める未支給失業等給付にかかるもの及び公共職業能力開発施設に入校中の場合は、代理人による失業の認定が認められている。

⑨答22 ◯　法15条3項ただし書、則23条1項1号、行政手引51351。設問の通り正しい。

⑨答23 ◯　法15条4項4号、則28条1項、行政手引51401。設問の通り正しい。

> **Point**
>
> 証明書による失業の認定
> 受給資格者は、次のいずれかに該当し、失業の認定日に出頭することができなかったときは、その理由がやんだ後における最初の失業の認定日に管轄公共職業安定所に出頭し（下記③の場合を除く。）、原則として、受給資格者証を添えて（当該受給資格者が受給資格通知の交付を受けた場合にあっては、個人番号カードを提示して）その理由を記載した証明書を提出することによって失業の認定を受けることができる。
> ①疾病又は負傷のために公共職業安定所に出頭することができなかった期間が継続して15日未満である場合
> ②公共職業安定所の紹介に応じて求人者に面接する場合又は求人者の行う採用試験を受験する場合
> ③公共職業安定所長の指示した公共職業訓練等を受ける場合
> ④天災その他やむを得ない理由があった場合

⑨答24 ◯　法10条の3、法15条4項3号、則17条の2,4項、則27条2項。設問の通り正しい。

10 基本手当日額

　以下の問題において、短期雇用特例被保険者及び日雇労働被保険者は考慮しないものとする。

10問1
□□□
H30-3B
　接客係等が客からもらうチップは、一度事業主の手を経て再分配されるものであれば賃金と認められる。

10問2
□□□
H30-3A
　健康保険法第99条の規定に基づく傷病手当金が支給された場合において、その傷病手当金に付加して事業主から支給される給付額は、賃金と認められる。

10問3
□□□
H30-3C
難
　月給者が1月分の給与を全額支払われて当該月の中途で退職する場合、退職日の翌日以後の分に相当する金額は賃金日額の算定の基礎に算入される。

⑩答1 ○ 法4条4項、行政手引50502。設問の通り正しい。チップは接客係等が、客からもらうものであって賃金とは認められないが、一度事業主の手を経て再分配されるものは賃金と認められる。

　雇用保険法において「賃金」とは、「賃金、給料、手当、賞与その他名称のいかんを問わず、**労働の対償**として事業主が労働者に支払うもの（通貨以外のもので支払われるものであって、厚生労働省令で定める範囲外のものを除く。）をいう。」とされているが、この場合の「**労働の対償**」として支払われるものとは、現実に提供された労働に対して支払われるもののみを意味するものではなく、一般に、契約その他によってその支給が**事業主の義務とされるもの**を意味すると解せられている。

⑩答2 × 法4条4項、行政手引50502。傷病手当金に付加して事業主から支給される給付額は、恩恵的給付と認められるので賃金と認められない。なお、健康保険法99条の規定に基づく傷病手当金は、健康保険の給付金であって、賃金とは認められない。

⑩答3 × 法17条1項、行政手引50503。設問の場合、退職日の翌日以後の分に相当する金額は賃金日額の算定の基礎に算入されない。

⑩問4
□□□
R元-2イ

基本手当の日額の算定に用いる賃金日額の計算に当たり算入される賃金は、原則として、算定対象期間において被保険者期間として計算された最後の3か月間に支払われたものに限られる。

⑩問5
□□□
R5-3B

支給額の計算の基礎が月に対応する住宅手当の支払が便宜上年3回以内にまとめて支払われる場合、当該手当は賃金日額の算定の基礎に含まれない。

⑩問6
□□□
R5-3A

退職金相当額の全部又は一部を労働者の在職中に給与に上乗せする等により支払う、いわゆる「前払い退職金」は、臨時に支払われる賃金及び3か月を超える期間ごとに支払われる賃金に該当する場合を除き、原則として、賃金日額の算定の基礎となる賃金の範囲に含まれる。

⑩問7
□□□
H30-3E
難

支払義務の確定した賃金が所定の支払日を過ぎてもなお支払われない未払賃金のある月については、未払額を除いて賃金額を算定する。

雇用

⑩答4 ×　法17条１項。賃金日額の計算に当たり算入される賃金は、原則として、算定対象期間において被保険者期間として計算された最後の「３か月間」ではなく「**６か月間**」に支払われたものに限られる。

Point

> **賃金日額の算式（原則）**
>
> $$\text{賃金日額（原則）} = \frac{\text{算定対象期間において被保険者期間として計算された最後の６か月間に支払われた賃金※の総額}}{180}$$
>
> ※「臨時に支払われる賃金」及び「３か月を超える期間ごとに支払われる賃金」を除く。

⑩答5 ×　法４条４項、法17条１項、行政手引50453。設問の住宅手当は、賃金日額の算定の基礎に含まれる。

プラスα

> 単に支払事務の便宜等のために年間の給与回数が３回以内となるものは、賃金日額の算定の基礎となる賃金から除かれる「３か月を超える期間ごとに支払われる賃金」に該当しない。

⑩答6 ○　法４条４項、法17条１項、行政手引50503。設問の通り正しい。

⑩答7 ×　法17条１項、行政手引50451、行政手引50609。支払義務の確定した賃金が所定の支払日を過ぎてもなお支払われない未払賃金のある月については、未払額を含めて賃金額を算定する。

Point

> 賃金日額の算定の基礎となる賃金は、被保険者として雇用された期間に対するものとして同期間中に事業主の支払義務が確定した賃金とされている。したがって、支払義務の確定した賃金が所定の支払日を過ぎてもなお支払われないものがある月については、未払額を含めて賃金日額を算定する。

⑩問8
□□□
H30-3D

賃金が出来高払制によって定められている場合の賃金日額は、労働した日数と賃金額にかかわらず、被保険者期間として計算された最後の3か月間に支払われた賃金(臨時に支払われる賃金及び3か月を超える期間ごとに支払われる賃金を除く。)の総額を90で除して得た額となる。

⑩問9
□□□
R元-27

育児休業に伴う勤務時間短縮措置により賃金が低下している期間中に事業所の倒産により離職し受給資格を取得し一定の要件を満たした場合において、離職時に算定される賃金日額が勤務時間短縮措置開始時に離職したとみなした場合に算定される賃金日額に比べて低いとき、勤務時間短縮措置開始時に離職したとみなした場合に算定される賃金日額により基本手当の日額を算定する。

⑩問10
□□□
R5-3E

介護休業に伴う勤務時間短縮措置により賃金が低下している期間に倒産、解雇等の理由により離職し、受給資格を取得し一定の要件を満たした場合であって、離職時に算定される賃金日額が当該短縮措置開始時に離職したとみなした場合に算定される賃金日額に比べて低い場合は、当該短縮措置開始時に離職したとみなした場合に算定される賃金日額により基本手当の日額が算定される。

⑩問11
□□□
R元-2ウ

受給資格に係る離職の日において60歳以上65歳未満である受給資格者に対する基本手当の日額は、賃金日額に100分の80から100分の45までの範囲の率を乗じて得た金額である。

⑩**答8** × 法17条2項1号。賃金が出来高払制によって定められている場合の賃金日額は、次の①又は②のいずれか高い方の額とされている。

①算定対象期間において被保険者期間として計算された最後の**6か月**間に支払われた賃金（臨時に支払われる賃金及び3か月を超える期間ごとに支払われる賃金を除く。）の総額を**180**で除して得た額

②上記①に規定する最後の**6か月**間に支払われた賃金の総額を当該最後の6か月間に**労働した日数**で除して得た額の**100分の70**に相当する額

⑩**答9** ○ 法17条3項、平成26.7.17厚労告292号。設問の通り正しい。

⑩**答10** ○ 法17条3項、平成26.7.17厚労告292号。設問の通り正しい。

⑩**答11** ○ 法16条2項。設問の通り正しい。なお、受給資格に係る離職の日において**60歳未満**である受給資格者に対する基本手当の日額は、賃金日額に100分の80から**100分の50**までの範囲の率を乗じて得た金額である。

Point 基本手当の日額

賃金日額 × 給付率 = 基本手当の日額

60歳未満　　　　　　80～50%
60歳以上65歳未満　　80～45%

⑩問12
□□□
R元-2オ

失業の認定に係る期間中に得た収入によって基本手当が減額される自己の労働は、原則として1日の労働時間が4時間未満のもの（被保険者となる場合を除く。）をいう。

⑩問13
□□□
R5-3C

基本手当の受給資格者が、失業の認定を受けた期間中に自己の労働によって収入を得た場合であって、当該収入を得るに至った日の後における最初の失業の認定日にその旨の届出をしないとき、公共職業安定所長は、当該失業の認定日において失業の認定をした日分の基本手当の支給の決定を次の基本手当を支給すべき日まで延期することができる。

⑩問14
□□□
R元-2エ

厚生労働大臣は、4月1日からの年度の平均給与額が平成27年4月1日から始まる年度（自動変更対象額が変更されたときは、直近の当該変更がされた年度の前年度）の平均給与額を超え、又は下るに至った場合においては、その上昇し、又は低下した比率に応じて、その翌年度の8月1日以後の自動変更対象額を変更しなければならない。

⑩問15
□□□
R5-3D
難

雇用保険法第18条第3項に規定する最低賃金日額は、同条第1項及び第2項の規定により変更された自動変更対象額が適用される年度の4月1日に効力を有する地域別最低賃金の額について、一定の地域ごとの額を労働者の人数により加重平均して算定した額に20を乗じて得た額を7で除して得た額とされる。

⑩答12 ○ 法19条1項、行政手引51652。設問の通り正しい。

> 自己の労働による収入とは短時間就労による収入であり、原則として1日の労働時間が4時間未満のもの（被保険者となる場合を除く。）であって、就職とはいえない程度のものをいう（雇用関係の有無は問わない）。また「自己の労働による収入」であるから、衣服、家具等を売却して得た収入、預金利息等は含まない。

⑩答13 ○ 法19条3項、則29条。設問の通り正しい。

⑩答14 ○ 法18条1項。設問の通り正しい。

⑩答15 ○ 法18条3項、則28条の5。設問の通り正しい。

11 基本手当の受給期間及び給付日数

　以下の問題において、「基準日」とは「基本手当の受給資格に係る離職の日」のこと、「算定基礎期間」とは「雇用保険法第22条第3項に規定する算定基礎期間」のことである。また、雇用保険法に定める延長給付は考慮しないものとする。

過去問

11 問1
□□□
H28-4C

　雇用保険法第22条第2項第1号に定める45歳以上65歳未満である就職が困難な者(算定基礎期間が1年未満の者は除く。)の受給期間は、同法第20条第1項第1号に定める基準日の翌日から起算して1年に60日を加えた期間である。

11 問2
□□□
H28-4A

　受給資格者が、受給期間内に再就職して再び離職した場合に、当該再離職によって新たな受給資格を取得したときは、前の受給資格に係る受給期間内であれば、前の受給資格に基づく基本手当の残日数分を受給することができる。

11 問3
□□□
H28-4E

　60歳以上の定年に達した後、1年更新の再雇用制度により一定期限まで引き続き雇用されることとなった場合に、再雇用の期限の到来前の更新時に更新を行わなかったことにより退職したときでも、理由の如何を問わず受給期間の延長が認められる。

問答1 ○ 法20条1項2号、法22条2項1号。設問の通り正しい。

Point

受給期間

受給資格者の区分	原則の受給期間	
①下記②③以外の受給資格者	離職日 (基準日)の 翌日から 起算して	1年
②基準日において45歳以上65歳未満であっ て算定基礎期間が1年以上の就職困難な 受給資格者(所定給付日数が360日である 受給資格者)		1年＋60日
③基準日において45歳以上60歳未満であっ て算定基礎期間が20年以上の特定受給資 格者(所定給付日数が330日である受給資 格者)		1年＋30日

問答2 × 法20条3項。設問の場合には、新たな受給資格を取得した日以後においては、前の受給資格に基づく基本手当は、支給されない。

問答3 × 法20条2項、則31条の2,2項、行政手引50281。設問文中の「理由の如何を問わず」の部分が誤りである。60歳以上の定年に達した後再雇用等により一定期限まで引き続き雇用されることとなっている場合に、受給期間の延長が認められるのは、当該期限が到来したことにより離職した場合とされている。

Point
定年退職者等の受給期間の延長の申出は、60歳以上の定年に達したことによる離職者のほか、60歳以上の定年後の勤務延長又は再雇用の期間満了による離職者等についても行うことができる。

⓫問4
☐☐☐
H28-4B
　配偶者の出産のため引き続き30日以上職業に就くことができない者が公共職業安定所長にその旨を申し出た場合には、当該理由により職業に就くことができない日数を加算した期間、受給期間が延長される。

⓫問5
☐☐☐
H28-4D
　定年に達したことで基本手当の受給期間の延長が認められた場合、疾病又は負傷等の理由により引き続き30日以上職業に就くことができない日があるときでも受給期間はさらに延長されることはない。

⓫問6
☐☐☐
H29-2A
　失業の認定は、雇用保険法第21条に定める待期の期間には行われない。

11答4 × 法20条1項カッコ書、則30条、行政手引50271。「配偶者の出産」は受給期間が延長される理由に該当しない。

11答5 × 法20条1項、2項、行政手引50286。定年に達したことにより受給期間の延長が認められた場合であって、その延長された期間内に疾病又は負傷等の理由により**引き続き30日以上**職業に就くことができない日があるときは、さらに受給期間の延長が認められる。ただし、この場合でも受給期間は最大で4年間とされている。

11答6 × 法21条、行政手引51102。公共職業安定所の失業の認定があって初めて失業の日又は傷病のため職業に就くことができない日として認められるものであるから、待期期間中についても失業の認定は行われなければならないとされている。

次の**11問7**及び**11問8**でいう受給資格者には、雇用保険法第22条第2項に規定する厚生労働省令で定める理由により就職が困難な者は含めないものとする。

11問7
□□□
H27-2A

特定受給資格者以外の受給資格者(雇用保険法第13条第3項に規定する特定理由離職者を除く。)の場合、算定基礎期間が20年以上であれば、基準日における年齢にかかわらず、所定給付日数は150日である。

11問8
□□□
H27-2D

厚生労働大臣が職権で12年前から被保険者であったことを遡及的に確認した直後に、基準日において40歳の労働者が離職して特定受給資格者となった場合であって、労働保険徴収法第32条第1項の規定により労働者の負担すべき額に相当する額がその者に支払われた賃金から控除されていたことが明らかでないとき、所定給付日数は240日となる。

⑪答7 ○　法22条1項1号。設問の通り正しい。下記の **Point** ①参照。

Point

所定給付日数
① 一般の受給資格者（就職困難者及び特定受給資格者以外の者）

算定基礎期間	10年未満	10年以上 20年未満	20年以上
全年齢	90日	120日	150日

② 就職困難である受給資格者

年齢　　算定基礎期間	1年未満	1年以上
45歳未満	150日	300日
45歳以上65歳未満		360日

③ 特定受給資格者

年齢　　算定基礎期間	1年未満	1年以上 5年未満	5年以上 10年未満	10年以上 20年未満	20年以上
30歳未満	90日	90日	120日	180日	―
30歳以上35歳未満		120日	180日	210日	240日
35歳以上45歳未満		150日	180日	240日	270日
45歳以上60歳未満		180日	240日	270日	330日
60歳以上65歳未満		150日	180日	210日	240日

⑪答8 ×　法22条1項3号、4項、5項、法23条1項3号。設問の場合であっても「労働保険徴収法第32条第1項の規定により労働者の負担すべき額に相当する額がその者に支払われた賃金から控除されていたことが明らかでない」ときは、当該確認があった日の**2年前の日**より前にさかのぼって算定基礎期間が算定されることはないので、所定給付日数は「150日」となる。**⑪答7** の **Point** ③参照。

次の①から④の過程を経た者の④の離職時における基本手当の所定給付日数として正しいものはどれか。

① 29歳0月で適用事業所に雇用され、初めて一般被保険者となった。

② 31歳から32歳まで育児休業給付金の支給に係る休業を11か月間取得した。

③ 33歳から34歳まで再び育児休業給付金の支給に係る休業を12か月間取得した。

④ 当該事業所が破産手続を開始し、それに伴い35歳1月で離職した。

一般の受給資格者の所定給付日数

区分 ＼ 算定基礎期間	10年未満	10年以上20年未満	20年以上
一般の受給資格者	90日	120日	150日

特定受給資格者の所定給付日数

年齢 ＼ 算定基礎期間	1年未満	1年以上 5年未満	5年以上 10年未満	10年以上 20年未満	20年以上
30歳未満	90日	90日	120日	180日	—
30歳以上35歳未満	90日	120日	180日	210日	240日
35歳以上45歳未満	90日	150日	180日	240日	270日
45歳以上60歳未満	90日	180日	240日	270日	330日
60歳以上65歳未満	90日	150日	180日	210日	240日

A 90日

B 120日

C 150日

D 180日

E 210日

算定基礎期間が1年未満の就職が困難な者に係る基本手当の所定給付日数は150日である。

事業の期間が予定されている事業において当該期間が終了したことにより事業所が廃止されたため離職した者は、特定受給資格者に該当する。

⑪答9 　正解　**C**

法22条3項、法23条1項3号二、2項1号、法61条の7,9項、則35条1号。設問の場合、29歳0月で初めて一般被保険者となってから、35歳1月で離職するまでの6年1か月（73か月）が被保険者であった期間である。この期間のうち、設問文②及び③の育児休業給付金の支給に係る休業の期間（②の11か月＋③の12か月＝23か月）は算定基礎期間に算入されないため、4年2か月（73か月－23か月＝50か月）が算定基礎期間となる。また、設問の者は、事業所が破産手続を開始したことに伴い離職したため、特定受給資格者に該当し、離職時の年齢は35歳1月であることから、所定給付日数は150日となる。

⑪答10 ○　法22条2項。設問の通り正しい。**⑪答7** の **Point** ②参照。

⑪答11 ×　法23条2項1号、則35条3号。設問の者は特定受給資格者に該当しない。

11 問12
□□□
R3-4D
難

労働組合の除名により、当然解雇となる団体協約を結んでいる事業所において、当該組合から除名の処分を受けたことによって解雇された場合には、事業主に対し自己の責めに帰すべき重大な理由がないとしても、特定受給資格者に該当しない。

11 問13
□□□
H27-2B改

労働契約の締結に際し明示された労働条件が事実と著しく相違したことを理由に当該事由発生後1年以内に離職した者は、他の要件を満たす限り特定受給資格者に当たる。

11 問14
□□□
H30-5

次の記述のうち、特定受給資格者に該当する者として誤っているものはどれか。

A　出産後に事業主の法令違反により就業させられたことを理由として離職した者。

B　事業主が労働者の職種転換等に際して、当該労働者の職業生活の継続のために必要な配慮を行っていないことを理由として離職した者。

C　離職の日の属する月の前6月のうちいずれかの月において1月当たり80時間を超える時間外労働をさせられたことを理由として離職した者。

D　事業所において、当該事業主に雇用される被保険者(短期雇用特例被保険者及び日雇い労働被保険者を除く。)の数を3で除して得た数を超える被保険者が離職したため離職した者。

E　期間の定めのある労働契約の更新により3年以上引き続き雇用されるに至った場合において、当該労働契約が更新されないこととなったことを理由として離職した者。

⑪答12 ✕ 法23条2項2号、則36条1号、行政手引50305。設問の者は
特定受給資格者に該当する。受給資格を取得した場合に特定受給資
格者となる者には「解雇(自己の責めに帰すべき重大な理由による
ものを除く。)により離職した者」が掲げられており、設問の者はこ
れに該当する。

⑪答13 〇 法23条2項2号、則36条2号、行政手引50305。設問の通り
正しい。設問の者は特定受給資格者に該当する。受給資格を取得し
た場合に特定受給資格者となる者には「労働契約の締結に際し明示
された労働条件が事実と著しく相違したことにより離職した者」が
掲げられており、設問の者はこれに該当する。

⑪答14 **正解** C

A 〇 法23条2項2号、則36条5号ホ。設問の通り正しい。設
問の者は特定受給資格者に該当する。

B 〇 法23条2項2号、則36条6号。設問の通り正しい。設問
の者は特定受給資格者に該当する。

C ✕ 法23条2項2号、則36条5号ロ、ハ。設問の者は特定受
給資格者に該当しない。受給資格を取得した場合に特定受給資
格者となる者には次の①②に該当することとなったこと等によ
り離職した者が掲げられているが、設問の者はこれに該当しな
い。

①離職の日の属する月の前6月のうちいずれかの月において
1月当たり**100時間以上**、時間外労働及び休日労働が行わ
れたこと。

②離職の日の属する月の前6月のうちいずれか連続した2か
月以上の期間の時間外労働時間及び休日労働時間を平均し
1月当たり**80時間を超えて**、時間外労働及び休日労働が行
われたこと。

D 〇 法23条2項1号、則35条2号。設問の通り正しい。設問
の者は特定受給資格者に該当する。

E 〇 法23条2項2号、則36条7号。設問の通り正しい。設問
の者は特定受給資格者に該当する。

⓫問15 常時介護を必要とする親族と同居する労働者が、概ね往復5時間以上を要する遠隔地に転勤を命じられたことにより離職した場合、当該転勤は労働者にとって通常甘受すべき不利益であるから、特定受給資格者に該当しない。

R3-4C

⓫問16 いわゆる登録型派遣労働者については、派遣就業に係る雇用契約が終了し、雇用契約の更新・延長についての合意形成がないが、派遣労働者が引き続き当該派遣元事業主のもとでの派遣就業を希望していたにもかかわらず、派遣元事業主から当該雇用契約期間の満了日までに派遣就業を指示されなかったことにより離職した者は、特定理由離職者に該当する。

R3-4B

⓫問17 期間の定めのない労働契約を締結している者が雇用保険法第33条第1項に規定する正当な理由なく離職した場合、当該離職者は特定理由離職者とはならない。

H27-2E

⓫問18 子弟の教育のために退職した者は、特定理由離職者に該当する。

R3-4E

難

⓫問19 雇用保険法施行規則によると、就職が困難な者には障害者の雇用の促進等に関する法律にいう身体障害者、知的障害者が含まれるが、精神障害者は含まれない。

H30-4ア

⓫問20 就職が困難な者であるかどうかの確認は受給資格決定時になされ、受給資格決定後に就職が困難なものであると認められる状態が生じた者は、就職が困難な者には含まれない。

H30-4イ

⑪答15 ✕　法23条２項２号、則36条６号、行政手引50305。設問の者は特定受給資格者に該当する。受給資格を取得した場合に特定受給資格者となる者には「事業主が労働者の職種転換等に際して、当該労働者の職業生活の継続のために必要な配慮を行っていないことにより離職した者」が掲げられており、設問の者はこれに該当する。

⑪答16 ◯　法13条３項、則19条の2,1号、行政手引50305-2。設問の通り正しい。なお、設問の者は下記 **Point** の①に該当する。

> **Point**
>
> ＜特定理由離職者となる者＞
> 離職した者のうち、倒産・解雇等離職者に該当する者以外の者であって、次のいずれかに該当する者をいう。
> ①期間の定めのある労働契約の期間が満了し、かつ、当該労働契約の更新がないこと(その者が当該更新を希望したにもかかわらず、当該更新についての合意が成立するに至らなかった場合に限る。)により離職した者
> ②正当な理由のある自己都合により離職した者

⑪答17 ◯　法13条３項、則19条の２。設問の通り正しい。**⑪答16**の **Point** 参照。

⑪答18 ✕　法13条３項、則19条の2,2号、行政手引50305-2。設問の者は特定理由離職者に該当しない。

⑪答19 ✕　法22条２項、則32条１号〜３号。就職が困難な者には、障害者の雇用の促進等に関する法律に規定する精神障害者も含まれる。

⑪答20 ◯　行政手引50304。設問の通り正しい。

11 問21 身体障害者の確認は、求職登録票又は身体障害者手帳のほか、医師の証明書によって行うことができる。

□□□
H30-4オ
難

11 問22 育児休業給付金の支給に係る休業の期間は、算定基礎期間に含まれない。

□□□
R3-3A

11 問23 事業主Aのところで一般被保険者として3年間雇用されたのち離職し、基本手当又は特例一時金を受けることなく2年後に事業主Bに一般被保険者として5年間雇用された後に離職した者の算定基礎期間は5年となる。

□□□
H27-2C

11 問24 かつて被保険者であった者が、離職後1年以内に被保険者資格を再取得しなかった場合には、その期間内に基本手当又は特例一時金の支給を受けていなかったとしても、当該離職に係る被保険者であった期間は算定基礎期間に含まれない。

□□□
R3-3D

11 問25 特例一時金の支給を受け、その特例受給資格に係る離職の日以前の被保険者であった期間は、当該支給を受けた日後に離職して基本手当又は特例一時金の支給を受けようとする際に、算定基礎期間に含まれる。

□□□
R3-3E

11答21 ○ 行政手引50304。設問の通り正しい。

プラスα 受給資格決定に際して就職が困難な者であるか否かの確認を行う場合に、管轄公共職業安定所の長が必要であると認めるときには、その者が身体障害者等に該当する者であることの事実を証明する書類の提出を命ずることができる(則19条2項)。

11答22 ○ 法22条3項、法61条の7,9項。設問の通り正しい。

Point
算定基礎期間に含まれない期間
①育児休業給付金及び出生時育児休業給付金の支給に係る休業の期間
②離職後1年以内に被保険者資格を再取得しなかった場合の前の被保険者であった期間
③以前に基本手当又は特例一時金の支給を受けたことがある場合の当該給付の支給の算定基礎となった期間
④被保険者となったことの確認があった日の2年前の日より前の期間(原則)

11答23 ○ 法22条3項。設問の通り正しい。設問の場合、事業主Aのところを離職し「被保険者でなくなった日」が、事業主Bに雇用され被保険者となった日前1年の期間内にないため、事業主Aでの被保険者であった期間は通算できず、算定基礎期間は5年となる。**11答22**の**Point**参照。

11答24 ○ 法22条3項1号、行政手引50302。設問の通り正しい。**11答22**の**Point**参照。

11答25 × 法22条3項2号、行政手引50302。特例一時金については、算定基礎期間という概念はないため、設問の「算定基礎期間に含まれる」とする記述は誤りである。なお、基本手当の支給に係る算定基礎期間の算定においては、設問の「特例一時金の支給を受け、その特例受給資格に係る離職の日以前の被保険者であった期間」は算定基礎期間に含まれないこととされている。**11答22**の**Point**参照。

⑪問26
□□□
R3-3B

雇用保険法第9条の規定による被保険者となったことの確認があった日の2年前の日より前であって、被保険者が負担すべき保険料が賃金から控除されていたことが明らかでない期間は、算定基礎期間に含まれない。

⑪問27
□□□
H29-2B

雇用保険法第22条に定める算定基礎期間には、介護休業給付金の支給に係る休業の期間が含まれない。

12 延長給付

過去問

⑫問1
□□□
R2-3A

訓練延長給付により所定給付日数を超えて基本手当が支給される場合、その日額は本来支給される基本手当の日額と同額である。

⑫問2
□□□
H27-3E

訓練延長給付の対象となる公共職業訓練等は、公共職業安定所長の指示したもののうちその期間が1年以内のものに限られている。

⑫問3
□□□
R5-4E
難

公共職業安定所長は、職業訓練の実施等による特定求職者の就職の支援に関する法律第4条第2項に規定する認定職業訓練を、訓練延長給付の対象となる公共職業訓練等として指示することができない。

⑫問4
□□□
R5-4B

受給資格者が公共職業安定所長の指示した公共職業訓練等を受けるために待期している期間内の失業している日は、訓練延長給付の支給対象とならない。

⑪答26 ◯ 法22条4項、5項、行政手引23501。設問の通り正しい。被保険者となったことの確認があった日の2年前の日より前の期間は、原則として、算定基礎期間に含まれない。また、特例対象者にあっては、賃金台帳等により確認される被保険者の負担すべき労働保険料の額に相当する額がその者に支払われた賃金から控除されていたことが明らかとなる最も古い日に当該被保険者となったものとみなして、算定基礎期間の算定を行う。

⑪答27 × 法22条3項他。介護休業給付金の支給に係る休業の期間は算定基礎期間に**含まれる**。

⑫答1 ◯ 法24条。設問の通り正しい。

⑫答2 × 法24条1項、令4条1項。訓練延長給付の対象となる公共職業訓練等は、公共職業安定所長の指示したもののうちその期間が**2年以内**のものに限られている。

⑫答3 × 法15条3項、法24条1項、令3条、行政手引52351、行政手引52702。設問の認定職業訓練は、訓練延長給付の対象となる公共職業訓練等として指示することができる。

⑫答4 × 法24条1項。受給資格者が公共職業安定所長の指示により、公共職業訓練等（その期間が2年を超えるものを除く。）を受けるために待期している期間については、90日を限度として、訓練延長給付の支給対象となる。

⑫問5
□□□
R5-4D
難

訓練延長給付を受ける者が所定の訓練期間終了前に中途退所した場合、訓練延長給付に係る公共職業訓練等受講開始時に遡って訓練延長給付を返還しなければならない。

⑫問6
□□□
R5-4A

訓練延長給付の支給を受けようとする者は、公共職業安定所長が指示した公共職業訓練等を初めて受講した日以降の失業認定日において受講証明書を提出することにより、当該公共職業訓練等を受け終わるまで失業の認定を受けることはない。

⑫問7
□□□
R5-4C

公共職業安定所長がその指示した公共職業訓練等を受け終わってもなお就職が相当程度に困難であると認めた者は、30日から当該公共職業訓練等を受け終わる日における基本手当の支給残日数（30日に満たない場合に限る。）を差し引いた日数の訓練延長給付を受給することができる。

⑫問8
□□□
R2-3B

特定理由離職者、特定受給資格者又は就職が困難な受給資格者のいずれにも該当しない受給資格者は、個別延長給付を受けることができない。

⑫問9
□□□
R2-3C

厚生労働大臣は、その地域における基本手当の初回受給率が全国平均の初回受給率の1.5倍を超え、かつ、その状態が継続すると認められる場合、当該地域を広域延長給付の対象とすることができる。

⑫問10
□□□
H27-3C

広域延長措置に基づき所定給付日数を超えて基本手当の支給を受けることができる者が厚生労働大臣が指定する地域に住所又は居所を変更した場合、引き続き当該措置に基づき所定給付日数を超えて基本手当を受給することができる。

⑫答5 × 法24条、行政手引52354。訓練延長給付を受ける者が所定の訓練期間終了前に中途退所した場合において、訓練延長給付に係る公共職業訓練等受講開始時に遡って訓練延長給付を返還しなければならないとする規定はない。なお、中途退所した場合には、「その退所の日後の日」については失業の認定を行わないこととされている。

⑫答6 × 法24条1項、則24条1項、行政手引52354。公共職業安定所長の指示した公共職業訓練等(その期間が2年を超えるものを除く。)を受ける場合には、当該公共職業訓練等を受け終わる日までの間の失業している日について、所定給付日数を超えて基本手当が支給されるが、この基本手当に係る失業の認定は、公共職業訓練等受講証明書を所定の認定日(1月に1回)の都度提出させて行うこととされている。したがって、訓練延長給付の支給を受ける者も、失業の認定を受けることとなる。

⑫答7 ○ 法24条2項、令5条1項。設問の通り正しい。

⑫答8 ○ 法24条の2,1項、2項。設問の通り正しい。なお、個別延長給付の適用対象者となるのは、就職が困難な受給資格者以外の受給資格者のうち、特定理由離職者(希望に反して契約更新がなかったことにより離職した者に限る。)である者若しくは特定受給資格者又は就職が困難な受給資格者であって、一定の要件に該当するものである。

⑫答9 × 法25条1項、令6条1項。広域延長給付の対象となるのは、その地域における基本手当の初回受給率が全国平均の初回受給率の「2倍以上」となり、かつ、その状態が継続すると認められる場合である。

⑫答10 ○ 法25条2項。設問の通り正しい。なお、設問の場合の延長できる日数の限度は、住所又は居所の変更の前後を通じて90日となる。

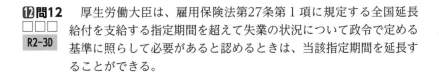

12問11 全国延長給付の限度は90日であり、なお失業の状況が改善され
□□□ ない場合には当初の期間を延長することができるが、その限度は
H27-3A 60日とされている。

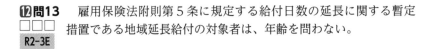

12問12 厚生労働大臣は、雇用保険法第27条第1項に規定する全国延長
□□□ 給付を支給する指定期間を超えて失業の状況について政令で定める
R2-3D 基準に照らして必要があると認めるときは、当該指定期間を延長す
ることができる。

12問13 雇用保険法附則第5条に規定する給付日数の延長に関する暫定
□□□ 措置である地域延長給付の対象者は、年齢を問わない。
R2-3E

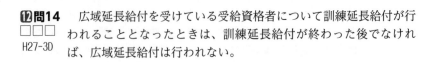

12問14 広域延長給付を受けている受給資格者について訓練延長給付が行
□□□ われることとなったときは、訓練延長給付が終わった後でなけれ
H27-3D ば、広域延長給付は行われない。

⑫答11 ✕ 法27条1項、2項、令7条2項、令8条。厚生労働大臣は、全国延長給付の措置を決定した後において、政令で定める基準に照らして必要があると認めるときは、その指定した期間を延長することができるが、「その限度を60日」とする規定はないので誤り。なお、全国延長給付において、所定給付日数を超えて基本手当を支給する日数は、「90日」が限度とされている。

⑫答12 ◯ 法27条2項。設問の通り正しい。

⑫答13 ◯ 法附則5条1項。設問の通り正しい。

> 地域延長給付の対象者は、受給資格に係る離職の日が令和9年3月31日以前である受給資格者※1であって、厚生労働省令で定める基準に照らして雇用機会が不足していると認められる地域として厚生労働大臣が指定する地域内に居住し、かつ、公共職業安定所長が指導基準に照らして再就職を促進するために必要な職業指導を行うことが適当であると認めたもの※2である。
>
> ※1 就職困難者である受給資格者以外の受給資格者のうち特定理由離職者（希望に反して契約更新がなかったことにより離職した者に限る。）である者及び特定受給資格者に限る。
>
> ※2 個別延長給付を受けることができる者を除く。

⑫答14 ✕ 法28条1項。設問の場合、広域延長給付が終わった後でなければ訓練延長給付は行われない。

> 各延長給付を順次行う優先度は、個別延長給付又は地域延長給付、広域延長給付、全国延長給付、訓練延長給付の順となっており、優先度の高い延長給付を中途で行うようになったときは、優先度の低い延長給付は一時延期されることとなり、優先度の高い延長給付が終わり次第引き続いて低い延長給付が行われることとなる。

最新問題

13 問1
R6-3D

健康保険法第99条の規定による傷病手当金の支給を受けることができる者が傷病の認定を受けた場合、傷病手当を支給する。

13 問2
R6-3A

受給資格者が離職後最初に公共職業安定所に求職の申込みをした日以後において、雇用保険法第37条第1項に基づく疾病又は負傷のために基本手当の支給を受けることができないことについての認定(以下本問において「傷病の認定」という。)を受けた場合、失業している日(疾病又は負傷のため職業に就くことができない日を含む。)が通算して7日に満たない間は、傷病手当を支給しない。

13 問3
R6-3C

基本手当の支給を受ける口座振込受給資格者が当該受給期間中に疾病又は負傷により職業に就くことができなくなった場合、天災その他認定を受けなかったことについてやむを得ない理由がない限り、当該受給資格者は、職業に就くことができない理由がやんだ後における最初の支給日の直前の失業の認定日までに傷病の認定を受けなければならない。

13 問4
R6-3E

傷病手当の日額は、雇用保険法第16条に規定する基本手当の日額に相当する額である。

13 問5
R6-3B

傷病手当を支給する日数は、傷病の認定を受けた受給資格者の所定給付日数から当該受給資格に基づき、既に基本手当を支給した日数を差し引いた日数に相当する日数分を限度とする。

⑬答1 ×　法37条8項。設問の場合は、傷病手当は支給されない。

⑬答2 ○　法21条、法37条9項。設問の通り正しい。傷病手当には、基本手当の待期の規定が準用されている。

⑬答3 ○　法37条1項、則63条1項。設問の通り正しい。なお、当該支給日がないときは、受給期間の最後の日から起算して1箇月を経過した日までに受けなければならないとされている。

⑬答4 ○　法37条3項。設問の通り正しい。

⑬答5 ○　法37条4項。設問の通り正しい。

⓭問1
□□□
H28-21
　求職の申込後に疾病又は負傷のために公共職業安定所に出頭することができない場合において、その期間が継続して15日未満のときは、証明書により失業の認定を受け、基本手当の支給を受けることができるので、傷病手当は支給されない。

⓭問2
□□□
R2-4A
　疾病又は負傷のため職業に就くことができない状態が当該受給資格に係る離職前から継続している場合には、他の要件を満たす限り傷病手当が支給される。

⓭問3
□□□
R2-4E
　求職の申込みの時点においては疾病又は負傷にもかかわらず職業に就くことができる状態にあった者が、その後疾病又は負傷のため職業に就くことができない状態になった場合は、他の要件を満たす限り傷病手当が支給される。

⓭問4
□□□
R2-4C
難
　つわり又は切迫流産（医学的に疾病と認められるものに限る。）のため職業に就くことができない場合には、その原因となる妊娠（受胎）の日が求職申込みの日前であっても、当該つわり又は切迫流産が求職申込後に生じたときには、傷病手当が支給されない。

⓭問5
□□□
R2-4B
　有効な求職の申込みを行った後において当該求職の申込みの取消し又は撤回を行い、その後において疾病又は負傷のため職業に就くことができない状態となった場合、他の要件を満たす限り傷病手当が支給される。

⓭問6
□□□
H28-27
　労働の意思又は能力がないと認められる者が傷病となった場合には、疾病又は負傷のため職業に就くことができないとは認められないから、傷病手当は支給できない。

⑬答1 ○ 法15条4項1号、法37条1項、行政手引53003。設問の通り正しい。

 Point

> 傷病手当は、受給資格者が次の要件に該当する場合に支給される。
> ①離職後公共職業安定所に出頭し、求職の申込みをしていること。
> ②疾病又は負傷のため継続して15日以上職業に就くことができないこと。
> ③上記②の状態が①の後において生じたものであること。

⑬答2 × 法37条1項、行政手引53002。設問の場合には、傷病手当は支給されない。

プラスα

> 求職の申込み前からの傷病については、傷病手当は支給されないが、疾病又は負傷等の理由により引き続き30日以上職業に就くことができない日がある場合にはその者の申出により受給期間の延長が認められる。

⑬答3 ○ 法37条1項、行政手引53002。設問の通り正しい。求職の申込みの時点においては疾病又は負傷にもかかわらず職業に就くことができる状態にあった者が、その疾病又は負傷のため職業に就くことができない状態になった場合は、傷病手当の支給要件に該当する。**⑬答1**の **Point** 参照。

⑬答4 × 法37条1項、行政手引53002。つわり又は切迫流産(医学的に疾病と認められるものに限る。)のため職業に就くことができない場合には、その原因となる妊娠(受胎)の日が求職申込みの日前であっても当該つわり又は切迫流産が求職申込後に生じたときには、傷病手当が支給され得る。

⑬答5 × 法37条1項、行政手引53002。設問の場合には、傷病手当は支給されない。

⑬答6 ○ 法37条1項、行政手引53002。設問の通り正しい。

⓭問7　傷病の認定は、天災その他認定を受けなかったことについてやむを得ない理由がない限り、職業に就くことができない理由がやんだ日の翌日から起算して10日以内に受けなければならない。

□□□
H28-2ｵ

⓭問8　傷病手当の日額は、雇用保険法第16条の規定による基本手当の日額に100分の80を乗じて得た額である。

□□□
H28-2ｴ

⓭問9　広域延長給付に係る基本手当を受給中の受給資格者が疾病又は負傷のために公共職業安定所に出頭することができない場合、傷病手当が支給される。

□□□
H28-2ｳ

⓭問10　訓練延長給付に係る基本手当を受給中の受給資格者が疾病又は負傷のため公共職業訓練等を受けることができなくなった場合、傷病手当が支給される。

□□□
R2-4D

⑬答7 × 則63条1項。設問の傷病の認定は、原則として、当該職業に就くことができない理由がやんだ後「**最初に基本手当を支給すべき日**(最初の支給日)まで」に受けなければならない。

⑬答8 × 法37条3項。傷病手当の日額は、**基本手当の日額に相当する**額である。

⑬答9 × 法37条4項、行政手引53004。広域延長給付に係る基本手当を受給中の受給資格者については、傷病手当は支給されない。

> **Point** 傷病手当が支給される日数は、受給資格者の所定給付日数から当該受給資格に基づき既に基本手当を支給した日数(基本手当の支給があったものとみなされる日数を含む。)を差し引いた日数とされており、延長給付に係る基本手当を受給中の受給資格者については、傷病手当は支給されない。

⑬答10 × 法37条4項、行政手引53004。訓練延長給付に係る基本手当を受給中の受給資格者については、傷病手当は支給されない。⑬**答9**の **Point** 参照。

14 高年齢被保険者に対する求職者給付

　以下の問題において、「算定基礎期間」とは「雇用保険法第37条の４第３項に規定する算定基礎期間」のこと、「基本手当の日額」とは「高年齢受給資格者を雇用保険法第15条第１項に規定する受給資格者とみなした場合に支給されることとなる基本手当の日額」のこと、「失業の認定」とは「雇用保険法第37条の４第５項に規定する失業していることについての認定」のことである。

過去問

14問1
□□□
H29-5D
　高年齢求職者給付金の支給を受けようとする高年齢受給資格者は、公共職業安定所において、離職後最初に出頭した日から起算して４週間に１回ずつ直前の28日の各日について、失業の認定を受けなければならない。

14問2
□□□
H29-5A
　高年齢求職者給付金の支給を受けた者が、失業の認定の翌日に就職した場合、当該高年齢求職者給付金を返還しなければならない。

14問3
□□□
R4-1B
　特例高年齢被保険者が同じ日に１の事業所を正当な理由なく自己の都合で退職し、他方の事業所を倒産により離職した場合、雇用保険法第21条の規定による待期期間の満了後１か月以上３か月以内の期間、高年齢者求職者給付金を支給しない。

⑭答1 ✕ 法37条の4,5項。高年齢求職者給付金の支給を受けようとする高年齢受給資格者は、離職の日の翌日から起算して**1年を経過する日**までに、管轄公共職業安定所に出頭し、求職の申込みをした上、失業の認定を受けなければならないとされている。高年齢求職者給付金は一時金として支給されるので、失業の認定は**1回限り**行われる。

> 特例高年齢被保険者については、1の事業所のみを離職した場合であっても、当該事業所での賃金を基礎に算定した高年齢求職者給付金（一時金）が支給される。

⑭答2 ✕ 法37条の4,5項、行政手引54201。高年齢求職者給付金は、失業の認定の日に失業の状態にあればよいのであり、翌日から就職したとしても**返還の必要はない**。

⑭答3 ✕ 法37条の4,6項、行政手引2270。特例高年齢被保険者に係る高年齢求職者給付金の給付制限は高年齢受給資格者と同様であるが、設問のように同日付で二の事業所を離職した場合で、その離職理由が異なっている場合には、給付制限の取扱いが離職者にとって不利益とならない方の離職理由に一本化して給付することとされている。したがって、設問の場合は「事業所を倒産により離職した場合」による取扱いに一本化され、設問の「事業所を正当な理由なく自己の都合で退職」したことによる給付制限は行われない。

⓮問4 疾病又は負傷のため労務に服することができない高年齢被保険者
□□□ は、傷病手当を受給することができる。
H29-5B

⓮問5 特例高年齢被保険者の賃金日額の算定に当たっては、賃金日額の
□□□ 下限の規定は適用されない。
R4-1D

15 短期雇用特例被保険者に対する求職者給付

[過 去 問]

⓯問1 短期雇用特例被保険者が、同一暦月においてA事業所において賃
□□□ 金支払の基礎となった日数が11日以上で離職し、直ちにB事業所
R3-5D に就職して、B事業所においてもその月に賃金支払の基礎となった
日数が11日以上ある場合、被保険者期間は1か月として計算され
る。

⓯問2 特例一時金の支給を受けようとする特例受給資格者は、離職の日
□□□ の翌日から起算して6か月を経過する日までに、公共職業安定所
R3-5A に出頭し、求職の申込みをした上、失業の認定を受けなければなら
ない。

⑭答4 ×　法37条の2,2項、行政手引54201。高年齢被保険者に限らず、被保険者には傷病手当は支給されない。また、高年齢受給資格者となっても傷病手当は支給されない。

Point　高年齢受給資格者への準用規定等

受給期限の延長	延長されない
待期、給付制限、未支給給付の請求	適用
自己の労働による収入に応じた減額規定	減額されない
基本手当、各種延長給付、技能習得手当、寄宿手当、傷病手当の支給	支給されない

⑭答5 ○　法37条の6,2項、行政手引2140。設問の通り正しい。

⑮答1 ○　法附則3条、行政手引55104。設問の通り正しい。短期雇用特例被保険者の被保険者期間は、暦月をとって計算するものであるから、同一暦月においてＡの事業所において賃金支払の基礎となった日数が11日以上で離職し、直ちにＢ事業所に就職して、その月に賃金支払の基礎となった日数が11日以上ある場合でも、被保険者期間2か月として計算するのでなく、その日数はその暦月において合計して計算されるのであり、したがって、被保険者期間1か月として計算される。

プラスα　「離職の日以前1年間」は、当該期間に疾病、負傷その他厚生労働省令で定める理由により引き続き30日以上賃金の支払を受けることができなかった短期雇用特例被保険者である被保険者については、当該理由により賃金の支払を受けることができなかった日数を1年に加算した期間(その期間が4年を超えるときは、4年間)とされる。

⑮答2 ○　法40条3項。設問の通り正しい。

雇用

⓯問 3
☐☐☐
R3-5B
　　特例一時金の支給を受けることができる期限内において、短期雇用特例被保険者が疾病又は負傷により職業に就くことができない期間がある場合には、当該特例一時金の支給を受けることができる特例受給資格に係る離職の日の翌日から起算して３か月を上限として受給期限が延長される。

⓯問 4
☐☐☐
R3-5C
　　特例一時金は、特例受給資格者が当該特例一時金に係る離職後最初に公共職業安定所に求職の申込みをした日以後において、失業している日（疾病又は負傷のため職業に就くことができない日を含む。）が通算して７日に満たない間は、支給しない。

⓯問 5
☐☐☐
R3-5E
　　特例受給資格者が、当該特例受給資格に基づく特例一時金の支給を受ける前に公共職業安定所長の指示した公共職業訓練等（その期間が40日以上２年以内のものに限る。）を受ける場合には、当該公共職業訓練等を受け終わる日までの間に限り求職者給付が支給される。

16　就職促進給付

【過去問】

⓰問 1
☐☐☐
R元-5C
　　身体障害者その他就職が困難な者として厚生労働省令で定めるものが基本手当の支給残日数の３分の１未満を残して厚生労働大臣の定める安定した職業に就いたときは、当該受給資格者は再就職手当を受けることができる。

⑮**答3** ✕ 行政手引55151。特例一時金については、疾病又は負傷により職業に就くことができない期間があっても、受給期限の延長は認められない。

⑮**答4** 〇 法40条4項。設問の通り正しい。特例一時金についても、待期の規定が適用される。

⑮**答5** 〇 法24条1項カッコ書、法41条1項、令4条1項、令11条、令附則4条。設問の通り正しい。なお、この場合に支給される求職者給付は、基本手当、技能習得手当及び寄宿手当に限られる。

⑯**答1** ✕ 法56条の3,1項2号。設問の受給資格者は、「再就職手当」ではなく「常用就職支度手当」の支給対象となり得る。なお、設問文中の「厚生労働大臣の定める安定した職業」は「厚生労働省令で定める安定した職業」とすべきであったと考えられる。

Point

就業促進手当は、下記のそれぞれの支給対象者について公共職業安定所長が厚生労働省令で定める基準に従って必要があると認めたときに、支給される。
＜再就職手当＞
厚生労働省令で定める安定した職業に就いた受給資格者であって、当該職業に就いた日の前日における基本手当の支給残日数が当該受給資格に基づく所定給付日数の3分の1以上であるもの
＜常用就職支度手当＞
厚生労働省令で定める安定した職業に就いた受給資格者等(受給資格者にあっては、当該職業に就いた日の前日における基本手当の支給残日数が所定給付日数の3分の1未満である者に限る。)であって身体障害者その他の就職が困難な者として厚生労働省令で定めるもの

⑯問2 基本手当の受給資格者が離職前の事業主に再び雇用されたとき
□□□ は、就業促進手当を受給することができない。
H30-17

⑯問3 受給資格者が1年を超えて引き続き雇用されることが確実であ
□□□ ると認められる職業に就いた日前3年の期間内に厚生労働省令で
R5-5イ 定める安定した職業に就いたことにより就業促進手当の支給を受け
たことがあるときは、就業促進手当を受給することができない。

⑯問4 事業を開始した基本手当の受給資格者は、当該事業が当該受給資
□□□ 格者の自立に資するもので他の要件を満たす場合であっても、再就
H30-1エ 職手当を受給することができない。

⑯問5 厚生労働省令で定める安定した職業に就いた日の前日における基
□□□ 本手当の支給残日数が当該受給資格に基づく所定給付日数の3分
R元-5D改 の2以上である者に係る再就職手当の額は、支給残日数に相当す
る日数に10分の6を乗じて得た数に基本手当日額を乗じて得た額
である。

⑯問6 再就職手当を受給した者が、当該再就職手当の支給に係る同一の
□□□ 事業主にその職業に就いた日から引き続いて6か月以上雇用され
H30-1ウ た場合で、当該再就職手当に係る雇用保険法施行規則第83条の2
にいうみなし賃金日額が同条にいう算定基礎賃金日額を下回るとき
は、就業促進定着手当を受給することができる。

⑯問7 障害者雇用促進法に定める身体障害者が1年以上引き続き雇用
□□□ されることが確実であると認められる職業に就いた場合、当該職業
R5-5ア に就いた日の前日における基本手当の支給残日数が所定給付日数の
3分の1未満であれば就業促進手当を受給することができない。

16 答2 ○　法56条の3,1項、則82条1項1号、2項2号。設問の通り正しい。

16 答3 ○　法56条の3,2項、則82条の4。設問の通り正しい。

16 答4 ×　則82条1項2号、行政手引57052。事業を開始した基本手当の受給資格者は、当該事業が当該受給資格者の自立に資するもので他の要件を満たす場合には、再就職手当を受給することができる。

16 答5 ×　法56条の3,3項1号。設問の者に係る再就職手当の額は、基本手当日額に支給残日数に相当する日数に「10分の6」ではなく「**10分の7**」を乗じて得た数を乗じて得た額である。

> **Point**
> 再就職手当の額
> ①支給残日数が所定給付日数の3分の2未満の場合
> 　再就職手当の額＝基本手当日額×（支給残日数×10分の6）
> ②支給残日数が所定給付日数の3分の2以上の場合
> 　再就職手当の額＝基本手当日額×（支給残日数×10分の7）

16 答6 ○　法56条の3,3項1号、則83条の2。設問の通り正しい。就業促進定着手当は、再就職手当の支給を受けた者が、再就職先に6か月以上雇用され、再就職先での6か月間の賃金が離職前の賃金よりも低い場合に、就職日前日における基本手当の支給残日数の20％を上限として、低下した賃金の6か月分を支給するものである。

16 答7 ×　法56条の3,1項2号、則32条1号、則82条の3。設問の「障害者雇用促進法に定める身体障害者が1年以上引き続き雇用されることが確実であると認められる職業に就いた場合」には、就業促進手当のうち常用就職支度手当が支給され得る。常用就職支度手当は、受給資格者にあっては、「当該職業に就いた日の前日における基本手当の支給残日数が所定給付日数の3分の1未満であるもの」が支給の要件とされているため、設問の者は、その他の要件を満たせば就業促進手当（常用就職支度手当）を受給することができる。

16 問8
□□□
R元-5B改

移転費は、受給資格者等が公共職業安定所、職業安定法第4条第9項に規定する特定地方公共団体若しくは同法第18条の2に規定する職業紹介事業者の紹介した職業に就くため、又は公共職業安定所長の指示した公共職業訓練等を受けるため、その住所又は居所を変更する場合において、公共職業安定所長が厚生労働大臣の定める基準に従って必要があると認めたときに、支給される。

16 問9
□□□
H30-1イ

基本手当の受給資格者が公共職業安定所の紹介した職業に就くためその住所を変更する場合、移転費の額を超える就職支度費が就職先の事業主から支給されるときは、当該受給資格者は移転費を受給することができない。

16 問10
□□□
R5-5ウ

受給資格者が公共職業安定所の紹介した雇用期間が1年未満の職業に就くためその住居又は居所を変更する場合、移転費を受給することができる。

16 問11
□□□
R元-5E

短期訓練受講費の額は、教育訓練の受講のために支払った費用に100分の40を乗じて得た額(その額が10万円を超えるときは、10万円)である。

16 問12
□□□
R5-5オ

受給資格者が公共職業安定所の職業指導に従って行う再就職の促進を図るための職業に関する教育訓練を修了した場合、当該教育訓練の受講のために支払った費用につき、教育訓練給付金の支給を受けていないときに、その費用の額の100分の30(その額が10万円を超えるときは、10万円)が短期訓練受講費として支給される。

16 問13
□□□
H30-1オ

基本手当の受給資格者が職業訓練の実施等による特定求職者の就職の支援に関する法律第4条第2項に規定する認定職業訓練を受講する場合には、求職活動関係役務利用費を受給することができない。

⑯答8 ○　法58条1項。設問の通り正しい。

> **Point**
>
> 「受給資格者等」とは、次の者をいう。
> ①受給資格者
> ②高年齢受給資格者(高年齢求職者給付金の支給を受けた者であって、当該高年齢受給資格に係る離職の日の翌日から起算して1年を経過していないものを含む。)
> ③特例受給資格者(特例一時金の支給を受けた者であって、当該特例受給資格に係る離職の日の翌日から起算して6箇月を経過していないものを含む。)
> ④日雇受給資格者

⑯答9 ○　法58条1項、則86条2号。設問の通り正しい。当該就職又は公共職業訓練等の受講について、就職準備金その他移転に要する費用(就職支度費)が就職先の事業主、訓練等施設の長その他の者から支給されないとき、又はその支給額が移転費の額に満たないときでなければ、移転費は支給されない。

⑯答10 ×　則86条。移転費は、雇用期間が1年未満の職業に就く場合には、支給されない。

⑯答11 ×　則100条の3。短期訓練受講費の額は、教育訓練の受講のために支払った費用の額に「100分の40」ではなく「**100分の20**」を乗じて得た額(その額が10万円を超えるときは、10万円)である。

⑯答12 ×　則100条の2、則100条の3。設問の「100分の30」を「100分の20」と読み替えると正しい記述となる。

⑯答13 ×　則100条の6。基本手当の受給資格者が設問の認定職業訓練を受講するため、その子に関して保育等サービスを利用する場合には、他の要件を満たす限り求職活動関係役務利用費を受給することができる。

17 教育訓練給付

　以下の問題において「教育訓練」とは雇用保険法第60条の2第1項の規定に基づき厚生労働大臣が指定する教育訓練のこと、「一般教育訓練」とは雇用保険法施行規則第101条の2の7第1号に規定する教育訓練(同条第1号の2に規定する特定一般教育訓練及び第2号に規定する専門実践教育訓練以外の教育訓練)のことである。

過 去 問

17問1
□□□
R3-6B
　一般教育訓練給付金は、一時金として支給される。

17問2
□□□
H29-5C
　雇用保険法第60条の2に規定する支給要件期間が2年である高年齢被保険者は、厚生労働大臣が指定する教育訓練を受け、当該教育訓練を修了した場合、他の要件を満たしても教育訓練給付金を受給することができない。

17問3
□□□
R3-6E
　一般被保険者でなくなって1年を経過しない者が負傷により30日以上教育訓練を開始することができない場合であって、傷病手当の支給を受けているときは、教育訓練給付適用対象期間延長の対象とならない。

⑰答1 ○ 行政手引58014。設問の通り正しい。なお、一般教育訓練給付金の支給額は、支給対象者が対象一般教育訓練の受講のために支払った費用の**20%**に相当する額である。ただし、その20%に相当する額が10万円を超える場合の支給額は**10万円**とし、４千円を超えない場合は教育訓練給付金は支給されない。

⑰答2 × 法60条の2,1項、法附則11条、則101条の２の７、則附則24条。設問の高年齢被保険者が初めて教育訓練給付金を受給する場合には、支給要件期間は**１年**(専門実践教育訓練に係る教育訓練給付金の場合は**２年**)以上あればよいので、他の要件を満たしていれば一般教育訓練及び特定一般教育訓練に係る教育訓練給付金並びに専門実践教育訓練に係る教育訓練給付金のいずれについても受給することができる。

Point 支給要件期間

一般教育訓練・特定一般教育訓練	３年以上（１年以上※）
専門実践教育訓練	３年以上（２年以上※）

※( )内は基準日前に教育訓練給付金の支給を受けたことがない者

⑰答3 × 法60条の2,1項２号、則101条の２の5,1項、行政手引58022。設問の場合は、傷病手当の支給を受けていても、教育訓練給付適用対象期間の延長の対象となる。

17問4
□□□
H27-4オ

適用事業Ａで一般被保険者として２年間雇用されていた者が、Ａの離職後傷病手当を受給し、その後適用事業Ｂに２年間一般被保険者として雇用された場合、当該離職期間が１年以内であり過去に教育訓練給付金の支給を受けていないときには、当該一般被保険者は教育訓練給付金の対象となる。

17問5
□□□
H27-4エ

教育訓練給付金の支給の対象となる費用の範囲は、入学料、受講料及び交通費である。

17問6
□□□
H28-6B改

専門実践教育訓練の受講開始日前までに、前回の教育訓練給付金の受給から３年以上経過していない場合、教育訓練給付金は支給しない。

17答4 ○　法60条の2,1項、2項、法附則11条、則101条の2の7、則附則24条、行政手引58022。設問の通り正しい。過去に教育訓練給付金の支給を受けたことがない設問の者は、一般教育訓練及び特定一般教育訓練に係る教育訓練給付金の支給要件期間(**1年以上**)並びに専門実践教育訓練に係る教育訓練給付金の支給要件期間(**2年以上**)のどちらも満たすことになる。また、支給要件期間を算定する場合に、基本手当や傷病手当等の支給の有無は影響しないため、設問のように離職期間が1年以内であるときは、その前後の被保険者として雇用された期間(過去に教育訓練給付金の支給を受けたことがあるときは、当該給付金の支給要件期間となった期間を除く。)は通算される。**17答2**の **Point** 参照。

17答5 ×　則101条の2の6。設問の費用の範囲には「交通費」は含まれない。

> 教育訓練の受講のために支払った費用の範囲
> ①入学料及び受講料※(短期訓練受講費の支給を受けているものを除く。)
> 　※一般教育訓練の場合、その期間が1年を超えるときは、当該1年を超える部分に係る受講料を除く。
> ②一般教育訓練の受講開始日前1年以内にキャリアコンサルタントが行うキャリアコンサルティングを受けた場合は、その費用(その額が2万円を超えるときは、2万円)

17答6 ○　法60条の2,5項、則101条の2の10。設問の通り正しい。

> プラスα
>
> 一般教育訓練及び特定一般教育訓練においても、受講開始日前3年以内に教育訓練給付金の支給を受けたことがあるときは、教育訓練給付金は、支給されない。

⓱問7 雇用保険法第60条の2第1項に規定する支給要件期間が3年以

☐☐☐ 上である者であって、専門実践教育訓練を受け、修了し、当該専門

H28-6D改 実践教育訓練に係る資格の取得等をし、かつ当該専門実践教育を修
了した日の翌日から起算して1年以内に一般被保険者として雇用
された者に支給される教育訓練給付金の額は、当該教育訓練の受講
のために支払った費用の額の100分の70を乗じて得た額(その額が
厚生労働省令で定める額を超えるときは、その定める額。)である。
なお、雇用保険法施行規則第101条の2の7第6号の規定は考慮し
ないものとする。

⓱問8 一般教育訓練に係る教育訓練給付金の支給を受けようとする者

☐☐☐ は、やむを得ない理由がある場合を除いて、当該教育訓練給付金の

H27-4？ 支給に係る一般教育訓練を修了した日の翌日から起算して3か月
以内に申請しなければならない。

⓱問9 教育訓練給付金に関する事務は、教育訓練給付対象者の住所又は

☐☐☐ 居所を管轄する公共職業安定所長が行う。

R元-4C

⓱問10 一般教育訓練に係る教育訓練給付金の支給を受けようとする者

☐☐☐ は、当該教育訓練給付金の支給に係る一般教育訓練の修了予定日の

R5-7D 1か月前までに教育訓練給付金支給申請書を管轄公共職業安定所長
に提出しなければならない。

17答7 ○ 法60条の2,4項、則101条の2の7,5号。設問の通り正しい。

> 雇用保険法施行規則101条の2の7,6号では、設問の給付を受ける者等給付率が100分の70となる給付の要件に該当する者(一定の者を除く。)のうち、専門実践教育訓練受講後の賃金額(下記①)が、受講前の賃金額(下記②)と比較して**100分の105相当額以上**である者にあっては、追加的に給付金を支給することを規定している。
> ①給付率が100分の70となる給付の要件に該当することとなる雇用された日(又は資格の取得等をした日)から起算して1年を経過するまでの間における連続する6か月間(対象期間)に支払われた賃金を基に算定した賃金日額に相当する額
> ②次の③及び⑥に掲げる者の区分に応じて、それぞれ当該規定に定める額
> 　③教育訓練開始日(専門実践教育訓練に係るものに限る。以下同じ。)において雇用されている者にあっては教育訓練開始日の前日を受給資格に係る離職の日とみなして算定されることとなる賃金日額に相当する額
> 　⑥上記③に該当しない者にあっては、当該者の教育訓練開始日前の直近の離職に係る賃金日額

17答8 × 則101条の2の11,1項。設問の申請は、教育訓練給付金の支給に係る一般教育訓練を修了した日の翌日から起算して**1か月以内**にしなければならないとされている。また「やむを得ない理由がある場合を除いて」とする規定はない。

17答9 ○ 則1条5項1号、則101条の2の11,1項、則101条の2の11の2,1項、則101条の2の12,1項。設問の通り正しい。

17答10 × 則101条の2の11,1項。設問の教育訓練給付金支給申請書は、一般教育訓練を**修了した日の翌日から起算して1か月以内**に提出しなければならない。

17 問11 一般教育訓練給付金の支給を受けようとする支給対象者は、疾病
□□□ 又は負傷、在職中であることその他やむを得ない理由がなくとも社
R5-7B 会保険労務士により支給申請を行うことができる。

17 問12 特定一般教育訓練受講予定者は、キャリアコンサルティングを踏
□□□ まえて記載した職務経歴等記録書を添えて管轄公共職業安定所の長
R3-6A に所定の書類を提出しなければならない。
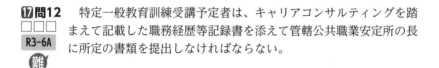

17 問13 特定一般教育訓練に係る教育訓練給付金の支給を受けようとする
□□□ 者は、管轄公共職業安定所長に教育訓練給付金及び教育訓練支援給
R5-7C 付金受給資格確認票を提出する際、職務経歴等記録書を添付しない
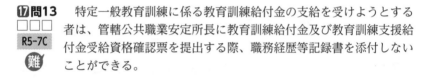 ことができる。

17 問14 特定一般教育訓練期間中に被保険者資格を喪失した場合であって
□□□ も、対象特定一般教育訓練開始日において支給要件期間を満たす者
R5-7A については、対象特定一般教育訓練に係る修了の要件を満たす限
り、特定一般教育訓練給付金の支給対象となる。

17 問15 教育訓練給付対象者であって専門実践教育訓練に係る教育訓練給
□□□ 付金の支給を受けようとする者は、当該専門実践教育訓練を開始す
H28-6A改 る日の14日前までに、教育訓練給付金及び教育訓練支援給付金受
給資格確認票その他必要な書類を管轄公共職業安定所の長に提出し
なければならない。

17 問16 専門実践教育訓練に係る教育訓練給付金の支給を受けようとする
□□□ 者は、当該専門実践教育訓練の受講開始後遅滞なく所定の書類を添
R5-7E えるなどにより教育訓練給付金及び教育訓練支援給付金受給資格確
認票を管轄公共職業安定所長に提出しなければならない。

⑰答11 ○ 　則101条の２の11、行政手引58015。設問の通り正しい。な
お、出題当時は、設問の支給申請は、行政手引により「疾病又は負
傷その他在職中であること等のやむを得ない理由があると認められ
ない限り」、社会保険労務士によって行うことはできないこととさ
れていたため、「×」の記述であったが、令和６年２月１日から当
該行政手引が改正され、やむを得ない理由の有無を問わず、社会保
険労務士によって行うことができることとなったため、「○」の記
述となった。

⑰答12 ○ 　則101条の２の11の2,1項１号。設問の通り正しい。

⑰答13 × 　則101条の２の11の2,1項１号。設問の教育訓練給付金及び教
育訓練支援給付金受給資格確認票を提出する際には、職務経歴等記
録書を添付しなければならない。

⑰答14 ○ 　法60条の2,1項、行政手引58151。設問の通り正しい。特定一
般教育訓練給付金に係る支給要件期間は、基準日（対象教育訓練の
受講開始日）において判断されるので、教育訓練期間中に被保険者
資格を喪失した場合であっても、対象特定一般教育訓練開始日にお
いて支給要件期間が３年（当分の間、初回については１年）以上あ
る者については、対象特定一般教育訓練に係る修了の要件を満たす
限り、特定一般教育訓練給付金の支給の対象となる。

⑰答15 ○ 　則101条の２の12,1項。設問の通り正しい。

> 教育訓練開始前の届出は、特定一般教育訓練に係る教育訓練給付金及び
> 専門実践教育訓練に係る教育訓練給付金の支給申請手続きにおいてのみ
> 規定されており、一般教育訓練に係る教育訓練給付金の支給申請手続き
> においては規定されていない。

⑰答16 × 　則101条の２の12,1項。設問の教育訓練給付金及び教育訓練
支援給付金受給資格確認票は、専門実践教育訓練を**開始する日の
14日前**までに提出しなければならない。

⓱問17 教育訓練支援給付金は、教育訓練給付の支給に係る教育訓練を修
□□□ 了してもなお失業している日について支給する。
H27-41

⓱問18 専門実践教育訓練を開始した日における年齢が45歳以上の者は、
□□□ 教育訓練支援給付金を受けることができない。
R3-6D

⓱問19 受給資格者が基本手当の受給資格に係る離職後最初に公共職業安
□□□ 定所に求職の申込みをした日以後において、失業している日が通算
H28-6E して7日に満たない間であっても、他の要件を満たす限り、専門
実践教育に係る教育訓練支援給付金が支給される。

18 雇用継続給付

以下の問題においては、短期雇用特例被保険者及び日雇労働被保険者は含
めないものとする。

最新問題

⓲問1 支給対象月における高年齢雇用継続基本給付金の額として算定さ
□□□ れた額が、雇用保険法第17条第4項第1号に掲げる賃金日額の最
R6-6A 低限度額（その額が同法第18条の規定により変更されたときは、そ
の変更された額）の100分の80に相当する額を超えないとき、当該
支給対象月について高年齢雇用継続基本給付金は支給されない。

⓲問2 厚生労働大臣が雇用保険法第61条第1項第2号に定める支給限
□□□ 度額を同法第61条第7項により変更したため高年齢雇用継続基本
R6-6D 給付金を受給している者の支給対象月に支払われた賃金額が支給限
難 度額以上となった場合、変更後の支給限度額は当該変更から3か月
間、変更前の支給限度額の額とみなされる。

⑰答17 ✕ 法附則11条の2,1項、則附則25条。教育訓練支援給付金は、一定の要件を満たす専門実践教育訓練給付金の給付対象者が、当該教育訓練を受けている日のうち失業している日について支給されるものであるので、当該教育訓練が修了した後においては支給されない。

⑰答18 ◯ 法附則11条の2,1項。設問の通り正しい。教育訓練支援給付金の支給対象となるのは、専門実践教育訓練を開始した日における年齢が45歳未満の者である。

⑰答19 ✕ 法附則11条の2,4項、行政手引58615。設問の待期の期間については、教育訓練支援給付金は支給されない。

次の①〜③の期間については、教育訓練支援給付金は支給されない。
①基本手当が支給される期間
②基本手当の待期期間
③就職・職業訓練・職業指導拒否又は離職理由による基本手当の給付制限期間

⑱答1 ◯ 法61条6項。設問の通り正しい。

⑱答2 ✕ 法61条7項。設問のような、「変更後の支給限度額は当該変更から3か月間、変更前の支給限度額の額とみなされる」とする規定はない。

⑱問3
□□□
R6-6E

育児休業給付金の支給を受けて休業をした者は、当該育児休業給付金の支給を受けることができる休業をした月について、他の要件を満たす限り高年齢雇用継続基本給付金が支給される。

⑱問4
□□□
R6-6B

就業促進手当（厚生労働省令で定める安定した職業に就いた者であって、当該職業に就いた日の前日における基本手当の支給残日数が当該受給資格に基づく所定給付日数の3分の1以上であるものに限る。）を受けたときは、当該就業促進手当に加えて同一の就職につき高年齢再就職給付金を受けることができる。

⑱問5
□□□
R6-6C

高年齢再就職給付金の受給資格者に対して再就職後の支給対象月に支払われた賃金の額が、基本手当の日額の算定の基礎となった賃金日額に30を乗じて得た額の100分の85に相当する額未満であるとき、当該受給資格者に対して支給される高年齢再就職給付金の額は、支給対象月に支払われた賃金の額の100分の15となる。

過去問

⑱問1
□□□
H27-5A

60歳に達したことを理由に離職した者が、関連会社への出向により1日の空白もなく被保険者資格を取得した場合、他の要件を満たす限り、高年齢雇用継続基本給付金の支給対象となる。

⑱問2
□□□
H27-5D

受給資格者が当該受給資格に基づく基本手当を受けたことがなくても、傷病手当を受けたことがあれば、高年齢再就職給付金を受給することができる。

⑱答3 ✕ 法61条2項。高年齢雇用継続基本給付金は、育児休業給付金の支給を受けることができる休業をした月については、その月の初日から末日まで休業をしていた場合には支給されないが、それ以外の月（月の一部のみ休業をした場合）については支給され得る。設問においては、初日から末日まで休業していたか否かが明確でなく、支給されない場合もあり得ることから、「支給される」とする設問の記述は誤りとなる。

⑱答4 ✕ 法61条の2,4項。設問の就業促進手当（再就職手当）を受けた者は、同一の就職につき高年齢再就職給付金は支給されない。

⑱答5 ✕ 法61条5項1号、法61条の2,3項。高年齢再就職給付金の受給資格者に対して再就職後の支給対象月に支払われた賃金の額が、基本手当の日額の算定の基礎となった賃金日額に30を乗じて得た額の「100分の64」に相当する額未満であるとき、当該受給資格者に対して支給される高年齢再就職給付金の額は、支給対象月に支払われた賃金の額の「100分の10」となる。

---

⑱答1 〇 法61条1項、行政手引59302。設問の通り正しい。高年齢雇用継続基本給付金は、同一の事業主に継続して雇用されている場合に限らず、離職して基本手当を受給せずに再就職した場合も受給することができる。

⑱答2 〇 法37条6項、法61条の2,1項。設問の通り正しい。高年齢再就職給付金の支給を受けることができるのは、少なくとも「基本手当」の支給を受けたことがある受給資格者に限られるが、傷病手当の支給の効果の規定（雇用保険法37条6項）により、傷病手当を支給したときは、当該傷病手当を支給した日数に相当する日数分の「基本手当」を支給したものとみなされる。したがって、設問の場合も、高年齢再就職給付金の支給を受け得ることになる。

⑱問3
□□□
R4-5A

　60歳に達した被保険者(短期雇用特例被保険者及び日雇労働被保険者を除く。)であって、57歳から59歳まで連続して20か月間基本手当等を受けずに被保険者でなかったものが、当該期間を含まない過去の被保険者期間が通算して5年以上であるときは、他の要件を満たす限り、60歳に達した日の属する月から高年齢雇用継続基本給付金が支給される。

⑱問4
□□□
R元-6C

　受給資格者が冠婚葬祭等の私事により欠勤したことで賃金の減額が行われた場合のみなし賃金日額は、実際に支払われた賃金の額により算定された額となる。

⑱問5
□□□
H27-5C

　高年齢雇用継続給付を受けていた者が、暦月の途中で、離職により被保険者資格を喪失し、1日以上の被保険者期間の空白が生じた場合、その月は高年齢雇用継続給付の支給対象とならない。

⑱問6
□□□
R4-5B

　支給対象期間の暦月の初日から末日までの間に引き続いて介護休業給付の支給対象となる休業を取得した場合、他の要件を満たす限り当該月に係る高年齢雇用継続基本給付金を受けることができる。

⑱答3 ✕ 法61条1項1号、行政手引59011。設問のように60歳に達した日の属する月から高年齢雇用継続基本給付金が支給されるためには、少なくとも当該月において算定基礎期間に相当する期間が5年以上あることが必要である。設問においては、「連続した20か月間被保険者でなかった期間」より前の期間は算定基礎期間に相当する期間に算入されないことから、60歳に達した日の属する月において算定基礎期間に相当する期間は5年に満たない。したがって、60歳に達した日の属する月から高年齢雇用継続基本給付金は支給されない。

⑱答4 ✕ 法61条1項本文カッコ書、行政手引59023、行政手引59143。設問の、冠婚葬祭等の私事により欠勤したことで賃金の減額の対象となった日がある場合については、実際に支払われた賃金額に、当該減額された賃金が支払われたものとみなして算定した賃金額を**加えた**額がみなし賃金額となる。なお、「みなし賃金日額」とは、被保険者が60歳に達した日等を受給資格に係る離職の日とみなして算定されることとなる賃金日額に相当する額のことをいう。

⑱答5 ◯ 法61条2項、法61条の2,2項、行政手引59301。設問の通り正しい。高年齢雇用継続給付の支給対象月及び再就職後の支給対象月は、少なくとも、その月の**初日から末日まで引き続いて**、被保険者でなければならない。

Point 高年齢雇用継続基本給付金における「支給対象月」とは、被保険者が60歳に達した日の属する月から65歳に達する日の属する月までの期間内にある各暦月(その月の初日から末日まで引き続いて、被保険者であり、かつ、介護休業給付金又は育児休業給付金、出生時育児休業給付金若しくは出生後休業支援給付金の支給を受けることができる休業をしなかった月に限る。)をいう。

⑱答6 ✕ 法61条2項、行政手引59013。設問のように支給対象期間の暦月の初日から末日までの間に引き続いて介護休業給付の支給対象となる休業を取得した場合は、当該月に係る高年齢雇用継続基本給付金の支給を受けることができない。

⑱問7
□□□
R元-6A

60歳に達した日に算定基礎期間に相当する期間が5年に満たない者が、その後継続雇用され算定基礎期間に相当する期間が5年に達した場合、他の要件を満たす限り算定基礎期間に相当する期間が5年に達する日の属する月から65歳に達する日の属する月まで高年齢雇用継続基本給付金が支給される。

⑱問8
□□□
R4-5D
🈔

高年齢雇用継続基本給付金の受給資格者が、被保険者資格喪失後、基本手当の支給を受けずに8か月で雇用され被保険者資格を再取得したときは、新たに取得した被保険者資格に係る高年齢雇用継続基本給付金を受けることができない。

⑱問9
□□□
H27-5E改

高年齢雇用継続基本給付金の額は、一支給対象月について、賃金額が雇用保険法第61条第1項に規定するみなし賃金日額に30を乗じて得た額の100分の64に相当する額未満であるとき、その額に当該賃金の額を加えて得た額が支給限度額を超えない限り、100分の10となる。

⑱問10
□□□
R元-6B改

支給対象月に支払われた賃金の額が、みなし賃金日額に30を乗じて得た額の100分の60に相当する場合、高年齢雇用継続基本給付金の額は、当該賃金の額に100分の10を乗じて得た額(ただし、その額に当該賃金の額を加えて得た額が支給限度額を超えるときは、支給限度額から当該賃金の額を減じて得た額)となる。

⑱問11
□□□
R4-5E

高年齢再就職給付金の受給資格者が、被保険者資格喪失後、基本手当の支給を受け、その支給残日数が80日であった場合、その後被保険者資格の再取得があったとしても高年齢再就職給付金は支給されない。

⑱答7 ○　法61条1項、2項、行政手引59011、行政手引59012。設問の通り正しい。

⑱答8 ×　法61条1項、行政手引59311。高年齢雇用継続基本給付金の受給資格者が、被保険者資格喪失後、基本手当の支給を受けずに、1年以内に雇用され被保険者資格を再取得したときは、新たに取得した被保険者資格についても引き続き高年齢雇用継続基本給付金の受給資格者となり得る。

⑱答9 ○　法61条5項1号。設問の通り正しい。なお、設問の場合は、高年齢雇用継続基本給付金の額は、「当該支給対象月に支払われた賃金の額に100分の10を乗じて得た額となる。」とすべきであったと考えられるが、他に明らかに誤りの肢があるため、本肢は正しいものとした。

⑱答10 ○　法61条5項本文、1号。設問の通り正しい。

Point

高年齢雇用継続基本給付金の額

支給対象月の賃金額		高年齢雇用継続基本給付金の額
①	(みなし賃金日額×30)の額の100分の64未満	支給対象月の賃金額×100分の10
②	(みなし賃金日額×30)の額の100分の64以上100分の75未満	支給対象月の賃金額×(100分の10から一定の割合で逓減する率)

※「支給対象月の賃金額＋高年齢雇用継続基本給付金の額として計算した額」が「支給限度額」を超えるときは、「支給限度額－支給対象月の賃金額」が高年齢雇用継続基本給付金の額とされる。

⑱答11 ○　法61条の2,1項、行政手引59314。設問の通り正しい。なお、設問は、高年齢再就職給付金の受給期間中における被保険者資格に基づき新たに取得した受給資格により基本手当を受給した場合であるか、高年齢再就職給付金の支給要件に係る基本手当を再度受給した場合であるかが明確にされていないが、いずれの場合においても、その後被保険者資格の再取得があったとしても、高年齢再就職給付金は支給されない。

18問12
□□□
R元-60改

高年齢再就職給付金の支給を受けることができる者が、同一の就職につき雇用保険法第56条の3第1項第1号に定める就業促進手当の支給を受けることができる場合において、その者が就業促進手当の支給を受けたときは高年齢再就職給付金を支給しない。

18問13
□□□
R4-5C

高年齢再就職給付金の支給を受けることができる者が同一の就職につき再就職手当の支給を受けることができる場合、その者の意思にかかわらず高年齢再就職給付金が支給され、再就職手当が支給停止となる。

18問14
□□□
R元-6E

再就職の日が月の途中である場合、その月の高年齢再就職給付金は支給しない。

18問15
□□□
H27-5B

初めて高年齢再就職給付金の支給を受けようとするときは、やむを得ない理由がある場合を除いて、再就職後の支給対象月の初日から起算して4か月以内に事業所の所在地を管轄する公共職業安定所長に高年齢雇用継続給付受給資格確認票・(初回)高年齢雇用継続給付支給申請書を提出しなければならない。

⑱答12 ○　法61条の2,4項。設問の通り正しい。なお、法56条の3,1項1号に定める就業促進手当とは、再就職手当のことである。

⑱答13 ×　法61条の2,4項。高年齢再就職給付金の支給を受けることができる者が同一の就職につき再就職手当の支給を受けることができる場合において、その者が再就職手当の支給を**受けたとき**は高年齢再就職給付金を支給せず、高年齢再就職給付金の支給を**受けたとき**は再就職手当を支給しないこととされている。したがって、その者の意思にかかわらず高年齢再就職給付金が支給され、再就職手当が支給停止となるわけではない。

⑱答14 ○　法61条の2,2項。設問の通り正しい。高年齢再就職給付金に係る支給対象月は、少なくとも、その**月の初日から末日まで引き続いて**、被保険者でなければならないので、再就職日が月の途中である場合は、その月の高年齢再就職給付金は支給されない。

> **Point**
> 高年齢再就職給付金における「再就職後の支給対象月」とは次の期間をいう。
> ①就職日の前日における基本手当の支給残日数が200日以上である被保険者については、就職日の属する月から当該就職日の翌日から起算して2年を経過する日の属する月までの期間内にある各暦月（その月の初日から末日まで引き続いて、被保険者であり、かつ、介護休業給付金又は育児休業給付金、出生時育児休業給付金若しくは出生後休業支援給付金の支給を受けることができる休業をしなかった月に限る。以下②において同じ。）をいう。
> ②就職日の前日における基本手当の支給残日数が100日以上200日未満である被保険者については、就職日の属する月から当該就職日の翌日から起算して1年を経過する日の属する月までの期間内にある各暦月をいう。
> ただし、2年（②の場合では1年）を経過する日の属する月が、当該被保険者が65歳に達する日の属する月後であるときは、65歳に達する日の属する月までの期間内にある各暦月をいう。

⑱答15 ×　則101条の7,1項。「やむを得ない理由がある場合を除いて」とする規定はないので誤りである。

⓲問16
□□□
H27-67改

介護休業給付金は、一般被保険者又は高年齢被保険者が、厚生労働省令で定めるところにより、対象家族を介護するための休業をした場合において、当該休業(当該対象家族を介護するための2回以上の介護休業をした場合にあっては、初回の介護休業)を開始した日前2年間に、みなし被保険者期間が通算し12か月以上であったときに、支給単位期間について支給される。

⓲問17
□□□
H30-6B

介護休業給付の対象家族たる父母には養父母が含まれない。

⓲問18
□□□
H30-6A

被保険者が介護休業給付金の支給を受けたことがある場合、同一の対象家族について当該被保険者が3回以上の介護休業をした場合における3回目以後の介護休業については、介護休業給付金を支給しない。

⓲問19
□□□
H30-6C

被保険者が介護休業給付金の支給を受けたことがある場合、同一の対象家族について当該被保険者がした介護休業ごとに、当該介護休業を開始した日から当該介護休業を終了した日までの日数を合算して得た日数が60日に達した日後の介護休業については、介護休業給付金を支給しない。

⓲問20
□□□
H30-6E

介護休業給付金の支給を受けた者が、職場に復帰後、他の対象家族に対する介護休業を取得する場合、先行する対象家族に係る介護休業取得回数にかかわらず、当該他の対象家族に係る介護休業開始日に受給資格を満たす限り、これに係る介護休業給付金を受給することができる。

⑱答16 ◯　法61条の4,1項。設問の通り正しい。

(1)特例高年齢被保険者については、全ての適用事業所において介護休業を取得した場合に介護休業給付金が支給される(育児休業給付金、出生時育児休業給付金、出生後休業支援給付金及び育児時短就業給付金も同様)。

(2)介護休業(当該対象家族を介護するための2回以上の介護休業をした場合にあっては、初回の介護休業)を開始した日前2年間に疾病、負傷その他厚生労働省令で定める理由により引き続き30日以上賃金の支払を受けることができなかった被保険者については、当該理由により賃金の支払を受けることができなかった日数を2年に加算することができる。ただし、その加算した期間が4年を超えるときは、4年間とされる。

⑱答17 ×　法61条の4,1項、行政手引59802。介護休業給付の対象家族たる父母には養父母も含まれる。

Point

「対象家族」の範囲は、以下の通りである。
①被保険者の配偶者(婚姻の届出をしていないが、事実上婚姻関係と同様の事情にある者を含む。)、父母、子
②被保険者の祖父母、兄弟姉妹及び孫
③配偶者の父母

⑱答18 ×　法61条の4,6項1号。設問文中の「3回」を「4回」とすると正しい記述となる。

⑱答19 ×　法61条の4,6項2号。設問文中の「60日」を「93日」とすると正しい記述となる。

⑱答20 ◯　法61条の4,6項、行政手引59861。設問の通り正しい。

18問21
□□□
H27-6I
　介護休業給付金の支給を受けようとする者は、やむを得ない理由がなければ、当該休業を終了した日の翌日から起算して2か月を経過する日の属する月の末日までにその事業所の所在地を管轄する公共職業安定所長に支給申請しなければならない。

18問22
□□□
R元-4B
　介護休業給付関係手続については、介護休業給付金の支給を受けようとする被保険者を雇用する事業主の事業所の所在地を管轄する公共職業安定所において行う。

19 育児休業等給付

　以下の **19** において「対象育児休業」とは、育児休業給付金の支給対象となる育児休業をいい、「被保険者」には短期雇用特例被保険者及び日雇労働被保険者は含めないものとし、また、出生時育児休業給付金については考慮しないものとする。

過去問

19問1
□□□
R5-6
　次の場合の第1子に係る育児休業給付金の支給単位期間の合計月数として正しいものはどれか。
　令和3年10月1日、初めて一般被保険者として雇用され、継続して週5日勤務していた者が、令和5年11月1日産前休業を開始した。同年12月9日第1子を出産し、翌日より令和6年2月3日まで産後休業を取得した。翌日より育児休業を取得し、同年5月4日職場復帰した。その後同年6月10日から再び育児休業を取得し、同年8月10日職場復帰した後、同年11月9日から同年12月8日まで雇用保険法第61条の7第2項の厚生労働省令で定める場合に該当しない3度目の育児休業を取得して翌日職場復帰した。
　A　0か月
　B　3か月
　C　4か月
　D　5か月
　E　6か月

⑱答21 ×　則101条の19,1項。「やむを得ない理由がなければ」とする規定はないので誤りである。

⑱答22 ○　則1条5項本文、則101条の19,1項、行政手引59804。設問の通り正しい。なお、特例高年齢被保険者にあっては、介護休業給付関係手続は、管轄公共職業安定所において行う。

⑲答1　**正解　D**
　法61条の7,1項、2項、4項、5項、行政手引59503-2。
・設問の者は一般被保険者であり、みなし被保険者期間の要件を満たしているため、育児休業を取得した場合には育児休業給付金が支給され得る。
・産前産後休業期間は育児休業給付金の支給対象となる育児休業に含まれない。
・3回目以降の育児休業に対しては、厚生労働省令で定める場合に該当するものを除き、育児休業給付金は支給されない。
・育児休業給付金の支給に係る支給単位期間とは、育児休業をした期間を、育児休業開始日又は休業開始応当日から各翌月の休業開始応当日の前日（当該育児休業を終了した日の属する月にあっては、育児休業を終了した日）までの各期間に区分した場合における当該区分による一の期間をいう。

　以上により、設問における育児休業給付金の支給対象となり得る育児休業の支給単位期間は、「令和6年2月4日～同年5月3日」の3か月及び「令和6年6月10日～同年8月9日」の2か月の、計5か月となる。

⑲問2
☐☐☐
H29-6D

育児休業給付金の支給対象となる男性が取得する育児休業は、配偶者(婚姻の届出をしていないが、事実上婚姻関係と同様の事情にある者を含む。)の出産日から8週間を経過した日を起算日とする。

⑲問3
☐☐☐
R3-7D

男性が配偶者の出産予定日から育児休業を取得する場合、配偶者の出産日から8週間を経過した日から対象育児休業となる。

⑲問4
☐☐☐
H27-6オ

短期雇用特例被保険者は、育児休業給付金及び介護休業給付金を受けることができない。

⑲問5
☐☐☐
R4-6ア

保育所等における保育が行われない等の理由により育児休業に係る子が1歳6か月に達した日後の期間について、休業することが雇用の継続のために特に必要と認められる場合、延長後の対象育児休業の期間はその子が1歳9か月に達する日の前日までとする。

⑲問6
☐☐☐
R4-6I
🈔(難)

育児休業の申出に係る子が1歳に達した日後の期間について、児童福祉法第39条に規定する保育所等において保育を利用することができないが、いわゆる無認可保育施設を利用することができる場合、他の要件を満たす限り育児休業給付金を受給することができる。

⑲問7
☐☐☐
R4-6ウ

産後6週間を経過した被保険者の請求により産後8週間を経過する前に産後休業を終了した場合、その後引き続き育児休業を取得したときには、当該産後休業終了の翌日から対象育児休業となる。

⑲答2 ✕　法61条の7,1項、行政手引59503-2。男性が育児休業給付金の支給対象となる育児休業を取得する場合は、配偶者の出産予定日又は当該育児休業の申出に係る子の出生日のいずれか早い日から対象育児休業とすることができる。

⑲答3 ✕　行政手引59503-2。男性が育児休業給付金の支給対象となる育児休業を取得する場合は、配偶者の出産予定日又は当該育児休業の申出に係る子の出生日のいずれか早い日から対象育児休業とすることができる。

⑲答4 ○　法61条の4,1項、法61条の7,1項。設問の通り正しい。短期雇用特例被保険者及び日雇労働被保険者は、育児休業給付金及び介護休業給付金を受けることができない。なお、出生時育児休業給付金、出生後休業支援給付金及び育児時短就業給付金についても受けることができない。

⑲答5 ✕　法61条の7,1項、則101条の26、行政手引59503-3。設問の場合、延長後の対象育児休業の期間はその子が「２歳」に達する日の前日までとされている。

⑲答6 ○　法61条の7,1項、則101条の25,1号、行政手引59503-3。設問の通り正しい。「育児休業の申出に係る子について、『保育所等』における保育の利用を希望し、申込みを行っているが、当該子が１歳に達する日後の期間について、当面その実施が行われない場合（速やかな職場復帰を図るために保育所等における保育の利用を希望しているものであると公共職業安定所長が認める場合に限る。）」には、子が１歳に到達した日後の期間において、他の要件を満たす限り育児休業給付金を受給し得るが、当該「保育所等」には、いわゆる「無認可保育施設」は含まれない。したがって、設問のように「無認可保育施設」が利用できたとしても、「保育所等」に該当する施設（「児童福祉法に規定する保育所」「認定こども園法に規定する認定こども園」等）が利用できない場合には、育児休業給付金を受給し得ることとなる。

⑲答7 ✕　法61条の7,1項、行政手引59503-2。設問の場合、産後８週間を経過するまでは、産後休業とみなされ、対象育児休業とならない。

19 問8
□□□
R4-6イ
難

育児休業期間中に育児休業給付金の受給資格者が一時的に当該事業主の下で就労する場合、当該育児休業の終了予定日が到来しておらず、事業主がその休業の取得を引き続き認めていても、その後の育児休業は対象育児休業とならない。

19 問9
□□□
R4-6オ

育児休業を開始した日前2年間のうち1年間事業所の休業により引き続き賃金の支払を受けることができなかった場合、育児休業開始日前3年間に通算して12か月以上のみなし被保険者期間があれば、他の要件を満たす限り育児休業給付金が支給される。

19 問10
□□□
H29-6A改

期間を定めて雇用される者が、その養育する子が1歳6か月(一定の場合にあっては、2歳)に達する日までに、その労働契約(契約が更新される場合にあっては、更新後のもの)が満了することが明らかでない場合は、他の要件を満たす限り育児休業給付金を受給することができる。

19 問11
□□□
H29-6C

育児休業給付金を受給している被保険者が労働基準法第65条第1項の規定による産前休業をした場合、厚生労働省令で定める特別の事情がなければ育児休業給付金を受給することができなくなる。

19 問12
□□□
R3-7E

対象育児休業を行った労働者が当該対象育児休業終了後に配偶者(婚姻の届出をしていないが、事実上婚姻関係と同様の事情にある者を含む。)が死亡したことによって再度同一の子について育児休業を取得した場合、子が満1歳に達する日以前であっても、育児休業給付金の支給対象となることはない。

19答8 ×　法61条の7,1項、則101条の22,1項、行政手引59503-2。設問の場合、事業主がその休業の取得を引き続き認めていれば、その後の育児休業についても対象育児休業となる。

19答9 ○　法61条の7,1項、則101条の29,2号。設問の通り正しい。設問の場合、育児休業を開始した日前の2年間に事業所の休業により引き続き賃金の支払いを受けることができなかった1年間を加算した3年間のうち、みなし被保険者期間が通算して12か月以上であれば、みなし被保険者期間の要件を満たすこととなる。

19答10 ○　法61条の7,1項、則101条の22,1項3号ロカッコ書、4号。設問の通り正しい。

19答11 ×　法61条の7,1項、2項。育児休業給付金の支給は原則として2回まで認められており、設問のように労働基準法第65条第1項の規定による産前産後休業を取得した場合であっても、その他の要件を満たす限り、育児休業給付金を受給することができる。

　　　なお、本設問は出題当時は「○」の記述であったが、改正（令和4年10月1日施行）により、育児休業を分割取得した場合には、原則として2回の育児休業まで育児休業給付金が支給されることとなったため、「×」の記述となった。

19答12 ×　法61条の7,1項、2項。育児休業給付金の支給は原則として2回まで認められており、設問のように再度の育児休業を取得した場合にも、育児休業給付金が支給され得る。

19問13
□□□
H29-6E
　育児休業給付金の受給資格者が休業中に事業主から賃金の支払を受けた場合において、当該賃金の額が休業開始時賃金日額に支給日数を乗じて得た額の80％に相当する額以上であるときは、当該賃金が支払われた支給単位期間について、育児休業給付金を受給することができない。

19問14
□□□
R3-7C
　育児休業をした被保険者に当該被保険者を雇用している事業主から支給単位期間に賃金が支払われた場合において、当該賃金の額が休業開始時賃金日額に支給日数を乗じて得た額の100分の50に相当する額であるときは、育児休業給付金が支給されない。

19問15
□□□
R3-7B改
　休業開始時賃金日額は、その雇用する被保険者に育児休業（同一の子について２回以上の育児休業をした場合にあっては、初回の育児休業とする。）を開始した日前の賃金締切日からその前の賃金締切日翌日までの間に賃金支払基礎日数が11日以上ある場合、支払われた賃金の総額を30で除して得た額で算定される。

⑲答13 ○　法61条の7,7項。設問の通り正しい。

Point

育児休業給付金の額（事業主から賃金が支払われた場合）

支給単位期間に支払われた賃金額	育児休業給付金の額
[休業開始時賃金日額×支給日数]の額の100分の30(100分の13※)以下	[休業開始時賃金日額×支給日数]×100分の50(100分の67※)
[休業開始時賃金日額×支給日数]の額の100分の30(100分の13※)を超え100分の80未満	(支払われた賃金額＋育児休業給付金の額)が[休業開始時賃金日額×支給日数]の100分の80相当額に達するまで
[休業開始時賃金日額×支給日数]の額の100分の80以上	支給されない

※(　　)内は，休業日数(出生時育児休業給付金の支給に係る休業日数を含む。)が通算して180日に達するまでの間

⑲答14　×　法61条の7,6項。事業主から支給単位期間に支払われた賃金の額が、休業開始時賃金日額に支給日数を乗じて得た額の「100分の80」に相当する額であるときは、育児休業給付金は支給されない。**⑲答13**の**Point**参照。

⑲答15　×　法61条の7,6項、行政手引59524。休業開始時賃金日額の算定に当たっては、賃金締切日の翌日から次の賃金締切日までの間を1か月として算定し、当該1か月間に賃金支払基礎日数が11日以上ある月を完全賃金月として、休業開始時点から遡って直近の完全賃金月**6か月**の間に支払われた賃金の総額を**180**で除して得た額を算定することとされている。

プラスα

基本手当の額の算定においては、算定対象期間において、完全な賃金月が6以上あるときは、最後の完全な6賃金月に支払われた賃金(臨時に支払われる賃金及び3か月を超える期間ごとに支払われる賃金を除く。)の総額を180で除して得た額を賃金日額とするのが原則とされている。この場合において、「賃金月」とは、同一の事業主のもとにおける賃金締切日(賃金締切日が1暦月内に2回以上ある場合には暦月の末日に最も近い賃金締切日)の翌日から次の賃金締切日までの期間をいい、その期間が満1か月であり、かつ、賃金支払基礎日数が11日以上ある賃金月を「完全な賃金月」という。
育児休業給付金の額の算定において用いる「休業開始時賃金日額」も、この賃金日額と同様の取り扱いをすることとされている。

⑲問16
□□□
R3-7A
難
　特別養子縁組の成立のための監護期間に係る育児休業給付金の支給につき、家庭裁判所において特別養子縁組の成立を認めない審判が行われた場合には、家庭裁判所に対して特別養子縁組を成立させるための請求を再度行わない限り、その決定日の前日までが育児休業給付金の支給対象となる。

⑲問17
□□□
H29-6B
　育児休業給付金の支給申請の手続は、雇用される事業主を経由せずに本人が郵送により行うことができる。

20 通則

最新問題

⑳問1
□□□
R6-5イ
　偽りその他不正の行為により基本手当の支給を受けた者がある場合には、政府は、その者に対して、支給した基本手当の全部又は一部の返還を命ずるとともに、厚生労働大臣の定める基準により、当該偽りその他不正の行為により支給を受けた基本手当の額の3倍に相当する額の金額を納付することを命ずることができる。

⑳問2
□□□
R6-5ウ
　偽りその他不正の行為により基本手当の支給を受けた者がある場合には、政府は、その者に対して過去適法に受給した基本手当の額を含めた基本手当の全部又は一部を返還することを命ずることができる。

⑲答16 ○ 行政手引59573。設問の通り正しい。

⑲答17 ○ 則101条の30,1項ただし書、行政手引59504。設問の通り正しい。被保険者(特例高齢者被保険者を除く。)は、育児休業給付金の支給に係る各種申請書等の提出について、雇用される事業主を経由して行わなければならないとされているが、やむを得ない理由のため事業主を経由して当該申請書の提出を行うことが困難であるとき又は当該被保険者が自ら申請手続を行うことを希望する場合は、事業主を経由せず当該被保険者がこれを行うことも認める取扱いとなっている。また、育児休業給付金の支給申請等の手続については、本人が郵送等により行うことも差し支えないとされている。

> **プラスα** 特例高年齢被保険者にあっては、支給申請書の提出は、事業主を経由せず、管轄公共職業安定所の長に対して行う。

⑳答1 × 法10条の4,1項。設問の「3倍」を「2倍」と読み替えると、正しい記述となる。

⑳答2 × 法10条の4,1項。政府が返還することを命ずることができる失業等給付は、偽りその他不正の行為によって支給を受けた失業等給付の全部又は一部であって、不正受給者が適法に受給した失業等給付には及ばない。

20 問 1
□□□
H29-1B

基本手当の受給資格者は、基本手当を受ける権利を契約により譲り渡すことができる。

20 問 2
□□□
H28-77

租税その他の公課は、常用就職支度手当として支給された金銭を標準として課することができる。

20 問 3
□□□
H29-1E

政府は、基本手当の受給資格者が失業の認定に係る期間中に自己の労働によって収入を得た場合であっても、当該基本手当として支給された金銭を標準として租税を課することができない。

20 問 4
□□□
R3-2A

死亡した受給資格者に配偶者（婚姻の届出をしていないが、事実上婚姻関係と同様の事情にあった者を含む。）及び子がいないとき、死亡した受給資格者と死亡の当時生計を同じくしていた父母は未支給の失業等給付を請求することができる。

20 問 5
□□□
R3-2B

失業等給付の支給を受けることができる者が死亡した場合において、未支給の失業等給付の支給を受けるべき順位にあるその者の遺族は、死亡した者の名でその未支給の失業等給付の支給を請求することができる。

⑳答1 ✕　法10条1項、2項1号、法11条。「失業等給付を受ける権利は、譲り渡し、担保に供し、又は差し押えることができない」とされており、基本手当は失業等給付に該当するので、その受ける権利は、譲り渡すことができない。

プラスα　未支給給付の請求、不正受給による給付の返還命令・納付命令、受給権の保護及び公課の禁止の規定は、育児休業等給付についても準用される。

⑳答2 ✕　法10条1項、4項1号、法12条、法56条の3,1項2号。「租税その他の公課は、失業等給付として支給を受けた金銭を標準として課することができない」とされており、常用就職支度手当は失業等給付に該当するので、租税その他の公課は、常用就職支度手当として支給を受けた金銭を標準として課することができない。**⑳答1**の プラスα 参照。

⑳答3 ○　法10条1項、2項1号、法12条。設問の通り正しい。「租税その他の公課は、失業等給付として支給を受けた金銭を標準として課することができない」とされており、基本手当は失業等給付に該当するので、基本手当として支給された金銭を標準として租税を課することはできない。**⑳答1**の プラスα 参照。

⑳答4 ○　法10条の3,1項、2項。設問の通り正しい。

Point
(1)未支給給付の請求権者の範囲
死亡者の配偶者（婚姻の届出をしていないが、事実上婚姻関係と同様の事情にあった者を含む。）、子、父母、孫、祖父母又は兄弟姉妹であって、その者の死亡の当時その者と生計を同じくしていたものは、自己の名で、その未支給の失業等給付の支給を請求することができる。
(2)未支給給付の請求権者の順位
支給を受けるべき遺族の順位は、上記(1)の順である。

⑳答5 ✕　法10条の3,1項。未支給の失業等給付は、遺族が「死亡した者の名」ではなく「自己の名」で請求することができる。**⑳答4**の **Point** 参照。

20 問 6
□□□
H29-1D

失業等給付の支給を受けることができる者が死亡した場合において、その未支給の失業等給付の支給を受けるべき者（その死亡した者と死亡の当時生計を同じくしていた者に限る。）の順位は、その死亡した者の配偶者（婚姻の届出をしていないが、事実上婚姻関係と同様の事情にあった者を含む。）、子、父母、孫、祖父母又は兄弟姉妹の順序による。

20 問 7
□□□
R3-2E

受給資格者の死亡により未支給の失業等給付の支給を請求しようとする者は、当該受給資格者の死亡の翌日から起算して3か月以内に請求しなければならない。

20 問 8
□□□
R元-4E

未支給の失業等給付の請求を行う者についての当該未支給の失業等給付に関する事務は、受給資格者等の死亡の当時の住所又は居所を管轄する公共職業安定所長が行う。

20 問 9
□□□
R3-2C

正当な理由がなく自己の都合によって退職したことにより基本手当を支給しないこととされた期間がある受給資格者が死亡した場合、死亡した受給資格者の遺族の請求により、当該基本手当を支給しないこととされた期間中の日に係る未支給の基本手当が支給される。

20 問 10
□□□
R3-2D

死亡した受給資格者が、死亡したため所定の認定日に公共職業安定所に出頭し失業の認定を受けることができなかった場合、未支給の基本手当の支給を請求する者は、当該受給資格者について失業の認定を受けたとしても、死亡直前に係る失業認定日から死亡日までの基本手当を受けることができない。

㉑**答6** ○　法10条の3,1項、2項。設問の通り正しい。

㉑**答7** ×　則17条の2,1項。未支給の失業等給付の請求は、当該受給資格者の死亡の翌日から起算して「**6か月以内**」にしなければならない。

㉑**答8** ○　則1条5項5号。設問の通り正しい。

㉑**答9** ×　行政手引53103。正当な理由がなく自己都合によって退職したことにより基本手当を支給しないこととされた期間中の日については、未支給の基本手当は支給されない。

㉑**答10** ×　則47条1項、行政手引53103。死亡した受給資格者が、死亡したため所定の認定日に公共職業安定所に出頭し失業の認定を受けることができなかった場合に、未支給の基本手当の請求者が当該受給資格者について失業の認定を受けたときは、原則として、死亡直前に係る失業認定日から死亡日の前日までの基本手当を受けることができる。

⑳問11
□□□
H29-1C

偽りその他不正の行為により失業等給付の支給を受けた者がある場合には、政府は、その者に対して、支給した失業等給付の全部又は一部を返還することを命ずることができ、また、厚生労働大臣の定める基準により、当該偽りその他不正の行為により支給を受けた失業等給付の額の2倍に相当する額以下の金額を納付することを命ずることができる。

⑳問12
□□□
H27-4ウ

指定教育訓練実施者が偽りの届出をしたために、教育訓練給付が不当に支給された場合、政府は、当該教育訓練実施者に対し、当該教育訓練給付の支給を受けた者と連帯して同給付の返還をするよう命ずることができる。

21 不正受給による給付制限

[最新問題]

㉑問1
□□□
R6-5ア

基本手当の受給資格者が自己の労働によって収入を得た場合、当該収入が基本手当の減額の対象とならない額であっても、これを届け出なければ不正の行為として取り扱われる。

㉑問2
□□□
R6-5オ

偽りその他不正の行為により基本手当の支給を受けた者にやむを得ない理由がある場合、基本手当の全部又は一部を支給することができる。

[過去問]

㉑問1
□□□
R2-5B

不正な行為により基本手当の支給を受けようとしたことを理由として基本手当の支給停止処分を受けた場合であっても、その後再就職し新たに受給資格を取得したときには、当該新たに取得した受給資格に基づく基本手当を受けることができる。

⑳答11 〇　法10条の4,1項。設問の通り正しい。

> **Point**
>
> 偽りその他不正の行為により失業等給付の支給を受けた者がある場合には、政府は、その者に対して、支給した失業等給付の全部又は一部を返還することを命ずることができ、また、厚生労働大臣の定める基準により、当該偽りその他不正の行為により支給を受けた失業等給付の額の**2倍**に相当する額以下の金額を納付することを命ずることができる。
> この場合において、事業主、職業紹介事業者等、募集情報等提供事業を行う者又は指定教育訓練実施者が偽りの届出、報告又は証明をしたためその失業等給付が支給されたものであるときは、政府は、その事業主、職業紹介事業者等、募集情報等提供事業を行う者又は指定教育訓練実施者に対し、その失業等給付の支給を受けた者と連帯して、失業等給付の返還又は納付を命ぜられた金額の納付をすることを命ずることができる。

⑳答12 〇　法10条の4,2項。設問の通り正しい。設問の場合、政府は、当該指定教育訓練実施者に対し、当該教育訓練給付の支給を受けた者と連帯して、教育訓練給付の返還又は納付を命ぜられた金額の納付をすることを命ずることができる。**⑳答11**の **Point** 参照。

㉑答1 ×　法34条1項。自己の労働による収入を届け出ないことは、原則として不正の行為に該当するが、減額の対象とならない額の届出については、これを届け出なくても不正の行為であるとして取り扱うことはできないこととされている。

㉑答2 〇　法34条1項ただし書。設問の通り正しい。

㉑答1 〇　法34条2項。設問の通り正しい。

21 問 2
☐☐☐
R3-6C

偽りその他不正の行為により教育訓練給付金の支給を受けたことから教育訓練給付金を受けることができないとされた者であっても、その後新たに教育訓練給付金の支給を受けることができるものとなった場合には、教育訓練給付金を受けることができる。

21 問 3
☐☐☐
R2-5E

偽りその他不正の行為により高年齢雇用継続基本給付金の給付制限を受けた者は、当該被保険者がその後離職した場合に当初の不正の行為を理由とした基本手当の給付制限を受けない。

21 問 4
☐☐☐
R2-5D改

不正な行為により育児休業給付金の支給を受けたとして育児休業給付金に係る支給停止処分を受けた受給資格者は、当該育児休業給付金の支給に係る育児休業を開始した日に養育していた子以外の子について新たに育児休業給付金の支給要件を満たしたとしても、新たな受給資格に係る育児休業給付金を受けることができない。

21 答 2 ○ 法60条の3,1項、2 項。設問の通り正しい。

21 答 3 ○ 法34条 1 項、法61条の3,1号。設問の通り正しい。

21 答 4 × 法61条の9,2項。不正受給により育児休業給付金の支給停止処分を受けた受給資格者が、その後当該育児休業給付金の支給に係る育児休業を開始した日に養育していた子以外の子について新たに育児休業給付金の支給要件を満たしたときは、新たな受給資格に係る育児休業給付金を受けることができる。

> (1) 偽りその他不正の行為により**育児休業給付の支給を受け、又は受けようとした者**には、当該給付の支給を受け、又は受けようとした日以後、**育児休業給付を支給しない**。ただし、やむを得ない理由がある場合には、**育児休業給付の全部又は一部を支給することができる。**
> (2) (1)の規定により**育児休業給付の支給を受けることができない者**とされたものが、(1)に規定する日以後、当該育児休業給付の支給に係る育児休業を開始した日に養育していた子以外の子について新たに育児休業を開始し、育児休業給付の支給を受けることができる者となった場合には、(1)の規定にかかわらず、**当該育児休業に係る育児休業給付を支給する。**

22 その他の給付制限

　以下の問題においては、訓練延長給付、個別延長給付、広域延長給付、全国延長給付及び地域延長給付は考慮しないものとする。

22問1
□□□
H28-5D

　公共職業安定所長の指示した公共職業訓練等を受けることを拒んだ受給資格者は、当該公共職業訓練等を受けることを指示された職種が、受給資格者の能力からみて不適当であると認められるときであっても、基本手当の給付制限を受ける。

22問2
□□□
H28-5B

　就職先の賃金が、同一地域における同種の業務及び同程度の技能に係る一般の賃金水準に比べて、不当に低いときには、受給資格者が公共職業安定所の紹介する職業に就くことを拒んでも、給付制限を受けることはない。

㉒答1 ×　法32条1項1号、行政手引52151。設問の場合には、給付制限を受けることはない。

> 受給資格者(一定の延長給付を受けている者を除く。)が、次に掲げる理由によって、公共職業安定所の紹介する職業に就くこと又は公共職業安定所長の指示した公共職業訓練等を受けることを拒んだときは、給付制限は行われない。
> ①紹介された職業又は公共職業訓練等を受けることを指示された職種が、受給資格者の能力からみて不適当であると認められるとき
> ②就職するため、又は公共職業訓練等を受けるため、現在の住所又は居所を変更することを要する場合において、その変更が困難であると認められるとき
> ③就職先の賃金が、同一地域における同種の業務及び同程度の技能に係る一般の賃金水準に比べて、不当に低いとき
> ④職業安定法20条の規定に該当する労働争議中の事業所に紹介されたとき(一定の場合を除く。)
> ⑤その他正当な理由があるとき

㉒答2 ○　法32条1項3号、行政手引52151。設問の通り正しい。**㉒答1**の　プラスα　参照。

㉒問3
☐☐☐
R2-5A
日雇労働被保険者が公共職業安定所の紹介した業務に就くことを拒否した場合において、当該業務に係る事業所が同盟罷業又は作業所閉鎖の行われている事業所である場合、日雇労働求職者給付金の給付制限を受けない。

㉒問4
☐☐☐
H28-5C
受給資格者が、正当な理由がなく職業指導を受けることを拒んだことにより基本手当を支給しないこととされている期間であっても、他の要件を満たす限り、技能習得手当が支給される。

㉒問5
☐☐☐
H28-5A
自己の責めに帰すべき重大な理由によって解雇された場合は、待期の満了の日の翌日から起算して1か月以上3か月以内の間、基本手当は支給されないが、この間についても失業の認定を行わなければならない。

22答3 ○　法52条1項3号、行政手引90704。設問の通り正しい。設問の場合は、日雇労働求職者給付金の支給を受けることができる者が公共職業安定所の紹介する業務に就くことを拒んだ場合におけるその拒否について正当な理由があるものとして、給付制限を受けない。

> 日雇労働求職者給付金の支給を受けることができる者が、次に掲げる理由によって公共職業安定所の紹介する業務に就くことを拒んだときは、給付制限は行われない。
> ①紹介された業務が、その者の能力からみて不適当であると認められるとき
> ②紹介された業務に対する賃金が、同一地域における同種の業務及び同程度の技能に係る一般の賃金水準に比べて、不当に低いとき
> ③職業安定法20条の規定に該当する労働争議中の事業所に紹介されたとき（一定の場合を除く。）
> ④その他正当な理由があるとき

22答4 ×　法32条2項、法36条3項。基本手当を支給しないこととされている期間については技能習得手当は支給されない。寄宿手当も同様である。

22答5 ×　法33条1項、行政手引52205。設問の離職理由による給付制限期間については、失業の認定を行う必要はない、とされている。

> 【給付制限に伴う受給期間の延長】
> 離職理由による給付制限を受けた場合において、当該給付制限期間に7日を超え30日以下の範囲内で厚生労働省令で定める日数（21日）及び当該受給資格に係る所定給付日数に相当する日数を加えた期間が1年（基準日において45歳以上65歳未満であって算定基礎期間が1年以上の就職困難な受給資格者にあっては1年＋60日）を超えるときは、基本手当の受給期間は当初の受給期間にその超える期間を加えた期間となる。
> 〈イメージ〉

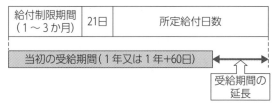

22 問6
☐☐☐
H29-4B

行政罰の対象とならない行為であって刑法に規定する犯罪行為により起訴猶予処分を受け、解雇された場合、自己の責めに帰すべき重大な理由による解雇として給付制限を受ける。

22 問7
☐☐☐
H29-4E

従業員として当然守らなければならない事業所の機密を漏らしたことによって解雇された場合、自己の責めに帰すべき重大な理由による解雇として給付制限を受ける。

22 問8
☐☐☐
H29-4A

事業所に係る事業活動が停止し、再開される見込みがないために当該事業所から退職した場合、退職に正当な理由がないものとして給付制限を受ける。

22 問9
☐☐☐
H29-4C
(難)

支払われた賃金が、その者に支払われるべき賃金月額の2分の1であった月があったために退職した場合、退職に正当な理由がないものとして給付制限を受ける。

22 問10
☐☐☐
H29-4D

配偶者と別居生活を続けることが家庭生活の上からも、経済的事情からも困難となり、配偶者と同居するために住所を移転したことにより事業所への通勤が不可能となったことで退職した場合、退職に正当な理由がないものとして給付制限を受ける。

22 問11
☐☐☐
H28-5E

管轄公共職業安定所の長は、正当な理由なく自己の都合によって退職したことで基本手当の支給をしないこととされる受給資格者に対して、職業紹介及び職業指導を行うことはない。

23 雇用保険二事業

最新問題

23 問1
☐☐☐
R6-7A
(難)

対象被保険者を休業させることにより雇用調整助成金の支給を受けようとする事業主は、休業の実施に関する事項について、あらかじめ当該事業所の労働者の過半数で組織する労働組合(労働者の過半数で組織する労働組合がないときは、労働者の過半数を代表する者)との間に書面による協定をしなければならない。

[22]答6　×　法33条１項、行政手引52202。設問の場合は、「自己の責めに帰すべき重大な理由による解雇」には該当せず、給付制限を受けない。

[22]答7　○　法33条１項、行政手引52202。設問の通り正しい。

[22]答8　×　法33条１項、行政手引52203。設問の場合は、退職に**正当な理由がある**ものとして給付制限を受けない。

[22]答9　×　法33条１項、行政手引52203。設問の場合は、退職に**正当な理由がある**ものとして給付制限を受けない。支払われた賃金が、その者に支払われるべき賃金月額の３分の２に満たない月があったため退職した場合は、退職するに正当な理由があるものとして給付制限を受けないこととされており、設問はこれに該当する。

[22]答10　×　法33条１項、行政手引52203。設問の場合は、退職に**正当な理由がある**ものとして給付制限を受けない。

[22]答11　×　法33条１項、則48条。管轄公共職業安定所長は、設問の受給資格者に対して、職業紹介又は職業指導を行うものとされている。

[23]答1　○　法62条１項１号、則102条の3,1項２号イ(4)。設問の通り正しい。

[23] 問 2 □□□ R6-7E [難]

事業主が景気の変動、産業構造の変化その他の経済上の理由により、急激に事業活動の縮小を余儀なくされたことにより休業することを都道府県労働局長に届け出た場合、当該事業主は、届出の際に当該事業主が指定した日から起算して３年間雇用調整助成金を受けることができる。

[23] 問 3 □□□ R6-7D [難]

対象被保険者を休業させることにより雇用調整助成金の支給を受けようとする事業主は、当該事業所の対象被保険者に係る休業等の実施の状況及び手当又は賃金の支払の状況を明らかにする書類を整備していなければならない。

[23] 問 4 □□□ R6-7B [難]

被保険者を出向させたことにより雇用調整助成金の支給を受けた事業主が当該出向の終了後６か月以内に当該被保険者を再度出向させるときは、当該事業主は、再度の出向に係る雇用調整助成金を受給することができない。

[23] 問 5 □□□ R6-7C [難]

出向先事業主が出向元事業主に係る出向対象被保険者を雇い入れる場合、当該出向先事業主の事業所の被保険者を出向させているときは、当該出向先事業主は、雇用調整助成金を受給することができない。

[23] 問 6 □□□ R6-5I [難]

雇用保険法施行規則第120条にいう雇用関係助成金関係規定にかかわらず、過去５年以内に偽りその他不正の行為により雇用調整助成金の支給を受けた事業主には、雇用関係助成金を支給しない。

[過去問]

[23] 問 1 □□□ H29-7E

政府は、季節的に失業する者が多数居住する地域において、労働者の雇用の安定を図るために必要な措置を講ずる都道府県に対して、必要な助成及び援助を行うことができる。

23答2 ✕ 法62条1項1号、則102条の3,1項3号、3項。設問の雇用調整助成金の支給は、原則として、支給日数が100日に達するまで受けることができるのであって、設問のように「届出の際に当該事業主が指定した日から起算して3年間」受けることができるのではない。

23答3 ◯ 法62条1項1号、則102条の3,1項4号イ。設問の通り正しい。

23答4 ◯ 法62条1項1号、則102条の3,5項。設問の通り正しい。

23答5 ◯ 法62条1項1号、則102条の3,7項。設問の通り正しい。

23答6 ◯ 則139条の4,2項。設問の通り正しい。

23答1 ✕ 法62条1項5号、則120条。雇用機会を増大させる必要がある地域への事業所の移転により新たに労働者を雇い入れる「事業主」、季節的に失業する者が多数居住する地域においてこれらの者を年間を通じて雇用する「事業主」その他雇用に関する状況を改善する必要がある地域における労働者の雇用の安定を図るために必要な措置を講ずる「事業主」に対して、必要な助成及び援助を行うことができるとされているが、「都道府県」に対しては行うことができるものとはされていない。

23問2
□□□
H29-7A
難

政府は、勤労者財産形成促進法第6条に規定する勤労者財産形成貯蓄契約に基づき預入等が行われた預貯金等に係る利子に必要な資金の全部又は一部の補助を行うことができる。

23問3
□□□
H29-7B
難

政府は、労働関係調整法第6条に規定する労働争議の解決の促進を図るために、必要な事業を行うことができる。

23問4
□□□
H28-6C
難

政府は、専門実践教育訓練を受けている者の当該専門実践教育訓練の受講を容易にするための資金の貸付けに係る保証を行う一般社団法人又は一般財団法人に対して、当該保証に要する経費の一部補助を行うことができる。

23問5
□□□
R元-7A
難

短時間休業により雇用調整助成金を受給しようとする事業主は、休業等の期間、休業等の対象となる労働者の範囲、手当又は賃金の支払の基準その他休業等の実施に関する事項について、あらかじめ事業所の労働者の過半数で組織する労働組合(労働者の過半数で組織する労働組合がないときは、労働者の過半数を代表する者。)との間に書面による協定をしなければならない。

23問6
□□□
R元-7D
難

一般トライアルコース助成金は、雇い入れた労働者が雇用保険法の一般被保険者となって3か月を経過したものについて、当該労働者を雇い入れた事業主が適正な雇用管理を行っていると認められるときに支給する。

23問7
□□□
R元-7B
難

キャリアアップ助成金は、特定地方独立行政法人に対しては、支給しない。

❷答2 × 法62条、法63条、則115条9号他。雇用安定事業として、勤労者財産形成促進法9条1項に定める必要な資金の貸付けを行うことはできる旨規定されているが、設問の補助に関する規定はない。

❷答3 × 法62条、法63条、則115条12号他。雇用安定事業として、個別労働関係紛争の解決の促進その他の被保険者等の雇用の安定を図るために必要な事業を行うことができる旨は規定されているが、設問のような規定はない。

❷答4 ○ 法62条1項6号、則115条17号。設問の通り正しい。設問の補助は、雇用安定事業として行われている。

❷答5 ○ 則102条の3,1項2号イ(4)。設問の通り正しい。

❷答6 × 則110条の3,2項1号イ。一般トライアルコース助成金は、一定の安定した職業に就くことが困難な求職者を、公共職業安定所又は職業紹介事業者等(一定の者に限る。)の紹介により、期間の定めのない労働契約を締結する労働者であって、1週間の所定労働時間が同一の事業所に雇用される通常の労働者の1週間の所定労働時間と同一のものとして雇い入れることを目的に、「3か月以内」の期間を定めて試行的に雇用する労働者として雇い入れる事業主が対象となる。

❷答7 ○ 則120条。設問の通り正しい。

> **Point** 雇用安定事業として支給される助成金、給付金等は、国、地方公共団体、行政執行法人、特定地方独立行政法人に対しては支給されない。

㉓問8 □□□ R元-7C [難]
雇用調整助成金は、労働保険料の納付の状況が著しく不適切である事業主に対しては、支給しない。

㉓問9 □□□ H29-7D
政府は、能力開発事業の全部を独立行政法人高齢・障害・求職者雇用支援機構に行わせることができる。

㉓問10 □□□ H29-7C
政府は、職業能力開発促進法第10条の４第２項に規定する有給教育訓練休暇を与える事業主に対して、必要な助成及び援助を行うことができる。

㉓問11 □□□ R2-7E [難]
認定訓練助成事業費補助金は、職業能力開発促進法第13条に規定する事業主等(事業主にあっては中小企業事業主に、事業主の団体又はその連合団体にあっては中小企業事業主の団体又はその連合団体に限る。)が行う認定訓練を振興するために必要な助成又は援助を行う都道府県に対して交付される。

㉓問12 □□□ R2-7C [難]
高年齢受給資格者は、職場適応訓練の対象となる受給資格者に含まれない。

[23]答８　○　則120条の２。設問の通り正しい。

[23]答９　×　法63条３項。政府は、能力開発事業の「一部」を独立行政法人高齢・障害・求職者雇用支援機構に行わせるものとされている。

[プラスα]　雇用安定事業の一部についても、同機構に行わせるものとされている。

[23]答10　○　法63条１項４号。設問の通り正しい。

[23]答11　○　則123条。設問の通り正しい。

[23]答12　×　則130条１項。高年齢受給資格者も、職場適応訓練の対象となる受給資格者に含まれる。

24 費用の負担

24問1
□□□
H28-7エ改

　国庫は、雇用継続給付(介護休業給付金に限る。)に要する費用の8分の1の額に100分の55(令和6年度から令和8年度までの各年度においては、100分の10)を乗じて得た額を負担する。

24問2
□□□
H29-5E

　雇用保険法によると、高年齢求職者給付金の支給に要する費用は、国庫の負担の対象とはならない。

24問3
□□□
R元-7E改

　国庫は、毎年度、予算の範囲内において、就職支援法事業に要する費用(雇用保険法第66条第1項第5号に規定する費用を除く。)及び雇用保険事業(出生後休業支援給付及び育児時短就業給付に係る事業を除く。)の事務の執行に要する経費を負担する。

㉔答1 ◯ 法66条1項3号、法附則13条1項、法附則14条1項。設問の通り正しい。

Point

国庫負担割合

給付の種類		国庫負担割合
(1)下記(2)以外の求職者給付（高年齢求職者給付金を除く。）	①雇用情勢及び雇用保険の財政状況が悪化している場合	4分の1
	②上記①以外の場合	40分の1
(2)日雇労働求職者給付金・広域延長給付受給者に係る求職者給付	①雇用情勢及び雇用保険の財政状況が悪化している場合	3分の1
	②上記①以外の場合	30分の1
(3)雇用継続給付(介護休業給付金に限る。)		8分の1 [※1]
(4)育児休業給付		8分の1
(5)就職支援法事業の職業訓練受講給付金		2分の1 [※2]

※1　当分の間、その100分の55（令和6年度から令和8年度までの各年度においては、100分の10）
※2　当分の間、その100分の55

※就職支援法事業に要する費用（職業訓練受講給付金に要する費用を除く。）及び雇用保険事業（出生後休業支援給付及び育児時短就業給付に係る事業を除く。）の事務の執行に要する経費…予算の範囲内で国庫が負担

㉔答2 ◯ 法66条1項。設問の通り正しい。**㉔答1**の **Point** 参照。

㉔答3 ◯ 法66条5項。設問の通り正しい。

25 不服申立て

最新問題

25問1
□□□
R6-4D
難

　基本手当の支給を受けようとする者（未支給給付請求者を除く。）であって就職状態にあるものが管轄公共職業安定所に対して離職票を提出した場合、当該就職状態が継続することにより基本手当の受給資格が認められなかったことについて不服があるときは、雇用保険審査官に対して審査請求をすることができる。

過 去 問

25問1
□□□
R元-3E

　公共職業安定所長によって労働の意思又は能力がないものとして受給資格が否認されたことについて不服がある者は、当該処分があったことを知った日の翌日から起算して3か月を経過するまでに、雇用保険審査官に対して審査請求をすることができる。

25問2
□□□
R2-6D

　失業等給付に関する処分について審査請求をしている者は、審査請求をした日の翌日から起算して3か月を経過しても審査請求についての決定がないときは、雇用保険審査官が審査請求を棄却したものとみなすことができる。

㉕**答1** ✕　法69条1項、昭和53.6.30昭52雇7号、雇用保険に係る不服申立て及び訴訟に関する業務取扱要領。雇用保険審査官に対する審査請求の対象となる失業等給付に関する処分には、求職者給付に関する処分があるが、この求職者給付に関する処分とは、たとえば、基本手当についていえば、ある金額の基本手当を支給する旨の処分又は支給しない旨の処分をいい、基本手当支給の要件事実の判断は、審査請求の対象となる処分ではない。設問は、「受給資格が認められなかった」ことについての不服であり、「基本手当支給の要件事実の判断」であることから、審査請求の対象とはならない。

㉕**答1** ○　法69条1項、労審法7条1項、同法8条1項。設問の通り正しい。なお、設問の受給資格の否認は失業等給付等（失業等給付及び育児休業等給付）に関する処分に含まれ、これに不服のある者は、雇用保険審査官に対して審査請求をすることができる。

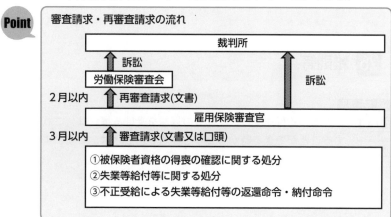

Point 審査請求・再審査請求の流れ

裁判所
↑訴訟
労働保険審査会　　訴訟
2月以内 ↑再審査請求（文書）
雇用保険審査官
3月以内 ↑審査請求（文書又は口頭）
①被保険者資格の得喪の確認に関する処分
②失業等給付等に関する処分
③不正受給による失業等給付等の返還命令・納付命令

㉕**答2** ○　法69条2項。設問の通り正しい。なお、育児休業等給付に関する処分についても同様である。

㉕問3 失業等給付に関する審査請求は、時効の完成猶予及び更新に関しては、裁判上の請求とみなされない。
☐☐☐
H30-7エ改

㉕問4 雇用安定事業について不服がある事業主は、雇用保険審査官に対して審査請求をすることができる。
☐☐☐
H30-7オ

㉕問5 雇用保険法第9条に規定する確認に関する処分が確定したときは、当該処分についての不服を当該処分に基づく失業等給付に関する処分についての不服の理由とすることができない。
☐☐☐
R2-6E

26 雑則等

【過去問】

㉖問1 失業等給付を受け、又はその返還を受ける権利は、これらを行使することができる時から2年を経過したときは、時効によって消滅する。
☐☐☐
H28-7オ改

㉕答3 ✕ 法69条1項、3項。失業等給付に関する審査請求は、時効の完成猶予及び更新に関しては、裁判上の請求とみなされる。なお、育児休業等給付に関する審査請求についても同様である。

㉕答4 ✕ 法69条1項。雇用安定事業についての不服は、雇用保険審査官に対する審査請求の対象事項となっていない。

Point
次の①〜③の処分に不服のある者は、雇用保険審査官に対して審査請求をし、その決定に不服のある者は、労働保険審査会に対して再審査請求をすることができる。
①被保険者資格の得喪の確認に関する処分
②失業等給付等(失業等給付及び育児休業等給付)に関する処分
③不正受給による失業等給付の返還命令又は納付命令(育児休業等給付において準用する場合を含む。)に関する処分

㉕答5 ○ 法70条。設問の通り正しい。失業等給付等(失業等給付及び育児休業等給付)は、被保険者となったこと又は被保険者でなくなったことの確認処分から失業等給付等に関する処分まで段階的に発展する一連の行為の結合により、具体的法律効果が完成する体系をとっているため、先行行為である被保険者となったこと又は被保険者でなくなったことの確認処分が確定したときは、これらの処分についての不服を後行行為についての不服の理由とすることができないように制限されている。

㉖答1 ○ 法74条1項。設問の通り正しい。

Point
失業等給付等(失業等給付及び育児休業等給付)の支給を受け、又はその返還を受ける権利及び不正受給による失業等給付の返還命令又は納付命令の規定(育児休業等給付において準用する場合を含む。)により納付をすべきことを命ぜられた金額を徴収する権利は、これらを行使することができる時から2年を経過したときは、時効によって消滅する。

26問2
□□□
R2-6C

失業等給付の支給を受け、又はその返還を受ける権利及び雇用保険法第10条の4に規定する不正受給による失業等給付の返還命令又は納付命令により納付をすべきことを命ぜられた金額を徴収する権利は、この権利を行使することができることを知った時から2年を経過したときは、時効によって消滅する。

26問3
□□□
R4-7B

偽りその他不正の行為により失業等給付の支給を受けた者がある場合に政府が納付をすべきことを命じた金額を徴収する権利は、これを行使することができる時から2年を経過したときは時効によって消滅する。

26問4
□□□
H28-7ウ改

雇用保険法第73条では、「事業主は、労働者が第8条の規定による確認の請求又は第37条の5第1項の規定による申出をしたことを理由として、労働者に対して解雇その他不利益な取扱いをしてはならない。」とされ、事業主がこの規定に違反した場合、「1年以下の懲役又は50万円以下の罰金に処する。」と規定されている。

26問5
□□□
R4-7E

事業主は、雇用保険に関する書類(雇用安定事業又は能力開発事業に関する書類及び労働保険徴収法又は同法施行規則による書類を除く。)のうち被保険者に関する書類を4年間保管しなければならない。

26問6
□□□
H28-7イ
(難)

市町村長は、求職者給付の支給を受ける者に対して、当該市町村の条例の定めるところにより、求職者給付の支給を受ける者の戸籍に関し、無料で証明を行うことができる。

26問7
□□□
R4-7D
(難)

行政庁は、関係行政機関又は公私の団体に対して雇用保険法の施行に関して必要な資料の提供その他の協力を求めることができ、協力を求められた関係行政機関又は公私の団体は、できるだけその求めに応じなければならない。

26答2 ×　法74条1項。設問の権利については、「この権利を行使することができることを知った時から」ではなく**「これらを行使することができる時から」2年**を経過したときは、時効によって消滅する。なお、育児休業等給付についても同様である。**26答1**の **Point** 参照。

26答3 ○　法74条1項。設問の通り正しい。

26答4 ×　法73条、法83条2号。設問の場合、「**6月以下の懲役又は30万円以下の罰金**に処する。」と規定されている。なお、設問文中の「第37条の5第1項の規定による申出」とは、特例高年齢被保険者となる旨の申出のことである。**4**「被保険者の種類等」の**4答1**参照。

26答5 ○　則143条。設問の通り正しい。

26答6 ○　法75条。設問の通り正しい。なお、「市町村長」には、特別区の区長を含むものとし、地方自治法の指定都市においては区長又は総合区長とされている。

26答7 ○　法77条の2。設問の通り正しい。

26 問8
□□□
R2-6A
難

公共職業安定所長は、傷病手当の支給を受けようとする者に対して、その指定する医師の診断を受けるべきことを命ずることができる。

26 問9
□□□
R4-7A

雇用保険法では、疾病又は負傷のため公共職業安定所に出頭することができなかった期間が15日未満である受給資格者が失業の認定を受けようとする場合、行政庁が指定する医師の診断を受けるべきことを命じ、受給資格者が正当な理由なくこれを拒むとき、当該行為について懲役刑又は罰金刑による罰則を設けている。

26 問10
□□□
R2-6B

公共職業安定所長は、雇用保険法の施行のため必要があると認めるときは、当該職員に、被保険者を雇用し、若しくは雇用していたと認められる事業主の事業所に立ち入り、関係者に対して質問させ、又は帳簿書類の検査をさせることができる。

26 問11
□□□
R2-1A

法人（法人でない労働保険事務組合を含む。）の代表者又は法人若しくは人の代理人、使用人その他の従業者が、その法人又は人の業務に関して、雇用保険法第7条に規定する届出の義務に違反する行為をしたときは、その法人又は人に対して罰金刑を科すが、行為者を罰することはない。

㉖**答8** ○　法78条。設問の通り正しい。

Point

行政庁は、求職者給付の支給を行うため必要があると認めるときは、次の者に対して、その指定する医師の診断を受けるべきことを命ずることができる。
①疾病又は負傷により公共職業安定所に出頭することができなかったために証明書の提出による失業の認定を受け、又は受けようとする者
②妊娠、出産、育児等の理由により受給期間の延長の申出をした者
③傷病手当の支給を受け、又は受けようとする者

㉖**答9** ×　法78条、法85条。行政庁は、設問の失業の認定を受けた者に対して、その指定する医師の診断を受けるべきことを命ずることができるが、当該命令を拒んだ場合の罰則は設けられていない。

㉖**答10** ○　法79条1項。設問の通り正しい。

Point

行政庁は、雇用保険法の施行のため必要があると認めるときは、当該職員に、被保険者、受給資格者等若しくは教育訓練給付対象者を雇用し、若しくは雇用していたと認められる事業主の事業所又は労働保険事務組合若しくは労働保険事務組合であった団体の事務所に立ち入り、関係者に対して質問させ、又は帳簿書類（その作成又は保存に代えることができる電磁的記録を含む。）の検査をさせることができる。

㉖**答11** ×　法83条1号、法86条1項。法83条1号により、設問の場合には、「行為者を罰する」（6か月以下の懲役又は30万円以下の罰金）ほか、その法人又は人に対しても罰金刑が科される。

★問1　難・・・DE

H27-選改

次の文中の□□□の部分を選択肢の中の最も適切な語句で埋め、完全な文章とせよ。

1　雇用保険法第37条の３第１項は、「高年齢求職者給付金は、高年齢被保険者が失業した場合において、離職の日以前１年間（当該期間に疾病、負傷その他厚生労働省令で定める理由により引き続き30日以上賃金の支払を受けることができなかつた高年齢被保険者である被保険者については、当該理由により賃金の支払を受けることができなかつた日数を１年に加算した期間（その期間が４年を超えるときは、４年間））に、第14条の規定による被保険者期間が通算して　A　以上であつたときに、次条に定めるところにより、支給する。」と規定している。

2　雇用保険法附則第11条の２第３項は、「教育訓練支援給付金の額は、第17条に規定する賃金日額（以下この項において単に「賃金日額」という。）に100分の50（2,460円以上4,920円未満の賃金日額（その額が第18条の規定により変更されたときは、その変更された額）については100分の80、4,920円以上12,090円以下の賃金日額（その額が第18条の規定により変更されたときは、その変更された額）については100分の80から100分の50までの範囲で、賃金日額の逓増に応じ、逓減するように厚生労働省令で定める率）を乗じて得た金額に　B　を乗じて得た額とする。」と規定している。

3　雇用保険法第10条の３第１項は、「失業等給付の支給を受けることができる者が死亡した場合において、その者に支給されるべき失業等給付でまだ支給されていないものがあるときは、その者の配偶者（婚姻の届出をしていないが、事実上婚姻関係と同様の事情にあつた者を含む。）、　C　は、自己の名で、その未支給の失業等給付の支給を請求することができる。」と規定している。

4　雇用保険法第50条第１項は、「日雇労働求職者給付金は、日雇労働被保険者が失業した日の属する月における失業の認定を受けた日について、その月の前２月間に、その者について納付されている印紙保険料が通算して　D　日分以下であるときは、通算して　E　日分を限度として支給し、その者について納付されている印紙保険料が通算して　D　日分を超えているときは、通算して、　D　日分を超える４日分ごとに１日を　E　日に加えて得た日数分を限度として支給する。ただし、その月において通算して17日分を超えては支給しない。」と規定している。

選択肢

① 100分の30　② 100分の40　③ 100分の80　④ 100分の60
⑤ 10　⑥ 11　⑦ 12　⑧ 13
⑨ 20　⑩ 28　⑪ 30　⑫ 31
⑬ 3箇月　⑭ 4箇月　⑮ 6箇月　⑯ 12箇月
⑰ 子、父母、孫、祖父母又は兄弟姉妹
⑱ 子、父母、孫、祖父母又は兄弟姉妹であつて、その者の死亡の当時その者と生計を同じくしていたもの
⑲ 子、父母、孫若しくは祖父母又はその者の死亡の当時その者と生計を同じくしていた兄弟姉妹
⑳ 子、父母又はその者の死亡の当時その者と生計を同じくしていた孫、祖父母若しくは兄弟姉妹

★**答1**　法10条の3,1項、法37条の3,1項、法50条1項、法附則11条の2,3項。

A　⑮　**6箇月**
B　④　**100分の60**
C　⑱　**子、父母、孫、祖父母又は兄弟姉妹であつて、その者の死亡の当時その者と生計を同じくしていたもの**
D　⑩　**28**
E　⑧　**13**

［設問4について］

　日雇労働求職者給付金（普通給付）の支給日数は、前2月間の印紙保険料納付日数が通算して26日〜31日の場合は13日であるが、通算して「32」日〜35日の場合は14日、通算して「36」日〜39日の場合は15日…と、「28」日に4日を加えるごとに1日ずつ増えることとなる（下表参照）。日雇労働求職者給付金（普通給付）は、日雇労働被保険者が失業した場合において、その失業の日の属する月の前2月間に印紙保険料が通算して「26」日分以上納付されているときに支給されるもの（法45条）であるが、この「26」日分は、平成6年改正までは「28」日分と規定されており、設問の法50条では、この「28」日分がそのまま残されている。

＜日雇労働求職者給付金（普通給付）の支給日数＞

前2月間の印紙保険料納付日数（通算）	26日〜31日	32日〜35日	36日〜39日	40日〜43日	44日以上
支給日数	13日	14日	15日	16日	17日

★**問2** 次の文中の ◻◻◻ の部分を選択肢の中の最も適切な語句で埋
◻◻◻ め、完全な文章とせよ。
H28-選改

1 雇用保険法第１条は、「雇用保険は、労働者が失業した場合及び労働
者について雇用の継続が困難となる事由が生じた場合に必要な給付を行
うほか、労働者が自ら職業に関する教育訓練を受けた場合並びに労働者
が子を養育するための休業及び所定労働時間を短縮することによる就業
をした場合に必要な給付を行うことにより、労働者の ◻ A ◻ を図る
とともに、 ◻ B ◻ を容易にする等その就職を促進し、あわせて、労
働者の職業の安定に資するため、失業の予防、雇用状態の是正及び雇用
機会の増大、労働者の能力の開発及び向上その他労働者の ◻ C ◻ を
図ることを目的とする。」と規定している。

2 雇用保険法第58条第２項は、「移転費の額は、 ◻ D ◻ の移転に通常
要する費用を考慮して、厚生労働省令で定める。」と規定している。

3 雇用保険法第67条は、「第25条第１項の措置が決定された場合には、
前条第１項第１号の規定にかかわらず、国庫は、次に掲げる区分によ
って、 ◻ E ◻ を受ける者に係る求職者給付に要する費用の一部を負
担する。(以下略)」と規定する。

選択肢
① 求職活動　　　　　　　　　　② 訓練延長給付
③ 経済的社会的地位の向上　　　④ 広域延長給付
⑤ 雇用の安定　　　　　　　　　⑥ 雇用の促進
⑦ 受給資格者　　　　　　　　　⑧ 受給資格者等
⑨ 受給資格者等及びその者により生計を維持されている同居の親族
⑩ 受給資格者等及び同居の家族　⑪ 職業訓練の実施
⑫ 職業生活の設計　　　　　　　⑬ 職業の選択
⑭ 生活の安定　　　　　　　　　⑮ 生活及び雇用の安定
⑯ 全国延長給付　　　　　　　　⑰ 全国延長給付及び訓練延長給付
⑱ 地位の向上　　　　　　　　　⑲ 福祉の増進
⑳ 保　護

★**答2** 法１条、法58条２項、法67条。
A ⑮ **生活及び雇用の安定**
B ① **求職活動**
C ⑲ **福祉の増進**
D ⑨ **受給資格者等及びその者により生計を維持されている同居の親族**
E ④ **広域延長給付**

★問3
□□□
H29-選

次の文中の | | の部分を選択肢の中の最も適切な語句で埋め、完全な文章とせよ。

1　未支給の基本手当の請求手続に関する雇用保険法第31条第1項は、「第10条の3第1項の規定により、受給資格者が死亡したため失業の認定を受けることができなかつた期間に係る基本手当の支給を請求する者は、厚生労働省令で定めるところにより、当該受給資格者について| A |の認定を受けなければならない。」と規定している。

2　雇用保険法第43条第2項は、「日雇労働被保険者が前| B |の各月において| C |以上同一の事業主の適用事業に雇用された場合又は同一の事業主の適用事業に継続して31日以上雇用された場合において、厚生労働省令で定めるところにより公共職業安定所長の認可を受けたときは、その者は、引き続き、日雇労働被保険者となることができる。」と規定している。

3　雇用保険法第64条の2は、「雇用安定事業及び能力開発事業は、被保険者等の| D |を図るため、| E |の向上に資するものとなるよう留意しつつ、行われるものとする。」と規定している。

選択肢

A	①　失　業		②　死　亡	
	③　未支給給付請求者		④　未支給の基本手当支給	
B	①　2　月	②　3　月	③　4　月	④　6　月
C	①　11　日	②　16　日	③　18　日	④　20　日
D	①　雇用及び生活の安定		②　職業生活の安定	
	③　職業の安定		④　生活の安定	
E	①　経済的社会的地位		②　地　位	
	③　労働条件		④　労働生産性	

★答3　法31条1項、法43条2項、法64条の2。

A　①　失　業
B　①　2　月
C　③　18　日
D　③　職業の安定
E　④　労働生産性

次の文中の _____ の部分を選択肢の中の最も適切な語句で埋め、完全な文章とせよ。

1　雇用保険法第14条第1項は、「被保険者期間は、被保険者であつた期間のうち、当該被保険者でなくなつた日又は各月においてその日に応当し、かつ、当該被保険者であつた期間内にある日(その日に応当する日がない月においては、その月の末日。以下この項において「喪失応当日」という。)の各前日から各前月の喪失応当日までさかのぼつた各期間(賃金の支払の基礎となつた日数が11日以上であるものに限る。)を1箇月として計算し、その他の期間は、被保険者期間に算入しない。ただし、当該被保険者となつた日からその日後における最初の喪失応当日の前日までの期間の日数が ___A___ 以上であり、かつ、当該期間内における賃金の支払の基礎となつた日数が ___B___ 以上であるときは、当該期間を ___C___ の被保険者期間として計算する。」と規定している。

2　雇用保険法第61条の2第1項は、「高年齢再就職給付金は、受給資格者(その受給資格に係る離職の日における第22条第3項の規定による算定基礎期間が ___D___ 以上あり、かつ、当該受給資格に基づく基本手当の支給を受けたことがある者に限る。)が60歳に達した日以後安定した職業に就くことにより被保険者となつた場合において、当該被保険者に対し再就職後の支給対象月に支払われた賃金の額が、当該基本手当の日額の算定の基礎となつた賃金日額に30を乗じて得た額の100分の75に相当する額を下るに至つたときに、当該再就職後の支給対象月について支給する。ただし、次の各号のいずれかに該当するときは、この限りでない。

一　当該職業に就いた日(次項において「就職日」という。)の前日における支給残日数が、 ___E___ 未満であるとき。

二　当該再就職後の支給対象月に支払われた賃金の額が、支給限度額以上であるとき。」と規定している。

```
┌─ 選択肢 ──────────────────────────────────┐
│  ①   8  日          ②   9  日            │
│  ③  10  日          ④  11  日            │
│  ⑤  15  日          ⑥  16  日            │
│  ⑦  18  日          ⑧  20  日            │
│  ⑨  60  日          ⑩  90  日            │
│  ⑪ 100 日           ⑫ 120 日            │
│  ⑬  4 分の 1 箇月    ⑭  3 分の 1 箇月     │
│  ⑮  2 分の 1 箇月    ⑯  1 箇月           │
│  ⑰  3  年           ⑱  4  年            │
│  ⑲  5  年           ⑳  6  年            │
└─────────────────────────────────────────┘
```

★答 4　法14条 1 項、法61条の2,1項。

A　⑤　**15　日**

B　④　**11　日**

C　⑮　**2 分の 1 箇月**

D　⑲　**5　年**

E　⑪　**100日**

★問5 次の文中の ▢▢▢ の部分を選択肢の中の最も適切な語句で埋
▢▢▢ め、完全な文章とせよ。
R元-選改

1 雇用保険法第21条は、「基本手当は、受給資格者が当該基本手当の受
給資格に係る離職後最初に公共職業安定所に求職の申込みをした日以後
において、失業している日（ A のため職業に就くことができな
い日を含む。）が B に満たない間は、支給しない。」と規定して
いる。

2 雇用保険法第61条の7第1項は、育児休業給付金について定めて
おり、被保険者（短期雇用特例被保険者及び日雇労働被保険者を除
く。）が厚生労働省令で定めるところにより子を養育するための休業
（以下「育児休業」という。）をした場合、「当該 C 前2年間（当
該 C 前2年間に疾病、負傷その他厚生労働省令で定める理由に
より D 以上賃金の支払を受けることができなかつた被保険者に
ついては、当該理由により賃金の支払を受けることができなかつた日数
を2年に加算した期間（その期間が4年を超えるときは、4年間））に、
みなし被保険者期間が E 以上であつたときに、支給単位期間に
ついて支給する。」と規定している。

選択肢
① 育児休業開始予定日 ② 育児休業を開始した日
③ 育児休業を事業主に申し出た日 ④ 激甚災害その他の災害
⑤ 疾病又は負傷 ⑥ 心身の障害
⑦ 通算して7日 ⑧ 通算して10日
⑨ 通算して20日 ⑩ 通算して30日
⑪ 通算して6箇月 ⑫ 通算して12箇月
⑬ 引き続き7日 ⑭ 引き続き10日
⑮ 引き続き20日 ⑯ 引き続き30日
⑰ 引き続き6箇月 ⑱ 引き続き12箇月
⑲ 被保険者の子が1歳に達した日 ⑳ 妊娠、出産又は育児

★答5 法21条、法61条の7,1項。
A ⑤ **疾病又は負傷**
B ⑦ **通算して7日**
C ② **育児休業を開始した日**
D ⑯ **引き続き30日**
E ⑫ **通算して12箇月**
※ 空欄Cの「②育児休業を開始した日」は、当該子について2回以上の
育児休業をした場合にあっては、初回の育児休業を開始した日とされる。

★**問 6** 次の文中の □□□ の部分を選択肢の中の最も適切な語句で埋め、完全な文章とせよ。

R2-選

1 雇用保険法の適用について、1週間の所定労働時間が □ A □ であり、同一の事業主の適用事業に継続して □ B □ 雇用されることが見込まれる場合には、同法第6条第3号に規定する季節的に雇用される者、同条第4号に規定する学生又は生徒、同条第5号に規定する船員、同条第6号に規定する国、都道府県、市町村その他これらに準ずるものの事業に雇用される者を除き、パートタイマー、アルバイト、嘱託、契約社員、派遣労働者等の呼称や雇用形態の如何にかかわらず被保険者となる。

2 事業主は、雇用保険法第7条の規定により、その雇用する労働者が当該事業主の行う適用事業に係る被保険者となったことについて、当該事実のあった日の属する月の翌月 □ C □ 日までに、雇用保険被保険者資格取得届をその事業所の所在地を管轄する □ D □ に提出しなければならない。

雇用保険法第38条に規定する短期雇用特例被保険者については、□ E □ か月以内の期間を定めて季節的に雇用される者が、その定められた期間を超えて引き続き同一の事業主に雇用されるに至ったときは、その定められた期間を超えた日から被保険者資格を取得する。ただし、当初定められた期間を超えて引き続き雇用される場合であっても、当初の期間と新たに予定された雇用期間が通算して □ E □ か月を超えない場合には、被保険者資格を取得しない。

選択肢

① 1 ② 4
③ 6 ④ 10
⑤ 12 ⑥ 15
⑦ 20 ⑧ 30
⑨ 20時間以上 ⑩ 21時間以上
⑪ 30時間以上 ⑫ 31時間以上
⑬ 28日以上 ⑭ 29日以上
⑮ 30日以上 ⑯ 31日以上
⑰ 公共職業安定所長
⑱ 公共職業安定所長又は都道府県労働局長 ⑲ 都道府県労働局長
⑳ 労働基準監督署長

★答6　法4条1項、法6条、法38条1項1号、則6条1項、行政手引20301、行政手引20555。

A　⑨　**20時間以上**

B　⑯　**31日以上**

C　④　**10**

D　⑰　**公共職業安定所長**

E　②　　**4**

次の文中の ____ の部分を選択肢の中の最も適切な語句で埋め、完全な文章とせよ。

なお、本問における認定対象期間とは、基本手当に係る失業の認定日において、原則として前回の認定日から今回の認定日の前日までの期間をいい、雇用保険法第32条の給付制限の対象となっている期間を含む。

1　被保険者期間の算定対象期間は、原則として、離職の日以前2年間（受給資格に係る離職理由が特定理由離職者又は特定受給資格者に該当する場合は2年間又は ____Ａ____ ）（以下「原則算定対象期間」という。）であるが、当該期間に疾病、負傷その他一定の理由により引き続き ____Ｂ____ 日以上賃金の支払を受けることができなかった被保険者については、当該理由により賃金の支払を受けることができなかった日数を原則算定対象期間に加算した期間について被保険者期間を計算する。

2　被保険者が自己の責めに帰すべき重大な理由によって解雇され、又は正当な理由がなく自己の都合によって退職した場合における給付制限（給付制限期間が1か月となる場合を除く。）満了後の初回支給認定日（基本手当の支給に係る最初の失業の認定日をいう。）以外の認定日について、例えば、次のいずれかに該当する場合には、認定対象期間中に求職活動を行った実績が ____Ｃ____ 回以上あれば、当該認定対象期間に属する、他に不認定となる事由がある日以外の各日について失業の認定が行われる。

　イ　雇用保険法第22条第2項に規定する厚生労働省令で定める理由により就職が困難な者である場合

　ロ　認定対象期間の日数が14日未満となる場合

　ハ　____Ｄ____ を行った場合

　ニ　____Ｅ____ における失業の認定及び市町村長の取次ぎによる失業の認定を行う場合

選択肢

A	① 1年間	② 1年と30日間
	③ 3年間	④ 4年間
B	① 14	② 20
	③ 28	④ 30
C	① 1	② 2
	③ 3	④ 4
D	① 求人情報の閲覧	② 求人への応募書類の郵送
	③ 職業紹介機関への登録	④ 知人への紹介依頼
E	① 巡回職業相談所	② 都道府県労働局
	③ 年金事務所	④ 労働基準監督署

★**答7**　法13条1項、2項、行政手引50151、行政手引51254。

A　① **1年間**

B　④ **30**

C　① **1**

D　② **求人への応募書類の郵送**

E　① **巡回職業相談所**

　次の文中の　　　　　　の部分を選択肢の中の最も適切な語句で埋め、完全な文章とせよ。

1　雇用保険法第13条の算定対象期間において、完全な賃金月が例えば12あるときは、　A　に支払われた賃金（臨時に支払われる賃金及び3か月を超える期間ごとに支払われる賃金を除く。）の総額を180で除して得た額を賃金日額とするのが原則である。賃金日額の算定は　B　に基づいて行われるが、同法第17条第4項によって賃金日額の最低限度額及び最高限度額が規定されているため、算定した賃金日額が2,500円のときの基本手当日額は　C　となる。

　なお、同法第18条第1項、第2項の規定による賃金日額の最低限度額（自動変更対象額）は2,790円、同法同条第3項の規定による最低賃金日額は2,869円とする。

2　雇用保険法第60条の2に規定する教育訓練給付金に関して、具体例で確認すれば、平成25年中に教育訓練給付金を受給した者が、次のアからエまでの時系列において、いずれかの離職期間中に開始した教育訓練について一般教育訓練に係る給付金の支給を希望するとき、平成26年以降で最も早く支給要件期間を満たす離職の日は　D　である。

　ただし、同条第5項及び同法施行規則第101条の2の9において、教育訓練給付金の額として算定された額が　E　ときは、同給付金は支給しないと規定されている。

　ア　平成26年6月1日に新たにA社に就職し一般被保険者として就労したが、平成28年7月31日にA社を離職した。このときの離職により基本手当を受給した。

　イ　平成29年9月1日に新たにB社へ就職し一般被保険者として就労したが、平成30年9月30日にB社を離職した。このときの離職により基本手当を受給した。

　ウ　令和元年6月1日にB社へ再度就職し一般被保険者として就労したが、令和3年8月31日にB社を離職した。このときの離職では基本手当を受給しなかった。

　エ　令和4年6月1日にB社へ再度就職し一般被保険者として就労したが、令和5年7月31日にB社を離職した。このときの離職では基本手当を受給しなかった。

選択肢

A	① 最後の完全な6賃金月	② 最初の完全な6賃金月
	③ 中間の完全な6賃金月	④ 任意の完全な6賃金月
B	① 雇用保険被保険者資格取得届	② 雇用保険被保険者資格喪失届
	③ 雇用保険被保険者証	④ 雇用保険被保険者離職票
C	① 1,395円	② 1,434円
	③ 2,232円	④ 2,295円
D	① 平成28年7月31日	② 平成30年9月30日
	③ 令和3年8月31日	④ 令和5年7月31日
E	① 2,000円を超えない	② 2,000円を超える
	③ 4,000円を超えない	④ 4,000円を超える

⭐**答8** 法16条1項、法17条1項、4項1号、法18条3項、法60条の2,2項、5項、則101条の2の9、令和6.7.30厚労告250号、行政手引50601、行政手引58012。

A ① **最後の完全な6賃金月**

B ④ **雇用保険被保険者離職票**

C ④ **2,295円**

D ③ **令和3年8月31日**

E ③ **4,000円を超えない**

〔空欄Aについて〕

賃金日額の求め方については、⑲「育児休業等給付」⑲**答15**の プラスα 参照。

〔空欄Cについて〕

算定された各年度の8月1日以後に適用される自動変更対象額のうち、最低賃金日額〔当該年度の4月1日に効力を有する地域別最低賃金(最低賃金法に規定する地域別最低賃金をいう。)の額を基礎として厚生労働省令で定める算定方法により算定した額をいう。〕に達しないものは、当該年度の8月1日以後、当該最低賃金日額とすることとされている(法18条3項)。

設問においては、算定された自動変更対象額の最低限度額が2,790円であり、最低賃金日額が2,869円であるため、2,869円が賃金日額の最低限度額となり、基本手当日額(空欄C)は2,869円に給付率80%を乗じた2,295円となる。

［空欄Dについて］

　設問においては、平成25年中に教育訓練給付金を受給していることから、支給要件期間は３年必要である。

　それぞれの離職日における支給要件期間をみると、アのＡ社離職日においては、Ａ社での被保険者として雇用された期間が３年に満たないことから、支給要件期間が３年に満たない。

　イのＢ社離職日においては、設問文アのＡ社離職日からイのＢ社就職日までの期間が１年を超えるため、支給要件期間の算定においてア（Ａ社）とイ（Ｂ社）の被保険者として雇用された期間は通算されず、支給要件期間が３年に満たない。

　ウのＢ社再離職日においては、イのＢ社離職日からウのＢ社再就職日までの期間が１年以内であり、また、支給要件期間の算定において基本手当の受給の有無は影響しないため、イ（Ｂ社）とウ（Ｂ社）の被保険者として雇用された期間は通算され、支給要件期間が３年以上となる。

　したがって、空欄Ｄにはウの離職日である令和３年8月31日が入る。

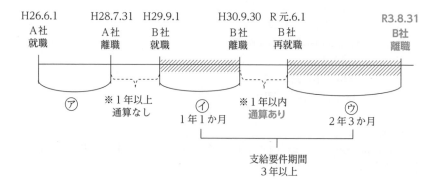

　　　　次の文中の □□□□□ の部分を選択肢の中の最も適切な語句で
埋め、完全な文章とせよ。

1　技能習得手当は、受給資格者が公共職業安定所長の指示した公共職
業訓練等を受ける場合に、その公共職業訓練等を受ける期間について
支給する。技能習得手当は、受講手当及び　A　とする。受講手当
は、受給資格者が公共職業安定所長の指示した公共職業訓練等を受けた
日(基本手当の支給の対象となる日(雇用保険法第19条第1項の規定に
より基本手当が支給されないこととなる日を含む。)に限る。)について、
　B　分を限度として支給するものとする。

2　雇用保険法第45条において、日雇労働求職者給付金は、日雇労働被
保険者が失業した場合において、その失業の日の属する月の前2月間
に、その者について、労働保険徴収法第10条第2項第4号の印紙保険
料が「　C　分以上納付されているとき」に、他の要件を満たす限
り、支給することとされている。また、雇用保険法第53条に規定する
特例給付について、同法第54条において「日雇労働求職者給付金の支
給を受けることができる期間及び日数は、基礎期間の最後の月の翌月以
後4月の期間内の失業している日について、　D　分を限度とする。」
とされている。

3　60歳の定年に達した受給資格者であり、かつ、基準日において雇用
保険法第22条第2項に規定する就職が困難なものに該当しない者が、
定年に達したことを機に令和4年3月31日に離職し、同年5月30日に
6か月間求職の申込みをしないことを希望する旨を管轄公共職業安定
所長に申し出て受給期間の延長が認められた後、同年8月1日から同
年10月31日まで疾病により引き続き職業に就くことができなかった場
合、管轄公共職業安定所長にその旨を申し出ることにより受給期間の延
長は令和5年　E　まで認められる。

```
選択肢
① 7月31日        ② 9月30日        ③ 10月31日
④ 12月31日       ⑤ 30日           ⑥ 40日
⑦ 50日           ⑧ 60日           ⑨ 移転費
⑩ 各月13日       ⑪ 各月15日       ⑫ 各月26日
⑬ 各月30日                        ⑭ 寄宿手当
⑮ 教育訓練給付金                  ⑯ 通算して26日
⑰ 通算して30日                    ⑱ 通算して52日
⑲ 通算して60日                    ⑳ 通所手当
```

★**答9** 法20条2項、法36条1項、法45条、法54条1号、則31条の2,1項、則56条、則57条1項、行政手引50286。

A ⑳ **通所手当**
B ⑥ **40日**
C ⑯ **通算して26日**
D ⑲ **通算して60日**
E ③ **10月31日**

〔空欄Eについて〕

　定年退職者等が延長により受給期間とされた期間内に、疾病又は負傷等の理由により引き続き30日以上職業に就くことができない日がある場合にはさらに受給期間の延長が認められる（4年が限度）。この場合、定年退職者等の受給期間とされた期間に加えることができる日数は、疾病又は負傷等の理由により職業に就くことができない期間の日数であるが、当該期間の全部又は一部が、猶予期間内にあるときは、当該疾病又は負傷等の理由により職業に就くことができない期間のうち猶予期間内にない期間分の日数とする。

　設問においては、猶予期間が令和4年4月1日（離職日の翌日）から同年9月30日までであり、疾病により引き続き職業に就くことができなかった期間が令和4年8月1日から同年10月31日までであるが、令和4年8月及び9月は猶予期間内にあるため、同年10月の1か月分のみが疾病等による延長の対象となる。したがって、設問の者の延長期間は、令和5年10月31日までとなる。

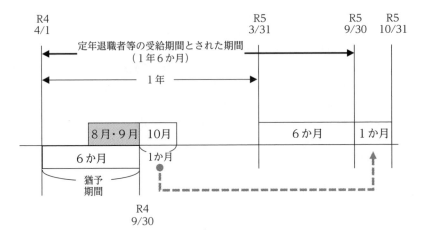

★**問10**　次の文中の □□□□ の部分を選択肢の中の最も適切な語句で
□□□
R6-選　埋め、完全な文章とせよ。

1　被保険者が ┌──A──┐ 、厚生労働省令で定めるところにより出生時
育児休業をし、当該被保険者が雇用保険法第61条の8に規定する出
生時育児休業給付金の支給を受けたことがある場合において、当該
被保険者が同一の子について3回以上の出生時育児休業をしたとき、
┌──B──┐ 回目までの出生時育児休業について出生時育児休業給付金が
支給される。また、同一の子について当該被保険者がした出生時育児休
業ごとに、当該出生時育児休業を開始した日から当該出生時育児休業を
終了した日までの日数を合算して得た日数が ┌──C──┐ 日に達した日後
の出生時育児休業については、出生時育児休業給付金が支給されない。

2　被保険者が雇用されていた適用事業所が、激甚災害法第2条の規定に
よる激甚災害の被害を受けたことにより、やむを得ず、事業を休止し、
若しくは廃止したことによって離職を余儀なくされた者又は同法第25
条第3項の規定により離職したものとみなされた者であって、職業に就
くことが特に困難な地域として厚生労働大臣が指定する地域内に居住す
る者が、基本手当の所定給付日数を超えて受給することができる個別延
長給付の日数は、雇用保険法第24条の2により ┌──D──┐ 日（所定給付
日数が雇用保険法第23条第1項第2号イ又は第3号イに該当する受給
資格者である場合を除く。）を限度とする。

3　令和4年3月31日以降に就労していなかった者が、令和6年4月1
日に65歳に達し、同年7月1日にX社に就職して1週当たり18時間勤
務することとなった後、同年10月1日に季節的事業を営むY社に就職
して1週当たり12時間勤務し二つの雇用関係を有するに至り、雇用保
険法第37条の5第1項に基づく特例高年齢被保険者となることの申出
をしていない場合、同年12月1日時点において当該者は ┌──E──┐ とな
る。

雇用

選択肢

A	① 一般被保険者であるときのみ ② 一般被保険者又は高年齢被保険者であるとき ③ 一般被保険者又は短期雇用特例被保険者であるとき ④ 一般被保険者又は日雇労働被保険者であるとき	
B	① 1 ③ 3	② 2 ④ 4
C	① 14 ③ 28	② 21 ④ 30
D	① 30 ③ 90	② 60 ④ 120
E	① 一般被保険者 ③ 雇用保険法の適用除外	② 高年齢被保険者 ④ 短期雇用特例被保険者

★**答10** 法6条1号、3号、法24条の2,3項2号、法37条の5,1項、法61条の7,1項カッコ書、法61条の8,2項。

A ② 一般被保険者又は高年齢被保険者であるとき

B ② 2

C ③ 28

D ④ 120

E ③ 雇用保険法の適用除外

2 徴収
（労働保険の保険料の徴収等に関する法律）

労働保険の保険料の徴収等に関する法律

凡　例

法	→労働保険の保険料の徴収等に関する法律
則	→労働保険の保険料の徴収等に関する法律施行規則
整備法	→失業保険法及び労働者災害補償保険法の一部を改正する法律及び労働保険の保険料の徴収等に関する法律の施行に伴う関係法律の整備等に関する法律
整備政令	→失業保険法及び労働者災害補償保険法の一部を改正する法律及び労働保険の保険料の徴収等に関する法律の施行に伴う関係政令の整備等に関する政令
整備省令	→失業保険法及び労働者災害補償保険法の一部を改正する法律及び労働保険の保険料の徴収等に関する法律の施行に伴う労働省令の整備等に関する省令
石綿救済法	→石綿による健康被害の救済に関する法律
行審法	→行政不服審査法
行訴法	→行政事件訴訟法
厚労告	→厚生労働省告示〔平成12年以前：労働省告示(労告)〕
基発	→厚生労働省労働基準局長が発する通達
基収	→厚生労働省労働基準局長が疑義に答えて発する通達
労徴発	→労働省大臣官房労働保険徴収課長が発する通達
基災発	→労働省労働基準局労災補償部長又は労災補償課長が発する通達
基徴発	→厚生労働省労働基準局労働保険徴収課長が発する通達
基災収	→厚生労働省労働基準局労災補償部長が疑義に答えて発する通達
発労徴	→次官又は官房長が発する労働保険徴収課関係の通達
失保収	→労働省職業安定局失業保険課長が疑義に答えて発する通達

徴収：目次

徴収：択一式出題ランキング

1位　労働保険料の額(44問)
2位　労働保険事務組合(26問)
3位　増加概算保険料等(24問)

以下において、「労働保険」とは、労働者災害補償保険(以下「労災保険」という。)及び雇用保険の総称であり、「労働保険徴収法」及び「徴収法」とは、「労働保険の保険料の徴収等に関する法律」のことを、「労働保険徴収法施行規則」とは、「労働保険の保険料の徴収等に関する法律施行規則」のことをいう。

1 趣旨等

最新問題

1 問 1
□□□
R6-雇8B
　都道府県に準ずるもの及び市町村に準ずるものの行う事業については、労災保険に係る保険関係と雇用保険に係る保険関係の双方を一の事業についての労働保険の保険関係として取り扱い、一般保険料の算定、納付等の手続を一元的に処理する事業として定められている。

過 去 問

1 問 1
□□□
R2-雇8D
　労働保険徴収法は、労働保険の事業の効率的な運営を図るため、労働保険の保険関係の成立及び消滅、労働保険料の納付の手続、労働保険事務組合等に関し必要な事項を定めている。

2 保険関係の成立等

最新問題

2 問 1
□□□
R6-災10A
　事業主は、あらかじめ代理人を選任し、所轄労働基準監督署長又は所轄公共職業安定所長に届け出ている場合、労働保険徴収法施行規則によって事業主が行わなければならない労働保険料の納付に係る事項を、その代理人に行わせることができる。

❶答1 ✕ 法39条1項、則70条1号。設問の事業については、労災保険に係る保険関係と雇用保険に係る保険関係ごとに別個の2つの事業として取り扱い、一般保険料の算定、納付等の手続はそれぞれこの2つの事業ごとに二元的に処理する事業(二元適用事業)として定められている。

Point

> 二元適用事業とは、次の事業をいう。
> ・都道府県及び市町村の行う事業
> ・都道府県に準ずるもの及び市町村に準ずるものの行う事業
> ・港湾労働法2条2号の港湾運送の行為を行う事業
> ・農林、畜産、養蚕、水産の事業(船員が雇用される事業を除く。)
> ・建設の事業

❶答1 ○ 法1条。設問の通り正しい。

❷答1 ○ 則73条。設問の通り正しい。

2問2
□□□
R6-雇8A

雇用保険暫定任意適用事業に該当する事業が雇用保険法第5条第1項の適用事業に該当するに至った場合は、その該当するに至った日から10日以内に労働保険徴収法第4条の2に規定する保険関係成立届を所轄労働基準監督署長又は所轄公共職業安定所長に提出することによって、その事業につき雇用保険に係る保険関係が成立する。

2問3
□□□
R6-雇8C

保険関係が成立している事業の事業主は、事業主の氏名又は名称及び住所に変更があったときは、変更を生じた日の翌日から起算して10日以内に、労働保険徴収法施行規則第5条第2項に規定する事項を記載した届書を所轄労働基準監督署長又は所轄公共職業安定所長に提出することによって行わなければならない。

過去問

2問1
□□□
H27-災8E

農業の事業で、労災保険暫定任意適用事業に該当する事業が、使用労働者数の増加により労災保険法の適用事業に該当するに至った場合には、その日に、当該事業につき労災保険に係る労働保険の保険関係が成立する。

2問2
□□□
R3-災8A

労災保険暫定任意適用事業に該当する事業が、事業内容の変更（事業の種類の変化）、使用労働者数の増加、経営組織の変更等により、労災保険の適用事業に該当するに至ったときは、その該当するに至った日の翌日に、当該事業について労災保険に係る保険関係が成立する。

2問3
□□□
R元-災10オ

労働保険の保険関係が成立した事業の事業主は、その成立した日から10日以内に、法令で定める事項を政府に届け出ることとなっているが、有期事業にあっては、事業の予定される期間も届出の事項に含まれる。

②答2 ×　法附則3条。設問の場合は、保険関係成立届を提出することによって雇用保険に係る保険関係が成立するのではなく、「適用事業に該当するに至った日」に、法律上当然に雇用保険に係る保険関係が成立する。

②答3 ○　法4条の2,2項、則5条1項1号、2項。設問の通り正しい。**過 去 問** **②答17**の **Point** 参照。

---

②答1 ○　法3条、整備法7条。設問の通り正しい。

②答2 ×　法3条、整備法7条。設問の場合、「該当するに至った日の翌日」ではなく、「該当するに至った日」に、当該事業について労災保険に係る保険関係が成立する。

②答3 ○　法4条の2,1項、則4条1項5号。設問の通り正しい。

Point
> 事業主は、保険関係成立届により次の事項を届け出なければならない。
> ①保険関係が成立した日
> ②事業主の氏名又は名称及び住所又は所在地
> ③事業の種類、名称、概要
> ④事業の行われる場所
> ⑤事業に係る労働者数
> ⑥有期事業にあっては、事業の予定される期間
> ⑦建設の事業にあっては、当該事業に係る請負金額並びに発注者の氏名又は名称及び住所又は所在地
> ⑧立木の伐採の事業にあっては、素材の見込生産量
> ⑨事業主が法人番号を有する場合には、当該事業主の法人番号

2 問 4
□□□
H28-雇8A

一元適用事業であって労働保険事務組合に労働保険事務の処理を委託しないもの(雇用保険にかかる保険関係のみが成立している事業を除く。)に関する保険関係成立届の提出先は、所轄労働基準監督署長である。

2 問 5
□□□
H27-災9A

建設の有期事業を行う事業主は、当該事業に係る労災保険の保険関係が成立した場合には、その成立した日の翌日から起算して10日以内に保険関係成立届を所轄労働基準監督署長に提出しなければならない。

2 問 6
□□□
H28-雇8B

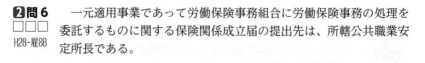
一元適用事業であって労働保険事務組合に労働保険事務の処理を委託するものに関する保険関係成立届の提出先は、所轄公共職業安定所長である。

2 問 7
□□□
R元-災107

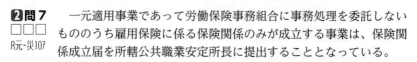
一元適用事業であって労働保険事務組合に事務処理を委託しないもののうち雇用保険に係る保険関係のみが成立する事業は、保険関係成立届を所轄公共職業安定所長に提出することとなっている。

2 問 8
□□□
H27-災8B

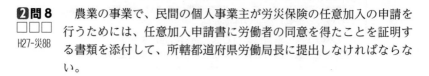
農業の事業で、民間の個人事業主が労災保険の任意加入の申請を行うためには、任意加入申請書に労働者の同意を得たことを証明する書類を添付して、所轄都道府県労働局長に提出しなければならない。

2答4 ○　法４条の2,1項、則１条１項２号、則４条２項。設問の通り
正しい。

> 【保険関係成立届の提出先】
> ・所轄労働基準監督署長に提出
> ①一元適用事業であって労働保険事務組合に事務処理を委託しない
> 　もの（雇用保険に係る保険関係のみが成立している事業を除く）
> ②労災保険に係る保険関係が成立している事業のうち二元適用事業
> ・所轄公共職業安定所長に提出
> ①一元適用事業であって労働保険事務組合に事務処理を委託するもの
> ②一元適用事業であって労働保険事務組合に事務処理を委託しない
> 　もののうち雇用保険に係る保険関係のみが成立する事業
> ③雇用保険に係る保険関係が成立している事業のうち二元適用事業

2答5 ○　法４条の2,1項、則１条１項２号、則４条２項。設問の通り
正しい。**2答4**の Point 参照。

プラス
α

> 「その成立した日から10日以内」と「その成立した日の翌日から起算し
> て10日以内」は、同じ意味である。
> ※起算日について
> 　期間計算の方法は、別段の定めがある場合を除き、国税通則法の定め
> るところによるものとされており、原則として、期間の初日は算入しな
> い。したがって、徴収法上「○○の日から△△日以内」とされてい
> る場合には、「○○の日の翌日から起算して△△日以内」と同じ意味を
> 表す。なお、国税通則法上、この原則について例外が定められてお
> り、その期間が午前零時から始まるときは初日を算入することにな
> る。徴収法上この例外に該当するのは、年度更新における「保険年度
> の6月1日から40日以内」の期間計算である。この場合は、「保険年
> 度の6月1日から起算して40日以内」と同じ意味である。

2答6 ○　法４条の2,1項、則１条１項３号、則４条２項。設問の通り
正しい。**2答4**の Point 参照。

2答7 ○　法４条の2,1項、則１条１項３号、則４条２項。設問の通り
正しい。**2答4**の Point 参照。

2答8 ×　整備法５条１項、整備省令１条。労災保険の暫定任意適用事
業の事業主が加入申請をするときは、その事業に使用される労働者
の同意を得る必要はないため、労働者の同意を得たことを証明する
書類を添付する必要はない。

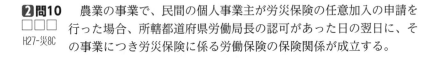

2問9 労災保険暫定任意適用事業の事業主が、その事業に使用される労
□□□ 働者の同意を得ずに労災保険に任意加入の申請をした場合、当該申
R元-災10ウ 請は有効である。

2問10 農業の事業で、民間の個人事業主が労災保険の任意加入の申請を
□□□ 行った場合、所轄都道府県労働局長の認可があった日の翌日に、そ
H27-災8C の事業につき労災保険に係る労働保険の保険関係が成立する。

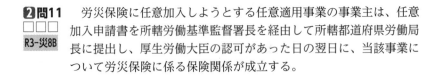

2問11 労災保険に任意加入しようとする任意適用事業の事業主は、任意
□□□ 加入申請書を所轄労働基準監督署長を経由して所轄都道府県労働局
R3-災8B 長に提出し、厚生労働大臣の認可があった日の翌日に、当該事業に
ついて労災保険に係る保険関係が成立する。

2問12 農業の事業で、労働者を常時4人使用する民間の個人事業主は、
□□□ 使用する労働者2名の同意があるときには、労災保険の任意加入
H27-災8A の申請をしなければならない。

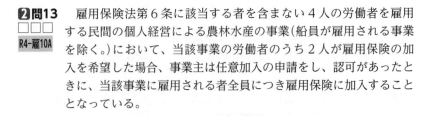

2問13 雇用保険法第6条に該当する者を含まない4人の労働者を雇用
□□□ する民間の個人経営による農林水産の事業(船員が雇用される事業
R4-雇10A を除く。)において、当該事業の労働者のうち2人が雇用保険の加
入を希望した場合、事業主は任意加入の申請をし、認可があったと
きに、当該事業に雇用される者全員につき雇用保険に加入すること
となっている。

2問14 労災保険の適用事業が、使用労働者数の減少により、労災保険暫
□□□ 定任意適用事業に該当するに至ったときは、その翌日に、その事業
H29-災9B につき所轄都道府県労働局長による任意加入の認可があったものと
みなされる。

2答9 ○　整備法5条1項。設問の通り正しい。労災保険暫定任意適用事業の事業主が労災保険の任意加入の申請を行うに当たり、当該事業に使用される労働者の**同意を得る必要はない**ため、設問の申請は有効である。

2答10 ×　整備法5条1項、同法8条の2、整備省令3条の2。「認可があった日の翌日」ではなく、「認可があった日」に成立する。

> 「労働保険の保険関係」とは、労災保険や雇用保険に関する権利義務の基礎となる継続的な法律関係をいう。

2答11 ×　整備法5条1項、整備省令1条、同省令14条。設問の場合、「認可があった日の翌日」ではなく、「認可があった日」に、当該事業について労災保険に係る保険関係が成立する。

2答12 ×　(44)労災法附則12条、整備法5条2項、整備政令17条。設問の事業主は、使用する労働者の**過半数**(設問の場合は、3人以上)が「希望」するときは、労災保険の任意加入の申請をしなければならない。

2答13 ○　法附則2条1項、3項。設問の通り正しい。雇用保険暫定任意適用事業の事業主は、その事業に使用される労働者の**2分の1以上**(設問の場合は、2人以上)が希望するときは、任意加入の申請をしなければならない。

2答14 ○　整備法5条3項、同法8条の2、整備省令3条の2。設問の通り正しい。いわゆる「**擬制任意適用事業**」の規定に関する問題である。

2 問15
□□□
R4-雇10B

雇用保険の適用事業に該当する事業が、事業内容の変更、使用労働者の減少、経営組織の変更等により、雇用保険暫定任意適用事業に該当するに至ったときは、その翌日に、自動的に雇用保険の任意加入の認可があったものとみなされ、事業主は雇用保険の任意加入に係る申請書を所轄公共職業安定所長を経由して所轄都道府県労働局長に改めて提出することとされている。

2 問16
□□□
H28-雇8C

雇用保険暫定任意適用事業の事業主が雇用保険の加入の申請をする場合において、当該申請に係る厚生労働大臣の認可権限は都道府県労働局長に委任されているが、この任意加入申請書は所轄公共職業安定所長を経由して提出する。

2 問17
□□□
H29-災9D

労働保険の保険関係が成立している事業の法人事業主は、その代表取締役に異動があった場合には、その氏名について変更届を所轄労働基準監督署長又は所轄公共職業安定所長に提出しなければならない。

2 問18
□□□
R4-雇10C

事業の期間が予定されており、かつ、保険関係が成立している事業の事業主は、当該事業の予定されている期間に変更があったときは、その変更を生じた日の翌日から起算して10日以内に、①労働保険番号、②変更を生じた事項とその変更内容、③変更の理由、④変更年月日を記載した届書を所轄労働基準監督署長又は所轄公共職業安定所長に提出することによって届け出なければならない。

2 問19
□□□
R元-雇10E

事業主は、あらかじめ代理人を選任した場合であっても、労働保険徴収法施行規則によって事業主が行わなければならない事項については、その代理人に行わせることができない。

2答15 ×　法附則2条4項。設問の場合は、改めて任意加入の手続きをする必要はない。

2答16 ○　法附則2条1項、則78条1項2号、則附則1条の3、則附則2条1項。設問の通り正しい。

2答17 ×　則5条。代表取締役に異動があっても変更届(名称、所在地等変更届)を提出する必要はない。

> **Point**
>
> 「名称、所在地等変更届」は、下記の事項に変更を生じた場合に、その生じた日の翌日から起算して10日以内に提出しなければならない。
> ①事業主の氏名又は名称及び住所又は所在地
> ②事業の名称
> ③事業の行われる場所
> ④事業の種類
> ⑤有期事業にあっては、事業の予定される期間

2答18 ○　法4条の2,2項、則5条1項5号、2項。設問の通り正しい。**2答17**の **Point** 参照。

2答19 ×　則73条1項。「事業主は、あらかじめ代理人を選任した場合には、労働保険徴収法施行規則によって事業主が行わなければならない事項を、その代理人に行わせることができる。」とされている。

> **プラスα**
>
> 代理人を選任し、又は解任したときは、「**代理人選任・解任届**」により、その旨を届け出なければならない。代理人選任・解任届に記載された事項であって、代理人の選任に係るものに変更を生じたときも、同様である。

2 問20
□□□
R元-災101

建設の事業に係る事業主は、労災保険に係る保険関係が成立するに至ったときは労災保険関係成立票を見やすい場所に掲げなければならないが、当該事業を一時的に休止するときは、当該労災保険関係成立票を見やすい場所から外さなければならない。

3 保険関係の消滅

最新問題

3 問1
□□□
R6-雇8E

雇用保険法第5条第1項の適用事業及び雇用保険に係る保険関係が成立している雇用保険暫定任意適用事業の保険関係は、当該事業が廃止され、又は終了したときは、その事業についての保険関係は、その日に消滅する。

3 問2
□□□
R6-雇8D

雇用保険に係る保険関係が成立している雇用保険暫定任意適用事業の事業主については、その事業に使用される労働者の4分の3以上の同意を得て、その者が当該保険関係の消滅の申請をした場合、厚生労働大臣の認可があった日に、その事業についての当該保険関係が消滅する。

過去問

3 問1
□□□
H27-災8D

農業の事業で、労災保険関係が成立している労災保険暫定任意適用事業の事業主が当該事業を廃止した場合には、当該労災保険暫定任意適用事業に係る保険関係の消滅の申請をすることにより、所轄都道府県労働局長の認可があった日の翌日に、その事業につき労災保険に係る労働保険の保険関係が消滅する。

3 問2
□□□
H29-災9A

労働保険の保険関係が成立している事業の事業主は、当該事業を廃止したときは、当該事業に係る保険関係廃止届を所轄労働基準監督署長又は所轄公共職業安定所長に提出しなければならず、この保険関係廃止届が受理された日の翌日に、当該事業に係る労働保険の保険関係が消滅する。

②答20 × 　則77条。設問後半のような規定はない。なお、設問前半の記述は正しい。

③答1 × 　法5条。設問の場合、その事業についての保険関係は、「その翌日」に消滅する。

③答2 × 　法附則4条。設問の場合は、厚生労働大臣の認可があった「日の翌日」に、保険関係が消滅する。

③答1 × 　法5条、整備法8条1項、同法8条の2。事業を廃止した場合、保険関係は事業が廃止した日の翌日に**法律上当然に消滅**するため、保険関係の消滅の申請は不要である。

③答2 × 　法5条。事業を廃止したときは、その翌日に、その事業についての労働保険の保険関係は**法律上当然に消滅**するため、特段の手続は必要とされていない（保険関係廃止届というものは存在しない。）。なお、この場合において事業主は、確定保険料申告書を提出して、労働保険料の精算手続をとらなければならない。

3 問3
□□□
R3-災8D

　労災保険に係る保険関係の消滅を申請しようとする労災保険暫定任意適用事業の事業主は、保険関係消滅申請書を所轄労働基準監督署長を経由して所轄都道府県労働局長に提出し、厚生労働大臣の認可があった日の翌日に、当該事業についての保険関係が消滅する。

3 問4
□□□
R3-災8E

　労災保険暫定任意適用事業の事業者がなした保険関係の消滅申請に対して厚生労働大臣の認可があったとき、当該保険関係の消滅に同意しなかった者については労災保険に係る保険関係は消滅しない。

3 問5
□□□
H29-災9E

　労働保険の保険関係が成立している暫定任意適用事業の事業主は、その保険関係の消滅の申請を行うことができるが、労災保険暫定任意適用事業と雇用保険暫定任意適用事業で、その申請要件に違いはない。

3 問6
□□□
R3-災8C

　労災保険に加入する以前に労災保険暫定任意適用事業において発生した業務上の傷病に関して、当該事業が労災保険に加入した後に事業主の申請により特例として行う労災保険の保険給付が行われることとなった労働者を使用する事業である場合、当該保険関係が成立した後1年以上経過するまでの間は脱退が認められない。

3 問7
□□□
R元-災10I

　労災保険に係る保険関係が成立している労災保険暫定任意適用事業の事業主が、労災保険に係る保険関係の消滅を申請する場合、保険関係消滅申請書に労働者の同意を得たことを証明することができる書類を添付する必要はない。

❸答3 ○ 整備法8条1項、整備省令3条1項、同省令14条。設問の通り正しい。

❸答4 × 整備法8条1項。設問の認可により労災保険に係る保険関係が消滅した場合に、当該消滅に同意しなかった者について個別に保険関係が存続するという規定はない。

❸答5 × 法附則4条2項、整備法8条2項。消滅の申請に際し、労災保険暫定任意適用事業では労働者の過半数の同意が必要であるが、雇用保険暫定任意適用事業では労働者の4分の3以上の同意が必要であるなど、申請要件に違いがある。労災保険暫定任意適用事業の保険関係消滅申請の要件については、**❸答6**の **Point** 参照。

> 労働保険の保険関係が成立している暫定任意適用事業の事業主が保険関係の消滅の申請を行う場合には、申請書（保険関係消滅申請書）を都道府県労働局長に提出することとされているが、この申請書は、労災保険に係る保険関係に係るものにあっては所轄労働基準監督署長を、雇用保険に係る保険関係に係るものにあっては所轄公共職業安定所長を、それぞれ経由して提出するものとされている。

❸答6 × 整備法8条2項3号。設問の事業については、特別保険料が徴収されるため、保険関係が成立した後1年以上を経過していても、特別保険料の徴収期間が経過していなければ脱退が認められないことになる。

> **Point** 労災保険に係る保険関係消滅の申請については、次のいずれにも該当する場合でなければ行うことができない。
> ①労働者の過半数の同意を得ること
> ②擬制任意適用事業以外の事業にあっては、保険関係が成立した後1年を経過していること
> ③特別保険料が徴収される場合には、特別保険料の徴収期間を経過していること

❸答7 × 整備法8条1項、2項1号、整備省令3条。設問の場合、保険関係消滅申請書に労働者の同意を得たことを証明することができる書類を添付しなければならない。

4 有期事業の一括

4問1
□□□
R6-雇10C

2以上の有期事業が労働保険徴収法第7条に定める要件に該当し、一の事業とみなされる事業についての事業主は、当該事業が継続している場合、同法施行規則第34条に定める一括有期事業についての報告書を、次の保険年度の7月1日までに所轄都道府県労働局歳入徴収官に提出しなければならない。

過去問

4問1
□□□
H28-災8A

有期事業の一括の対象は、それぞれの事業が、労災保険に係る保険関係が成立している事業のうち、建設の事業であり、又は土地の耕作若しくは開墾又は植物の栽植、栽培、採取若しくは伐採の事業その他農林の事業とされている。

4問2
□□□
R3-災10B

有期事業の一括が行われる要件の一つとして、それぞれの事業が、労災保険に係る保険関係が成立している事業であり、かつ建設の事業又は立木の伐採の事業であることが定められている。

4 答1 ×　則34条。設問の「7月1日」は、正しくは「7月10日」である。設問の報告書（一括有期事業報告書）は、次の保険年度の6月1日から起算して**40日以内**（すなわち7月10日までに）又は保険関係が消滅した日から起算して**50日以内**に提出しなければならないとされている。

---

4 答1 ×　法7条、則6条2項1号。有期事業の一括の対象は、建設の事業又は「**立木の伐採の事業**」とされている。

> **Point**
>
> 有期事業の一括の要件は、以下の通りである。
> (1)事業主が同一人であること
> (2)それぞれの事業が、有期事業であること
> (3)それぞれの事業が、労災保険に係る保険関係が成立している事業のうち、建設の事業又は立木の伐採の事業であること
> (4)それぞれの事業の規模が、次の③ⓑいずれにも該当すること
> 　③概算保険料の額に相当する額が160万円未満
> 　ⓑ建設の事業にあっては、請負金額が1億8,000万円未満
> 　　立木の伐採の事業にあっては、素材の見込生産量が1,000㎥未満
> (5)それぞれの事業が、他のいずれかの事業の全部又は一部と同時に行われること
> (6)それぞれの事業が、労災保険率表に掲げる事業の種類を同じくすること
> (7)それぞれの事業に係る労働保険料の納付の事務が一の事務所で取り扱われること

4 答2 ○　法7条、則6条2項1号。設問の通り正しい。**4 答1**の **Point** 参照。

4 問 3
☐☐☐
H28-災8B

有期事業の一括の対象となる事業に共通する要件として、それぞれの事業の規模が、労働保険徴収法による概算保険料を算定することとした場合における当該保険料の額が160万円未満であり、かつ期間中に使用する労働者数が常態として30人未満であることとされている。

4 問 4
☐☐☐
R3-災10A

有期事業の一括が行われるには、当該事業の概算保険料の額(労働保険徴収法第15条第2項第1号又は第2号の労働保険料を算定することとした場合における当該労働保険料の額)に相当する額が160万円未満でなければならない。

4 問 5
☐☐☐
R3-災10C

建設の事業に有期事業の一括が適用されるには、それぞれの事業の種類を同じくすることを要件としているが、事業の種類が異なっていたとしても、労災保険率が同じ事業は、事業の種類を同じくするものとみなして有期事業の一括が適用される。

4 問 6
☐☐☐
R3-災10D

同一人がX株式会社とY株式会社の代表取締役に就任している場合、代表取締役が同一人であることは、有期事業の一括が行われる要件の一つである「事業主が同一人であること」に該当せず、有期事業の一括は行われない。

4 問 7
☐☐☐
R3-災10E

X会社がY会社の下請として施工する建設の事業は、その事業の規模及び事業の種類が有期事業の一括の要件を満たすものであっても、X会社が元請として施工する有期事業とは一括されない。

4 問 8
☐☐☐
H28-災8C改

労働保険徴収法第7条に定める有期事業の一括の要件を満たす事業は、事業主が所轄労働基準監督署長に届け出ることにより有期事業の一括が行われ、その届出は、それぞれの事業が開始された日の属する月の翌月10日までにしなければならないとされている。

4答3 ✕　法7条、則6条1項。有期事業の一括の対象となる事業に、「期間中に使用する労働者数が常態として30人未満であること」という要件はない。有期事業の一括の対象となる事業に共通する規模の要件は、「概算保険料を算定することとした場合における当該概算保険料の額に相当する額が160万円未満であること」のみである。**4答1**の **Point** 参照。

4答4 ◯　法7条、則6条1項1号。設問の通り正しい。**4答1**の **Point** 参照。

4答5 ✕　法7条、則6条2項2号、昭和40.7.31基発901号。有期事業の一括が行われる要件としては、「労働保険徴収法施行規則別表第1（労災保険率表）に掲げる事業の種類を同じくすること」とされており、労災保険率が同じ事業であっても、事業の種類が異なる場合は、有期事業の一括の対象とはされない。**4答1**の **Point** 参照。

4答6 ◯　法7条、昭和40.7.31基発901号。設問の通り正しい。事業主とは、経営主体をいい、個人企業にあってはその事業主個人、法人にあっては法人そのものをいうので、設問のように代表取締役が同一人であることは、「事業主が同一人であること」には該当しない。

4答7 ◯　法7条、昭和40.7.31基発901号。設問の通り正しい。Ⅹ会社がＹ会社の下請として施工する建設の事業については、請負事業の一括により、Ｙ会社のみが当該事業の事業主とされるため、Ⅹ会社が元請として施工する有期事業とは事業主を異にし、有期事業の一括の要件である「事業主が同一人であること」には該当せず、一括されない。

4答8 ✕　法7条。有期事業の一括は、届け出ることによって行われるのではなく、**法律上当然に**行われる。

④問9
□□□
H28-災8E

有期事業の一括が行われると、その対象とされた事業はその全部が一つの事業とみなされ、みなされた事業に係る労働保険徴収法施行規則による事務については、労働保険料の納付の事務を行うこととなる一つの事務所の所在地を管轄する都道府県労働局長及び労働基準監督署長が、それぞれ、所轄都道府県労働局長及び所轄労働基準監督署長となる。

④問10
□□□
H30-災8D

２以上の有期事業が労働保険徴収法による有期事業の一括の対象になると、それらの事業が一括されて一の事業として労働保険徴収法が適用され、原則としてその全体が継続事業として取り扱われることになる。

④問11
□□□
H28-災8D

当初、独立の有期事業として保険関係が成立した事業が、その後、事業の規模が変動し有期事業の一括のための要件を満たすに至った場合は、その時点から有期事業の一括の対象事業とされる。

④問12
□□□
R4-災8C

二以上の有期事業が一括されて一の事業として労働保険徴収法の規定が適用される事業の事業主は、確定保険料申告書を提出する際に、前年度中又は保険関係が消滅した日までに終了又は廃止したそれぞれの事業の明細を記した一括有期事業報告書を所轄都道府県労働局歳入徴収官に提出しなければならない。

5 請負事業の一括等

最新問題

⑤問1
□□□
R6-災8A

労働保険徴収法第８条に規定する請負事業の一括について、労災保険に係る保険関係が成立している事業のうち建設の事業であって、数次の請負によって行われる場合、雇用保険に係る保険関係については、元請事業に一括することなく事業としての適用単位が決められ、それぞれの事業ごとに労働保険徴収法が適用される。

4 答9 ○ 法7条、則6条3項。設問の通り正しい。

 Point 一括された事業に係る徴収法施行規則の規定による事務については、一括事務所の所在地を管轄する都道府県労働局長及び労働基準監督署長が、それぞれ所轄都道府県労働局長及び所轄労働基準監督署長とされる。

4 答10 ○ 法7条、昭和40.7.31基発901号。設問の通り正しい。継続事業として取り扱われると、それぞれの事業ごとの保険関係の成立及び消滅、労働保険料の納付及び精算手続が不要となり、保険料の申告・納付が保険年度単位で行われることとなる。

4 答11 × 法7条、昭和40.7.31基発901号。当初、独立の有期事業として保険関係が成立した事業は、その後、事業の規模に変動があった場合でも、一括の対象とはしない。

プラスα 有期事業の一括の対象とされた個々の事業について、その後、事業の規模等に変更があった場合でも、あくまで当初の一括扱いによることとし、新たに独立の有期事業としては取り扱わない。

4 答12 ○ 則34条。設問の通り正しい。一括有期事業報告書は、次の保険年度の6月1日から起算して40日以内又は保険関係が消滅した日から起算して50日以内に提出することとされ、確定保険料申告書を提出する際に提出することとなる。

5 答1 ○ 法8条1項、則7条。設問の通り正しい。

5 問2

□□□

R6-災8B

労働保険徴収法第8条に規定する請負事業の一括について、下請負に係る事業については下請負人が事業主であり、元請負人と下請負人の使用する労働者の間には労働関係がないが、同条第2項に規定する場合を除き、元請負人は当該請負に係る事業について下請負をさせた部分を含め、そのすべての労働者について事業主として保険料の納付等の義務を負う。

5 問3

□□□

R6-災8E

労働保険徴収法第8条第2項に定める下請負事業の分離に係る認可を受けるためには、当該下請負事業の概算保険料が160万円以上、かつ、請負金額が1億8,000万円以上(消費税等相当額を除く。)であることが必要とされている。

5 問4

□□□

R6-災8C

労働保険徴収法第8条第2項に定める下請負事業の分離に係る認可を受けようとする元請負人及び下請負人は、保険関係が成立した日の翌日から起算して10日以内に「下請負人を事業主とする認可申請書」を所轄都道府県労働局長に提出しなければならない。

5 問5

□□□

R6-災8D

労働保険徴収法第8条第2項に定める下請負事業の分離に係る認可を受けようとする元請負人及び下請負人は、天災その他不可抗力等のやむを得ない理由により、同法施行規則第8条第1項に定める期限内に「下請負人を事業主とする認可申請書」を提出することができなかったときは、期限後であっても当該申請書を提出することができる。

過去問

5 問1

□□□

R2-災8B

請負事業の一括は、元請負人が、請負事業の一括を受けることにつき所轄労働基準監督署長に届け出ることによって行われる。

5 問2

□□□

R2-災8A

請負事業の一括は、労災保険に係る保険関係が成立している事業のうち、建設の事業又は立木の伐採の事業が数次の請負によって行われるものについて適用される。

5答2 ○　法8条1項。設問の通り正しい。なお、「同条第2項に規定する場合」とは、下請負事業の分離のことである。

5答3 ×　法8条2項、則9条。法8条2項に定める下請負事業の分離に係る認可を受けるためには、当該下請負事業の概算保険料に相当する額が160万円以上、「又は」、請負金額（消費税等相当額を除く。）が1億8,000万円以上であることが必要である。

5答4 ○　法8条2項、則8条。設問の通り正しい。

5答5 ○　法8条2項、則8条、昭和47.11.24労徴発41号。設問の通り正しい。過去問 **5答9**の プラスα 参照。

5答1 ×　法8条1項。請負事業の一括は、届け出ることによって行われるのではなく、**法律上当然**に行われる。

5答2 ×　法8条1項、則7条。「立木の伐採の事業」については、請負事業の一括の対象とはされていない。

> **Point** 請負事業の一括が行われるのは、労災保険に係る保険関係が成立している事業のうち「建設の事業」が数次の請負によって行われる場合に限られる。

5 問3
□□□
R2-災8C

請負事業の一括が行われ、その事業を一の事業とみなして元請負人のみが当該事業の事業主とされる場合、請負事業の一括が行われるのは、「労災保険に係る保険関係が成立している事業」についてであり、「雇用保険に係る保険関係が成立している事業」については行われない。

5 問4
□□□
R2-災8D
難

請負事業の一括が行われ、その事業を一の事業とみなして元請負人のみが当該事業の事業主とされる場合、元請負人は、その請負に係る事業については、下請負をさせた部分を含め、そのすべてについて事業主として保険料の納付の義務を負い、更に労働関係の当事者として下請負人やその使用する労働者に対して使用者となる。

5 問5
□□□
R2-災8E

請負事業の一括が行われると、元請負人は、その請負に係る事業については、下請負をさせた部分を含め、そのすべてについて事業主として保険料の納付等の義務を負わなければならないが、元請負人がこれを納付しないとき、所轄都道府県労働局歳入徴収官は、下請負人に対して、その請負金額に応じた保険料を納付するよう請求することができる。

5 問6
□□□
H27-災10C

厚生労働省令で定める事業が数次の請負によって行われる場合の元請負人及び下請負人が、下請負事業の分離の認可を受けるためには、当該下請負人の請負に係る事業が立木の伐採の事業である場合は、その事業の規模が、素材の見込生産量が千立方メートル未満、かつ、請負金額が１億8,000万円未満でなければならない。

5 問7
□□□
H27-災10B

厚生労働省令で定める事業が数次の請負によって行われる場合の元請負人及び下請負人が、下請負事業の分離の認可を受けるためには、当該下請負人の請負に係る事業が建設の事業である場合は、その事業の規模が、概算保険料を算定することとした場合における概算保険料の額に相当する額が160万円未満、かつ、請負金額が１億8,000万円未満でなければならない。

5答3 ○　法8条1項、則7条。設問の通り正しい。

5答4 ×　法8条1項。厚生労働省令で定める事業が数次の請負によって行われる場合には、この法律の規定の適用については、その事業を一の事業とみなし、元請負人のみを当該事業の事業主とする、とされており、元請負人は、その請負に係る事業については、下請負をさせた部分を含め、そのすべてについて保険料の納付等の義務を負うが、「労働関係の当事者として下請負人やその使用する労働者に対して使用者」となるわけではない。

5答5 ×　法8条1項。請負事業の一括が行われた場合には、元請負人は、その請負に係る事業については、下請負をさせた部分を含め、そのすべてについて保険料の納付等の義務を負うため、「所轄都道府県労働局歳入徴収官は、下請負人に対して、その請負金額に応じた保険料を納付するよう請求すること」はできない。

5答6 ×　法8条1項、則7条。「立木の伐採の事業」は、請負事業の一括の対象にはならないため、下請負事業の分離の対象とはされていない。請負事業の一括及び下請負事業の分離の対象となるのは、「建設の事業」のみである。

5答7 ×　法8条2項、則7条、則9条。下請負事業の分離の認可を受けるための要件は、概算保険料の額に相当する額が160万円以上又は請負金額が1億8,000万円以上であることである。

Point
【下請負事業の分離の要件】
(1)労災保険に係る保険関係が成立している事業のうち、数次の請負によって行われる建設の事業であること
(2)下請負人の請負に係る事業の規模が、概算保険料の額に相当する額が160万円以上又は請負金額が1億8,000万円以上であること
(3)下請負事業の分離につき、元請負人及び下請負人が共同で申請し、厚生労働大臣の認可を受けること

⑤問8
□□□
H27-災10A

厚生労働省令で定める事業が数次の請負によって行われる場合の元請負人及び下請負人が、下請負事業の分離の認可を受けようとするときは、保険関係が成立した日の翌日から起算して10日以内であれば、そのいずれかが単独で、当該下請負人を事業主とする認可申請書を所轄都道府県労働局長に提出して、認可を受けることができる。

⑤問9
□□□
H27-災10D

厚生労働省令で定める事業が数次の請負によって行われる場合の下請負人を事業主とする認可申請書については、天災、不可抗力等の客観的理由により、また、事業開始前に請負方式の特殊性から下請負契約が成立しない等の理由により期限内に当該申請書を提出できない場合を除き、保険関係が成立した日の翌日から起算して10日以内に、所轄都道府県労働局長に提出しなければならない。

⑤問10
□□□
H27-災10E

厚生労働省令で定める事業が数次の請負によって行われる場合の元請負人及び下請負人が、下請負事業の分離の認可を受けた場合、当該下請負人の請負に係る事業を一の事業とみなし、当該下請負人のみが当該事業の事業主とされ、当該下請負人以外の下請負人及びその使用する労働者に対して、労働関係の当事者としての使用者となる。

6 継続事業の一括

過去問

⑥問1
□□□
R5-災10A

事業主が同一人である2以上の事業(有期事業以外の事業に限る。)であって、労働保険徴収法施行規則第10条で定める要件に該当するものに関し、当該事業主が当該2以上の事業について成立している保険関係の全部又は一部を一の保険関係とすることを継続事業の一括という。

5答8 ✕ 法8条2項、法45条、則8条、則76条1号。下請負事業の分離の認可を受けようとするときは、元請負人及び下請負人が共同で申請しなければならない。

5答9 ◯ 法8条2項、則8条、昭和47.11.24労徴発41号。設問の通り正しい。下請負事業の分離の認可に関する厚生労働大臣の権限は、都道府県労働局長に委任されているので、下請負人を事業主とする認可申請書は、所轄都道府県労働局長に提出することとなる。

> 下請負人を事業主とする認可申請書は、保険関係が成立した日の翌日から起算して10日以内に提出しなければならないが、やむを得ない理由によりこの期限内に提出することができなかったときは、期限後であっても提出することができるとされており、「やむを得ない理由」とは、設問にある理由をいう。

5答10 ✕ 法8条。下請負事業の分離の認可を受けた場合は、当該下請負人の請負に係る事業を一の事業とみなし、当該下請負人のみが当該事業の事業主とされるが、「当該下請負人以外の下請負人及びその使用する労働者に対して労働関係の当事者としての使用者」となるわけではない。

6答1 ◯ 法9条、則10条1項、昭和40.7.31基発901号。設問の通り正しい。

⑥問2 　一元適用事業であって労働保険事務組合に労働保険事務の処理を
□□□ 委託するものに関する継続事業の一括の認可に関する事務は、所轄
H28-雇8E 公共職業安定所長が行う。

⑥問3 　継続事業の一括に当たって、労災保険に係る保険関係が成立して
□□□ いる事業のうち二元適用事業と、一元適用事業であって労災保険及
R5-災10B び雇用保険の両保険に係る保険関係が成立している事業とは、一括
できない。

⑥問4 　継続事業の一括に当たって、雇用保険に係る保険関係が成立して
□□□ いる事業のうち二元適用事業については、それぞれの事業が労災保
R5-災10C 険率表による事業の種類を同じくしている必要はない。

⑥問5 　暫定任意適用事業にあっては、継続事業の一括の申請前に労働保
□□□ 険の保険関係が成立していなくとも、任意加入の申請と同時に一括
R5-災10D の申請をして差し支えない。
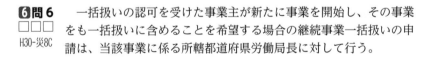

⑥問6 　一括扱いの認可を受けた事業主が新たに事業を開始し、その事業
□□□ をも一括扱いに含めることを希望する場合の継続事業一括扱いの申
H30-災8C 請は、当該事業に係る所轄都道府県労働局長に対して行う。

⑥問7 　継続事業の一括について都道府県労働局長の認可があったとき
□□□ は、都道府県労働局長が指定する一の事業(以下「指定事業」とい
H30-災8A改 う。)以外の事業に係る保険関係は、消滅する。

⑥答2 ✕ 則1条1項1号、則10条2項。設問の継続事業の一括の認可に関する事務は、「**所轄都道府県労働局長**」が行う。継続事業の一括の認可に係る継続事業一括申請書の所轄都道府県労働局長への提出は、一元適用事業であって労働保険事務組合に労働保険事務の処理を委託する事業の場合には、所轄公共職業安定所長を経由して行うものとされているが、認可に関する事務を行うのはあくまで所轄都道府県労働局長であって、所轄公共職業安定所長ではない。

Point 継続事業の一括については、有期事業の一括及び請負事業の一括とは異なり、法定の要件を満たした場合に法律上当然に一括されるわけではなく、申請・認可が必要とされる。

⑥答3 ◯ 法9条、則10条1項1号。設問の通り正しい。継続事業の一括を行うためには、それぞれの事業について成立している保険関係に同一性があることが必要である。

⑥答4 ✕ 法9条、則10条1項2号、昭和40.7.31基発901号。継続事業の一括を行うためには、それぞれの事業が、**労災保険率表による事業の種類を同じく**する必要があり、雇用保険に係る保険関係が成立している事業のうち二元適用事業についても、この要件を必要とする。

⑥答5 ◯ 法9条、則10条1項1号、昭和40.7.31基発901号。設問の通り正しい。継続事業の一括は、保険関係が成立している一定の事業が対象であるが、この場合の「保険関係が成立している事業」とは必ずしも一括の申請前に保険関係が成立している場合に限らず、暫定任意適用事業にあっては、任意加入の申請と同時に一括の申請をして差し支えないとされている。

⑥答6 ✕ 法9条、則10条2項、昭和40.7.31基発901号。設問の場合の継続事業の一括扱いの申請は、「当該事業」（新たに開始した事業）ではなく、「指定事業」に係る所轄都道府県労働局長に対して行う。

⑥答7 ◯ 法9条、法45条、則76条2号。設問の通り正しい。なお、継続事業の一括の認可及び指定事業の指定に関する厚生労働大臣の権限は、都道府県労働局長に委任されている。

徴収

⑥問8
□□□
R5-災10E

労働保険徴収法第９条の継続事業の一括の認可を受けようとする事業主は、所定の申請書を同条の規定による厚生労働大臣の一の事業の指定を受けることを希望する事業に係る所轄都道府県労働局長に提出しなければならないが、指定される事業は当該事業主の希望する事業と必ずしも一致しない場合がある。

⑥問9
□□□
H30-災8B

継続事業の一括について都道府県労働局長の認可があったときは、被一括事業の労働者に係る労災保険給付（二次健康診断等給付を除く。）の事務や雇用保険の被保険者資格の確認の事務等は、その労働者の所属する被一括事業の所在地を管轄する労働基準監督署長又は公共職業安定所長がそれぞれの事務所掌に応じて行う。

⑥問10
□□□
H30-災8E

一括されている継続事業のうち指定事業以外の事業の全部又は一部の事業の種類が変更されたときは、事業の種類が変更された事業について保険関係成立の手続をとらせ、指定事業を含む残りの事業については、指定事業の労働者数又は賃金総額の減少とみなして確定保険料報告の際に精算することとされている。

---

7 労働保険料の額

最新問題

⑦問1
□□□
R6-雇10D

前保険年度より保険関係が引き続く継続事業の事業主は、前保険年度の３月31日に賃金締切日があり当該保険年度の４月20日に当該賃金を支払う場合、当該賃金は前保険年度の確定保険料として申告すべき一般保険料の額を算定する際の賃金総額に含まれる。

過去問

⑦問1
□□□
R元-災8A

労働保険徴収法第10条において政府が徴収する労働保険料として定められているものは、一般保険料、第１種特別加入保険料、第２種特別加入保険料、第３種特別加入保険料及び印紙保険料の計５種類である。

6答8 ○ 法9条、則10条2項、3項、則76条2号。設問の通り正しい。指定される事業は、一括される事業のうち、労働保険事務を的確に処理する事務能力を有すると認められるものに限られるため、当該事業主の希望する事業と必ずしも一致しない場合がある。

6答9 ○ 法9条、昭和40.7.31基発901号、昭和42.4.4基災発9号、行政手引22003。設問の通り正しい。労災保険及び雇用保険に係る給付に関する事務並びに雇用保険の被保険者に関する事務については、労働保険徴収法9条の継続事業の一括に関する規定は適用されないので、それぞれの事業の所在地を管轄する労働基準監督署長（二次健康診断等給付を除く。）又は公共職業安定所長がこれらの事務を行う。

6答10 ○ 法9条、則10条1項2号、昭和40.7.31基発901号。設問の通り正しい。継続事業の一括の要件の1つとして、労災保険率表に掲げる事業の種類を同じくすることが挙げられており、事業の種類が変更された事業については、一括の対象からはずれ、保険関係成立の手続が必要となる。

7答1 ○ 法11条2項、法19条1項、昭和24.10.5基災収5178号。設問の通り正しい。前保険年度の末日までに支払が確定した賃金であれば、前保険年度間に現実に支払われていないものであっても、前保険年度の確定保険料として申告すべき一般保険料の額を算定する際の賃金総額に含めるものとされている。

7答1 × 法10条2項。法10条において政府が徴収する労働保険料として定められているものは、設問の保険料のほか、「**特例納付保険料**」を加えた「**計6種類**」である。

政府は、労働保険の事業に要する費用にあてるため保険料を徴収するが、当該費用は、保険給付に要する費用、社会復帰促進等事業及び雇用安定等の事業に要する費用、事務の遂行に要する費用(人件費、旅費、庁費等の事務費)、その他保険事業の運営のために要する一切の費用をいう。

一般保険料の額は、原則として、賃金総額に一般保険料率を乗じて算出されるが、労災保険及び雇用保険に係る保険関係が成立している事業にあっては、労災保険率、雇用保険率及び事務経費率を加えた率がこの一般保険料率になる。

事業主が負担すべき労働保険料に関して、保険年度の初日において64歳以上の労働者(短期雇用特例被保険者及び日雇労働被保険者を除く。)がいる場合には、当該労働者に係る一般保険料の負担を免除されるが、当該免除の額は当該労働者に支払う賃金総額に雇用保険率を乗じて得た額である。

労働保険徴収法第39条第1項に規定する事業以外の事業(一元適用事業)の場合は、労災保険に係る保険関係と雇用保険に係る保険関係ごとに別個の事業として一般保険料の額を算定することはない。

労働保険徴収法第39条第1項に規定する事業以外の事業(いわゆる一元適用事業)であっても、雇用保険法の適用を受けない者を使用するものについては、二元適用事業に準じ、当該事業を労災保険に係る保険関係及び雇用保険に係る保険関係ごとに別個の事業とみなして一般保険料の額を算定するが、一般保険料の納付(還付、充当、督促及び滞納処分を含む。)については、一元適用事業と全く同様である。

7 答2 ○ 法10条1項。設問の通り正しい。

7 答3 × 法11条1項、法12条1項1号。設問の事業の場合、一般保険料に係る保険料率（一般保険料率）は、「労災保険率と雇用保険率とを加えた率」とされており、「事務経費率」を加えるとする旨の規定はない。

7 答4 × 法11条1項、改正前法11条の2。設問のような規定はない。なお、令和2年3月31日までは、一般保険料額の算定において、雇用保険に係る保険関係が成立している事業の事業主が、その事業に、保険年度の初日（4月1日）において64歳以上の高年齢労働者であって、短期雇用特例被保険者及び日雇労働被保険者以外のものを使用する場合、当該高年齢労働者に支払う賃金総額に雇用保険率を乗じて得た額が、一般保険料の額から免除されていたが、当該規定は改正により令和2年4月1日から削除された。

7 答5 × 整備省令17条1項。一元適用事業であっても、雇用保険法の適用を受けない者を使用するものについては、当該事業を労災保険に係る保険関係及び雇用保険に係る保険関係ごとに別個の事業とみなして一般保険料の額を算定するものとされている。

$$一般保険料の額 = \left(\substack{労災保険に係る \\ 賃\ 金\ 総\ 額} \times 労災保険率 \right) + \left(\substack{雇用保険に係る \\ 賃\ 金\ 総\ 額} \times 雇用保険率 \right)$$

7 答6 ○ 整備省令17条1項、2項。設問の通り正しい。

7 問7
□□□
R元-雇10C

労働保険徴収法第2条第2項の賃金に算入すべき通貨以外のもので支払われる賃金の範囲は、労働保険徴収法施行規則第3条により「食事、被服及び住居の利益のほか、所轄労働基準監督署長又は所轄公共職業安定所長の定めるところによる」とされている。

7 問8
□□□
R5-雇10A

労働保険徴収法における「賃金」のうち、食事、被服及び住居の利益の評価に関し必要な事項は、所轄労働基準監督署長又は所轄公共職業安定所長が定めることとされている。

7 問9
□□□
H30-雇97

1日30分未満しか働かない労働者に対しても労災保険は適用されるが、当該労働者が属する事業場に係る労災保険料は、徴収・納付の便宜を考慮して、当該労働者に支払われる賃金を算定の基礎となる賃金総額から除外して算定される。

7 問10
□□□
R4-災10A

法人の取締役であっても、法令、定款等の規定に基づいて業務執行権を有しないと認められる者で、事実上、業務執行権を有する役員等の指揮監督を受けて労働に従事し、その対償として賃金を受けている場合には労災保険が適用されるため、当該取締役が属する事業場に係る労災保険料は、当該取締役に支払われる賃金(法人の機関としての職務に対する報酬を除き、一般の労働者と同一の条件の下に支払われる賃金のみをいう。)を算定の基礎となる賃金総額に含めて算定する。

7 問11
□□□
R4-雇8B

労働者派遣事業により派遣される者は派遣元事業主の適用事業の「労働者」とされるが、在籍出向による出向者は、出向先事業における出向者の労働の実態及び出向元による賃金支払の有無にかかわらず、出向元の適用事業の「労働者」とされ、出向元は、出向者に支払われた賃金の総額を出向元の賃金総額の算定に含めて保険料を納付する。

7答7 ○　法2条2項、則3条。設問の通り正しい。**7答8**の **Point** 参照。

7答8 ×　法2条3項。設問の「所轄労働基準監督署長又は所轄公共職業安定所長」は、正しくは「厚生労働大臣」である。

Point 【通貨以外のもので支払われる賃金の範囲と評価】
・範囲…食事、被服及び住居の利益のほか、所轄労働基準監督署長又は所轄公共職業安定所長の定めるところによる。
・評価…必要な事項は、厚生労働大臣が定める。

7答9 ×　法2条2項、法11条1項、2項。設問後半のような規定はない。

7答10 ○　法2条2項、法11条1項、2項、昭和34.1.26基発48号、昭和61.3.14基発141号。設問の通り正しい。

7答11 ×　法2条2項、法11条2項、昭和35.11.2基発932号、昭和61.6.30発労徴41号・基発383号、行政手引20352。在籍出向の場合、出向者が徴収法において出向元事業と出向先事業とのいずれの保険関係による「労働者」であるかについては、出向の目的、出向元事業主と出向先事業主との間で当該出向者の出向につき行った契約、出向先事業における出向者の労働の実態等に基づき、労働関係の所在を判断して決定することとされている。なお、労働者派遣事業により派遣される者については、設問の通りである。

7 問12
□□□
R4-雇8C

A及びBの2つの適用事業主に雇用される者XがAとの間で主たる賃金を受ける雇用関係にあるときは、XはAとの雇用関係においてのみ労働保険の被保険者資格が認められることになり、労働保険料の算定は、AにおいてXに支払われる賃金のみをAの賃金総額に含めて行い、BにおいてXに支払われる賃金はBの労働保険料の算定における賃金総額に含めない。

7 問13
□□□
R4-雇8D

適用事業に雇用される労働者が事業主の命により日本国の領域外にある適用事業主の支店、出張所等に転勤した場合において当該労働者に支払われる賃金は、労働保険料の算定における賃金総額に含めない。

7 問14
□□□
R4-雇8E
難

労働日の全部又はその大部分について事業所への出勤を免除され、かつ、自己の住所又は居所において勤務することを常とする者は、原則として労働保険の被保険者にならないので、当該労働者に支払われる賃金は、労働保険料の算定における賃金総額に含めない。

7 問15
□□□
H29-災8D

労働者の退職後の生活保障や在職中の死亡保障を行うことを目的として事業主が労働者を被保険者として保険会社と生命保険等厚生保険の契約をし、会社が当該保険の保険料を全額負担した場合の当該保険料は、賃金とは認められない。

7 問16
□□□
H29-災8E

住居の利益は、住居施設等を無償で供与される場合において、住居施設が供与されない者に対して、住居の利益を受ける者との均衡を失しない定額の均衡手当が一律に支給されない場合は、当該住居の利益は賃金とならない。

7答12 ✕　法2条2項、法11条2項、行政手引20352。2以上の適用事業主に雇用される者については、労災保険に係る保険関係と雇用保険に係る保険関係とによって取扱いが異なる。雇用保険の被保険者資格は、その者が主たる賃金を受ける一の雇用関係についてのみ認められるため、雇用保険に係る保険関係については、主たる賃金を受ける一の事業以外の事業においては「労働者」としないこととなり、労働保険料の算定は設問の取扱いとなるが、労災保険に係る保険関係については、当該2以上のそれぞれの事業において労災保険法の適用を受けることとなり、当該2以上のそれぞれの事業において「労働者」とされるため、設問の場合における労働保険料の算定は、AにおいてXに支払われる賃金をAの労働保険料の算定における賃金総額に含め、BにおいてXに支払われる賃金をBの労働保険料の算定における賃金総額に含めることとなる。

7答13 ✕　法2条2項、法11条2項、行政手引20352。設問の場合、当該労働者は適用事業に雇用される者として雇用保険の被保険者とされるため、当該労働者に支払われる賃金は、労働保険料の算定における賃金総額に含める。

7答14 ✕　法2条2項、法11条2項、行政手引20351。在宅勤務者(労働日の全部又はその大部分について事業所の出勤を免除され、かつ、自己の住所又は居所において勤務することを常とする者をいう。)については、事業所勤務労働者との同一性が確認できれば、原則として雇用保険の被保険者となるので、その場合は、当該労働者に支払われる賃金を労働保険料の算定における賃金総額に含めることとなる。なお、設問は、「労働保険の被保険者」とあることから、雇用保険の被保険者に関するものと思われる。

7答15 ◯　法2条2項、昭和30.3.31基災収1239号。設問の通り正しい。

7答16 ◯　法2条2項。設問の通り正しい。住居の利益は、賃金となり得るが、設問の場合の当該住居の利益は、賃金とならない。

7 問17
□□□
R4-災10D

健康保険法第99条の規定に基づく傷病手当金について、標準報酬の6割に相当する傷病手当金が支給された場合において、その傷病手当金に付加して事業主から支給される給付額は、恩恵的給付と認められる場合には、一般保険料の額の算定の基礎となる賃金総額に含めない。

7 問18
□□□
R4-災10E
難

労働者が業務外の疾病又は負傷により勤務に服することができないため、事業主から支払われる手当金は、それが労働協約、就業規則等で労働者の権利として保障されている場合は、一般保険料の額の算定の基礎となる賃金総額に含めるが、単に恩恵的に見舞金として支給されている場合は当該賃金総額に含めない。

7 問19
□□□
H29-災8A

労働者が在職中に、退職金相当額の全部又は一部を給与や賞与に上乗せするなど前払いされる場合は、原則として、一般保険料の算定基礎となる賃金総額に算入する。

7 問20
□□□
H29-災8B

遡って昇給が決定し、個々人に対する昇給額が未決定のまま離職した場合において、離職後支払われる昇給差額については、個々人に対して昇給をするということ及びその計算方法が決定しており、ただその計算の結果が離職時までにまだ算出されていないというものであるならば、事業主としては支払義務が確定したものとなるから、賃金として取り扱われる。

7 問21
□□□
H29-災8C

労働者が賃金締切日前に死亡したため支払われていない賃金に対する保険料は、徴収しない。

7 問22
□□□
H30-雇8C

請負による建設の事業に係る賃金総額については、常に厚生労働省令で定めるところにより算定した額を当該事業の賃金総額とすることとしている。

7答17 ○　法 2 条 2 項、法11条 2 項、昭和24.6.14基災収3850号、昭和27.5.10基収2244号。設問の通り正しい。なお、傷病手当金は、健康保険の給付金であって、賃金とは認められず、これについても一般保険料の額の算定の基礎となる賃金総額には含めない。

7答18 ○　法 2 条 2 項、法11条 2 項、昭和24.6.14基災収3850号。設問の通り正しい。

7答19 ○　法 2 条 2 項、法11条 2 項、平成15.10.1基徴発1001001号。設問の通り正しい。退職を事由として支払われる退職金であって、退職時に支払われるもの又は事業主の都合等により退職前に一時金として支払われるものについては、一般保険料の算定基礎となる賃金総額に算入しないが、設問のようないわゆる前払退職金は、労働の対償としての性格が明確であり、労働者の通常の生計にあてられる経常的な収入としての意義を有することから、原則として、一般保険料の算定基礎となる賃金総額に算入する。

7答20 ○　法 2 条 2 項、昭和32.12.27失保収652号。設問の通り正しい。

7答21 ×　法 2 条 2 項、昭和32.12.27失保収652号。労働者が賃金締切日前に死亡したため支払われていない賃金については、支払義務が確定しているため、当該賃金に対する保険料は徴収される。

7答22 ×　法11条 3 項、則12条 1 号、則13条 1 項。請負による建設の事業については、常に厚生労働省令で定めるところにより算定した額（事業の種類に従い、請負金額に労務費率を乗じて得た額）を当該事業の賃金総額とするのではなく、「**賃金総額を正確に算定することが困難なもの**」に限り厚生労働省令で定めるところにより算定した額を当該事業の賃金総額とすることとされている。

7 問23 賃金総額の特例が認められている請負による建設の事業において
□□□ は、請負金額に労務費率を乗じて得た額が賃金総額となるが、ここ
R元-災8C にいう請負金額とは、いわゆる請負代金の額そのものをいい、注文
者等から支給又は貸与を受けた工事用物の価額等は含まれない。

7 問24 労災保険に係る保険関係が成立している請負による建設の事業で
□□□ あって、労働保険徴収法第11条第1項、第2項に規定する賃金総
R4-災10C 額を正確に算定することが困難なものについては、その事業の種類
に従い、請負金額に同法施行規則別表第2に掲げる労務費率を乗
じて得た額を賃金総額とするが、その賃金総額の算定に当たって
は、消費税等相当額を含まない請負金額を用いる。

7 問25 国の行う立木の伐採の事業であって、賃金総額を正確に算定する
□□□ ことが困難なものについては、特例により算定した額を当該事業に
R5-雇10B 係る賃金総額とすることが認められている。

7 問26 労災保険に係る保険関係が成立している造林の事業であって、労
□□□ 働保険徴収法第11条第1項、第2項に規定する賃金総額を正確に
R4-災10B 算定することが困難なものについては、所轄都道府県労働局長が定
める素材1立方メートルを生産するために必要な労務費の額に、
生産するすべての素材の材積を乗じて得た額を賃金総額とする。

7 問27 労災保険率は、労災保険法の適用を受ける全ての事業の過去5年
□□□ 間の業務災害、複数業務要因災害及び通勤災害に係る災害率並びに
H30-雇8E改 二次健康診断等給付に要した費用の額、社会復帰促進等事業として
行う事業の種類及び内容その他の事情を考慮して厚生労働大臣が定
める。

7答23 ✕ 法11条3項、則12条1号、則13条1項、2項1号。「いわゆる請負代金の額そのものをいい、注文者等から支給又は貸与を受けた工事用物の価額等は含まれない」とする点が誤りである。設問の請負金額には、注文者等から支給又は貸与を受けた工事用物の価額等を請負代金の額に「加算する」こととされている。

> **プラスα** 機械装置の組立て又はすえ付けの事業の事業主が、注文者等から当該組立て又はすえ付ける機械装置の支給を受けた場合には、当該機械装置の価額に相当する額は請負代金の額に加算せず、その機械装置の価額に相当する額が請負代金に含まれている場合には、その機械装置の価額に相当する額を請負代金の額から控除する。設問との違いに注意しよう。

7答24 ◯ 法11条3項、則4条1項6号カッコ書、則13条。設問の通り正しい。

7答25 ✕ 法11条3項、則12条2号、労災保険法3条2項。労災保険に係る保険関係が成立している立木の伐採の事業であって、賃金総額を正確に算定することが困難なものについて、賃金総額の特例が認められているのであり、国の行う事業については、労災保険法が適用されないため、賃金総額の特例の問題も発生しない。

7答26 ✕ 法11条3項、則12条3号、則15条。設問の事業については、「その事業の労働者につき労働基準法第12条第8項の規定に基づき厚生労働大臣が定める平均賃金に相当する額に、それぞれの労働者の使用期間の総日数を乗じて得た額の合算額」を賃金総額とする。なお、労災保険に係る保険関係が成立している立木の伐採の事業であって、労働保険徴収法第11条第1項、第2項に規定する賃金総額を正確に算定することが困難なものについては、設問の額を賃金総額とする。

7答27 ✕ 法12条2項。「過去5年間」ではなく、「過去3年間」である。

7 問28
□□□
R5-雇10C

雇用保険率は、雇用保険法の規定による保険給付及び社会復帰促進等事業に要する費用の予想額に照らし、将来にわたって、雇用保険の事業に係る財政の均衡を保つことができるものでなければならないものとされる。

7 問29
□□□
H30-雇8C改

建設の事業における令和6年度の雇用保険率は、令和5年度の雇用保険率と同じく、1,000分の18.5である。

7 問30
□□□
R元-災9A改

一般保険料における雇用保険率のうち失業等給付費等充当徴収保険率について、建設の事業、清酒製造の事業及び園芸サービスの事業は、それらの事業以外の一般の事業に適用する料率とは別に料率が定められている。

7 問31
□□□
R2-雇8E改

厚生労働大臣は、毎会計年度において、徴収保険料額及び雇用保険に係る各種国庫負担額の合計額と失業等給付額等との差額が、労働保険徴収法第12条第5項に定める要件に該当するに至った場合、必要があると認めるときは、労働政策審議会の同意を得て、1年以内の期間を定めて失業等給付費等充当徴収保険率を一定の範囲内において変更することができる。

7 問32
□□□
R5-雇10D改

厚生労働大臣は、労働保険徴収法第12条第5項の場合において、必要があると認めるときは、労働政策審議会の意見を聴いて、各保険年度の1年間単位で失業等給付費等充当徴収保険率を同項に定める率の範囲内において変更することができるが、1年間より短い期間で変更することはできない。

7 問33
□□□
R2-災10A

第1種特別加入保険料率は、中小事業主等が行う事業に係る労災保険率と同一の率から、労災保険法の適用を受けるすべての事業の過去3年間の二次健康診断等給付に要した費用の額を考慮して厚生労働大臣の定める率を減じた率である。

7 問34
□□□
R2-災10B

継続事業の場合で、保険年度の中途に第1種特別加入者でなくなった者の特別加入保険料算定基礎額は、特別加入保険料算定基礎額を12で除して得た額に、その者が当該保険年度中に第1種特別加入者とされた期間の月数を乗じて得た額とする。当該月数に1月未満の端数があるときはその月数を切り捨てる。

7答28 ×　法12条2項。雇用保険率について設問のような規定はない。なお、労災保険率は、労災保険法の規定による保険給付及び社会復帰促進等事業に要する費用の予想額に照らし、将来にわたって、労災保険の事業に係る財政の均衡を保つことができるものでなければならないものとされている。

7答29 ○　改正前法12条4項。設問の通り正しい。

7答30 ×　法12条4項1号、平成28.12.21厚労告427号。設問の事業のうち、「園芸サービスの事業」については、一般の事業に適用する料率が適用される。なお、建設の事業及び清酒製造の事業に関する記述は正しい。

7答31 ×　法12条5項。労働政策審議会の「同意を得て」ではなく、労働政策審議会の「意見を聴いて」である。

7答32 ×　法12条5項。厚生労働大臣は、労働保険徴収法第12条第5項の場合において、必要があると認めるときは、労働政策審議会の意見を聴いて、「1年以内の期間を定め」、失業等給付費等充当徴収保険率を同項に定める率の範囲内において変更することができるとされており、1年間より短い期間で変更することができる。

7答33 ○　法13条。設問の通り正しい。

7答34 ×　則21条1項ただし書。当該月数に1月未満の端数があるときはその月数を「切り捨てる」のではなく、「これを1月とする」とされている。

7 問35
□□□
R5-災8A

中小事業主等が行う事業に係る労災保険率が1,000分の4であり、当該中小事業主等が労災保険法第34条第1項の規定により保険給付を受けることができることとされた者である場合、当該者に係る給付基礎日額が12,000円のとき、令和5年度の保険年度1年間における第1種特別加入保険料の額は17,520円となる。

7 問36
□□□
R5-災8B

有期事業について、中小事業主等が労災保険法第34条第1項の規定により保険給付を受けることができることとされた者である場合、当該者が概算保険料として納付すべき第1種特別加入保険料の額は、同項の承認に係る全期間における特別加入保険料算定基礎額の総額の見込額に当該事業についての第1種特別加入保険料率を乗じて算定した額とされる。

7 問37
□□□
R2-災10C

第2種特別加入保険料額は、特別加入保険料算定基礎額の総額に第2種特別加入保険料率を乗じて得た額であり、第2種特別加入者の特別加入保険料算定基礎額は第1種特別加入者のそれよりも原則として低い。

7 問38
□□□
R2-災10D

第2種特別加入保険料率は、事業又は作業の種類にかかわらず、労働保険徴収法施行規則によって同一の率に定められている。

7 問39
□□□
R5-災8C

労災保険法第35条第1項の規定により労災保険の適用を受けることができることとされた者に係る給付基礎日額が12,000円である場合、当該者の事業又は作業の種類がいずれであっても令和5年度の保険年度1年間における第2種特別加入保険料の額が227,760円を超えることはない。

7答35 ○ 法13条、則21条1項、則21条の2、則別表第4。設問の通り正しい。第1種特別加入保険料率は、その中小事業主が行う事業に係る労災保険率と同一の率であるため、設問の場合の第1種特別加入保険料の額は、12,000円×365×4/1000＝17,520円となる。

7答36 ○ 法13条、則21条2項、則21条の2。設問の通り正しい。

7答37 × 則21条、則22条、則別表第4。特別加入保険料算定基礎額は、原則として、特別加入者の種類を問わず、「特別加入保険料算定基礎額表(則別表第4)」に定められており、「第2種特別加入者の特別加入保険料算定基礎額は第1種特別加入者のそれよりも原則として低い」ということはない。

7答38 × 則23条、則別表第5。第2種特別加入保険料率は、徴収法施行規則別表第5において、事業又は作業の種類に応じてそれぞれ定められており、「事業又は作業の種類にかかわらず同一の率」ということはない。

> 第2種特別加入保険料率は、現在、最高1000分の52から最低1000分の3の範囲内で定められている。

7答39 ○ 法14条1項、則22条、則23条、則別表第4、第5。設問の通り正しい。第2種特別加入保険料率は、事業又は作業の種類ごとに、最高1000分の52から最低1000分の3の範囲内で定められているため、設問の場合の第2種特別加入保険料の額は、最高で12,000円×365×52/1000＝227,760円となり、227,760円を超えることはない。

7 問40
□□□
R5-災8D

フードデリバリーの自転車配達員が労災保険法の規定により労災保険に特別加入をすることができる者とされた場合、当該者が納付する特別加入保険料は第2種特別加入保険料である。

7 問41
□□□
R5-災8E

中小事業主等が行う事業に係る労災保険率が1,000分の9であり、当該中小事業主等に雇用される者が労災保険法第36条第1項の規定により保険給付を受けることができることとされた者である場合、当該者に係る給付基礎日額が12,000円のとき、令和5年度の保険年度1年間における第3種特別加入保険料の額は39,420円となる。

7 問42
□□□
R2-災10E

第2種特別加入保険料率は、第2種特別加入者に係る保険給付及び社会復帰促進等事業に要する費用の予想額に照らして、将来にわたり労災保険の事業に係る財政の均衡を保つことができるものとされているが、第3種特別加入保険料率はその限りではない。

7 問43
□□□
H30-雇8A

賃金の日額が、11,300円以上である日雇労働被保険者に係る印紙保険料の額は、その労働者に支払う賃金の日額に1.5％を乗じて得た額である。

7答40 ○ 法14条1項、則23条、則別表第5、労災保険法施行規則46条の17,1号。設問の通り正しい。フードデリバリーの自転車配達員は、「自動車を使用して行う旅客若しくは貨物の運送の事業又は原動機付自転車若しくは自転車を使用して行う貨物の運送の事業」に該当し、当該事業を労働者を使用しないで行うことを常態とする者は、第2種特別加入の対象となる。

7答41 × 法14条の2,1項、則23条の2、則23条の3、則別表第4。第3種特別加入保険料率は、一律に**1000分の3**と定められているため、設問の場合の第3種特別加入保険料の額は、12,000円×365×3/1000＝「13,140円」となる。

7答42 × 法14条2項、法14条の2,2項。第2種特別加入保険料率は、設問の通り「第2種特別加入者に係る保険給付及び社会復帰促進等事業に要する費用の予想額に照らし、将来にわたって、労災保険の事業に係る財政の均衡を保つことができるものでなければならない」とされており、第3種特別加入保険料率についても当該規定を準用するものとされている。

7答43 × 法22条1項1号。設問の日雇労働被保険者に係る印紙保険料の額は、「176円」である。

Point

【印紙保険料の額】

賃金の日額	等級区分	額
11,300円以上	第1級保険料日額	176円
8,200円以上 11,300円未満	第2級保険料日額	146円
8,200円未満	第3級保険料日額	96円

8 概算保険料の申告・納付

以下において、「概算保険料申告書」とは、労働保険徴収法第15条第1項及び第2項の申告書をいう。

8問1
□□□
H30-雇ウ

継続事業（一括有期事業を含む。）について、前保険年度から保険関係が引き続く事業に係る労働保険料は保険年度の6月1日から起算して40日以内の7月10日までに納付しなければならないが、保険年度の中途で保険関係が成立した事業に係る労働保険料は保険関係が成立した日の翌日から起算して50日以内に納付しなければならない。

8問2
□□□
R3-災9A

事業主が概算保険料を納付する場合には、当該概算保険料を、その労働保険料の額その他厚生労働省令で定める事項を記載した概算保険料申告書に添えて、納入告知書に係るものを除き納付書によって納付しなければならない。

8問3
□□□
H27-災9B

建設の有期事業を行う事業主は、当該事業に係る労災保険の保険関係が成立した場合には、その成立した日の翌日から起算して20日以内に、概算保険料を概算保険料申告書に添えて、申告・納付しなければならない。

8問4
□□□
H30-雇9I

特別加入保険料に係る概算保険料申告書は、所轄都道府県労働局歳入徴収官に提出しなければならないところ、労働保険徴収法第21条の2第1項の承認を受けて労働保険料の納付を金融機関に委託している場合、日本銀行（本店、支店、代理店、歳入代理店をいう。以下本肢において同じ。）を経由して提出することができるが、この場合には、当該概算保険料については、日本銀行に納付することができない。

8答 1 ○ 法15条 1 項。設問の通り正しい。

Point 【概算保険料の申告・納期限】

継続事業（一括有期事業を含む。）	前保険年度より保険関係が引き続く事業	保険年度の 6 月 1 日から40日以内（当日起算）
	保険年度の中途に保険関係が成立した事業	保険関係が成立した日から50日以内（翌日起算）
有期事業		保険関係が成立した日から20日以内（翌日起算）

8答 2 ○ 法15条 1 項、 2 項、則38条 4 項。設問の通り正しい。

8答 3 ○ 法15条 2 項、法30条、国税通則法10条。設問の通り正しい。**8答 1** の **Point** 参照。

8答 4 × 則38条 1 項、 2 項 7 号。設問の場合、法第21条の 2 第 1 項（口座振替による納付等）の承認を受けて労働保険料の納付を金融機関に委託しているので、特別加入保険料に係る概算保険料申告書は日本銀行を経由して提出することはできない。

8 問5
□□□
H30-雇9オ

雇用保険に係る保険関係のみが成立している事業の一般保険料については、所轄公共職業安定所は当該一般保険料の納付に関する事務を行うことはできない。

8 問6
□□□
R元-災8O

継続事業で特別加入者がいない場合の概算保険料は、その保険年度に使用するすべての労働者(保険年度の中途に保険関係が成立したものについては、当該保険関係が成立した日からその保険年度の末日までに使用するすべての労働者)に係る賃金総額(その額に1,000円未満の端数があるときは、その端数は、切り捨てる。以下本肢において同じ。)の見込額が、直前の保険年度の賃金総額の100分の50以上100分の200以下である場合は、直前の保険年度に使用したすべての労働者に係る賃金総額に当該事業についての一般保険料に係る保険料率を乗じて算定する。

8 問7
□□□
H27-災9O

複数年にわたる建設の有期事業の事業主が納付すべき概算保険料の額は、その事業の当該保険関係に係る全期間に使用するすべての労働者に係る賃金総額(その額に1,000円未満の端数があるときは、その端数は切り捨てる。)の見込額に、当該事業についての一般保険料率を乗じて算定した額となる。

8 問8
□□□
H29-雇8オ

平成29年4月1日から2年間の有期事業(一括有期事業を除く。)の場合、概算保険料として納付すべき一般保険料の額は、各保険年度ごとに算定し、当該各保険年度に使用するすべての労働者に係る賃金総額の見込額の合計額に当該事業の一般保険料率を乗じて得た額となる。この場合、平成30年度の賃金総額の見込額については、平成29年度の賃金総額を使用することができる。

8答5 ○ 則 1 条 3 項、則38条 3 項。設問の通り正しい。公共職業安定所は、一般保険料の納付に関する事務を行うことはできない。なお、一般保険料に係る概算保険料申告書の提出については、一定の場合には、所轄公共職業安定所長を経由して行うことができる。

8答6 ○ 法15条 1 項 1 号、則24条 1 項。設問の通り正しい。

8答7 ○ 法15条 2 項 1 号。設問の通り正しい。

> **Point**　有期事業の場合の賃金総額は、保険年度単位ではなく、事業の全期間において使用するすべての労働者に支払う賃金総額を算定の基礎とする。

8答8 × 法15条 2 項 1 号。設問の事業(一括有期事業以外の有期事業)については、「各保険年度ごと」ではなく、その「全期間」について概算保険料として納付すべき一般保険料の額を算定することとなる。なお、有期事業(一括有期事業を除く。)において「保険年度」という概念はない。

9 概算保険料の延納

9 問1
□□□
H29-災10オ

労働保険事務の処理が労働保険事務組合に委託されている事業についての事業主は、納付すべき概算保険料の額が20万円（労災保険に係る保険関係又は雇用保険に係る保険関係のみが成立している事業については、10万円）以上（当該保険年度において10月1日以降に保険関係が成立したものを除く。）となる場合であれば、労働保険徴収法に定める申請をすることにより、その概算保険料を延納することができる。

9 問2
□□□
R元-災8E

政府は、厚生労働省令で定めるところにより、事業主の申請に基づき、その者が労働保険徴収法第15条の規定により納付すべき概算保険料を延納させることができるが、有期事業以外の事業にあっては、当該保険年度において9月1日以降に保険関係が成立した事業はその対象から除かれる。

9 問3
□□□
H29-災10ウ

継続事業（一括有期事業を含む。）の概算保険料については、平成29年10月1日に保険関係が成立したときは、その延納はできないので、平成29年11月20日までに当該概算保険料を納付しなければならない。

9 問4
□□□
R5-雇8D

令和4年4月1日に労働保険の保険関係が成立して以降金融業を継続して営んでおり、労働保険事務組合に労働保険事務の処理を委託している事業主は、令和5年度の保険年度の納付すべき概算保険料の額が10万円であるとき、その延納の申請を行うことはできない。

9 答1 × 法18条、則27条1項。労働保険事務の処理が労働保険事務組合に委託されている継続事業(一括有期事業を含む。)については、当該保険年度において10月1日以降に保険関係が成立したものを除き、概算保険料の額にかかわらず、延納することができる。

Point

【継続事業(一括有期事業を含む。)の延納の要件】
　継続事業(一括有期事業を含む。)の場合、(1)(2)のいずれも満たすときは、申請することにより、概算保険料を延納することができる。
(1)次のいずれかに該当していること
　①納付すべき概算保険料の額が40万円(労災保険に係る保険関係又は雇用保険に係る保険関係のみが成立している事業については、20万円)以上の事業であること
　②事業に係る労働保険事務の処理が労働保険事務組合に委託されている事業であること
(2)当該保険年度において10月1日以降に保険関係が成立した事業ではないこと

9 答2 × 法18条、則27条1項。設問の場合、延納の対象から除かれる事業は、当該保険年度において「9月1日」以降に保険関係が成立した事業ではなく、「10月1日」以降に保険関係が成立した事業である。**9 答1**の**Point**参照。

9 答3 ○ 法15条1項、則27条1項。設問の通り正しい。継続事業(一括有期事業を含む。)については、当該保険年度において10月1日以降に保険関係が成立したものについては、概算保険料を延納することができない。また、この場合は、保険関係が成立した日の翌日から起算して50日以内に納付しなければならない。

9 答4 × 法18条、則27条1項。設問の事業主は、労働保険事務の処理を労働保険事務組合に委託しているので、概算保険料の額にかかわらず、延納の申請を行うことができる。**9 答1**の**Point**参照。

⑨問5
□□□
R2-雇8A

概算保険料について延納できる要件を満たす継続事業の事業主が、7月1日に保険関係が成立した事業について保険料の延納を希望する場合、2回に分けて納付することができ、最初の期分の納付期限は8月20日となる。

⑨問6
□□□
H27-雇9O

概算保険料について延納が認められ、前保険年度より保険関係が引き続く継続事業（一括有期事業を含む。）の事業主の4月1日から7月31日までの期分の概算保険料の納期限は、労働保険事務組合に労働保険事務の処理を委託している場合であっても、7月10日とされている。

⑨問7
□□□
H29-災107

概算保険料17万円を3期に分けて納付する場合、第1期及び第2期の納付額は各56,667円、第3期の納付額は56,666円である。

⑨問8
□□□
R3-災9B

有期事業（一括有期事業を除く。）の事業主は、概算保険料を、当該事業を開始した日の翌日から起算して20日以内に納付しなければならないが、当該事業の全期間が200日であり概算保険料の額が80万円の場合には、概算保険料申告書を提出する際に延納の申請をすることにより、当該概算保険料を分割納付することができる。

⑨答5 ○ 法18条、則27条 1 項、2 項カッコ書。設問の通り正しい。設問の場合、6 月 1 日から 9 月30日までに保険関係が成立した事業であるため、概算保険料を 2 回に分けて納付することができ、最初の期分の納付期限は保険関係成立の日の翌日から起算して50日目である 8 月20日となる。

⑨答6 ○ 法18条、則27条 2 項。設問の通り正しい。4 月 1 日から 7 月31日までの期分の概算保険料の納期限は、6 月 1 日から起算して40日目である 7 月10日となる。

> **Point** 継続事業であって、労働保険事務組合に労働保険事務の処理を委託しているものについては、**第 2 期及び第 3 期の納期限は14日延長される**が、**第 1 期の納期限は延長されない**。

⑨答7 × 則27条 2 項、則28条 2 項、国等の債権債務等の金額の端数計算に関する法律 3 条、昭和43.3.12基発123号。各期の納付額は、概算保険料額を期の数で除して得た額であるが、**1 円未満の端数**は、**第 1 期分**に加えて納付する。設問の場合、170,000÷ 3 ＝56,666.66666…となり、170,000－56,666× 3 ＝ 2 により 2 円調整が生じるため、第 1 期の納付額は「56,668円」であり、第 2 期及び第 3 期の納付額は各「56,666円」である。

⑨答8 ○ 法 3 条、法15条 2 項、法18条、則28条 1 項。設問の通り正しい。

> **Point** 【有期事業の延納の要件】
> 　有期事業の場合、(1)(2)のいずれも満たすときは、申請することにより、概算保険料を延納することができる。
> (1)次のいずれかに該当していること
> 　①納付すべき概算保険料の額が**75万円以上**の事業であること
> 　②事業に係る労働保険事務の処理が**労働保険事務組合に委託**されている事業であること
> (2)事業の全期間が**6 月以内**の事業ではないこと

⑨問9 延納できる要件を満たす有期事業(一括有期事業を除く。)の概算
□□□ 保険料については、平成29年6月15日に事業を開始し、翌年の6
H29-災10イ 月5日に事業を終了する予定の場合、3期に分けて納付すること
ができ、その場合の第1期の納期限は平成29年7月5日となる。

⑨問10 概算保険料について延納できる要件を満たす有期事業(一括有期
□□□ 事業を除く。)の事業主が、6月1日に保険関係が成立した事業に
R2-雇8B ついて保険料の延納を希望する場合、11月30日までが第1期とな
り、最初の期分の納付期限は6月21日となる。

⑨問11 概算保険料について延納が認められている有期事業(一括有期事
□□□ 業を除く。)の事業主の4月1日から7月31日までの期分の概算保
H27-雇9E 険料の納期限は、労働保険事務組合に労働保険事務の処理を委託し
ている場合であっても、3月31日とされている。

⑨問12 令和4年5月1日から令和6年2月28日までの期間で道路工事
□□□ を行う事業について、事業主が納付すべき概算保険料の額が120万
R5-雇8E 円であったとき、延納の申請により第1期に納付すべき概算保険
料の額は24万円とされる。

9答9 ○　法18条、則28条。設問の通り正しい。設問の場合、保険関係成立の日（6月15日）から、その日が属する延納に係る期（4月1日から7月31日）の末日までの期間が **2月以内** であるため、保険関係成立の日から11月30日までを第1期とし、以降は12月1日から翌年の3月31日までを第2期、翌年の4月1日から6月5日を第3期として概算保険料を延納することができる。また、この場合（一括有期事業以外の有期事業）の第1期分の納期限は、保険関係が成立した日の翌日から起算して20日目である7月5日となる。

徴収

9答10 ○　法18条、則28条1項カッコ書、2項。設問の通り正しい。設問の場合、保険関係成立の日からその日の属する期の末日までの期間が2月以内であるため、その日の属する期の次の期の末日（11月30日）までが第1期となり、最初の期分の納付期限は保険関係成立の日の翌日から起算して20日目である6月21日となる。

9答11 ○　法18条、則28条。設問の通り正しい。

 Point　有期事業の場合は、継続事業と異なり、労働保険事務組合に労働保険事務の処理を委託している場合であっても、第2期及び第3期の納期限は14日延長されない。

9答12 ×　法18条、則28条1項。設問の場合は、延納の申請により、令和4年5月1日から7月31日までを第1期、令和4年8月1日から11月30日までを第2期、令和4年12月1日から令和5年3月31日までを第3期、令和5年4月1日から7月31日までを第4期、令和5年8月1日から11月30日までを第5期、令和5年12月1日から令和6年2月28日までを第6期として、6回に分けて概算保険料を納付することができ、第1期に納付すべき概算保険料の額は、120万円÷6＝「20万円」となる。

10 増加概算保険料等

最新問題

10問 1
□□□
R6-雇10E

労働保険徴収法第21条の規定により追徴金を徴収しようとする場合、所轄都道府県労働局歳入徴収官は、事業主が通知を受けた日から起算して30日を経過した日をその納期限と定め、納入告知書により、事業主に、当該追徴金の額、その算定の基礎となる事項及び納期限を通知しなければならない。

過去問

10問 1
□□□
R3-災9C

労働保険徴収法第16条の厚生労働省令で定める要件に該当するときは、既に納付した概算保険料と増加を見込んだ賃金総額の見込額に基づいて算定した概算保険料との差額(以下「増加概算保険料」という。)を、その額その他厚生労働省令で定める事項を記載した申告書に添えて納付しなければならないが、当該申告書の記載事項は増加概算保険料を除き概算保険料申告書と同一である。

10問 2
□□□
R4-雇9B

事業主は、労災保険に係る保険関係のみが成立している事業について、保険年度又は事業期間の中途に、労災保険及び雇用保険に係る保険関係が成立している事業に該当するに至ったため、当該事業に係る一般保険料率が変更した場合、労働保険徴収法施行規則に定める要件に該当するときは、一般保険料率が変更された日の翌日から起算して30日以内に、変更後の一般保険料率に基づく労働保険料の額と既に納付した労働保険料の額との差額を納付しなければならない。

10問 3
□□□
R4-雇9A

事業主は、労災保険及び雇用保険に係る保険関係が成立している事業が、保険年度又は事業期間の中途に、労災保険に係る保険関係のみ成立している事業に該当するに至ったため、当該事業に係る一般保険料率が変更した場合、既に納付した概算保険料の額と変更後の一般保険料率に基づき算定した概算保険料の額との差額について、保険年度又は事業期間の中途にその差額の還付を請求できない。

⑩答1 ✕ 法21条3項、則26条、則38条5項。設問の「事業主が通知を受けた日から起算して30日を経過した日」は、正しくは「通知を発する日から起算して30日を経過した日」である。

⑩答1 ✕ 法15条1項、2項、法16条、則24条2項、則25条2項。増加概算保険料に係る申告書の記載事項は、増加概算保険料以外も「保険料算定基礎額の見込額が増加した年月日」が規定されており、概算保険料申告書の記載事項と同一ではない。

⑩答2 ◯ 法附則5条。設問の通り正しい。なお、設問の「労働保険徴収法施行規則に定める要件」とは、変更後の一般保険料率に基づき算定した概算保険料の額が既に納付した概算保険料の額の100分の200を超え、かつ、その差額が13万円以上であることである。

⑩答3 ◯ 法附則5条。設問の通り正しい。設問の場合に還付を行うとする規定はない。

⑩問4
□□□
H27-雇9A

概算保険料について延納が認められている継続事業(一括有期事業を含む。)の事業主は、増加概算保険料の納付については、増加概算保険料申告書を提出する際に延納の申請をすることにより延納することができる。

⑩問5
□□□
R2-雇8C

概算保険料について延納が認められている継続事業(一括有期事業を含む。)の事業主が、増加概算保険料の納付について延納を希望する場合、7月1日に保険料算定基礎額の増加が見込まれるとき、3回に分けて納付することができ、最初の期分の納付期限は7月31日となる。

⑩問6
□□□
H30-災9ｸ

政府が、保険年度の中途に、一般保険料率、第1種特別加入保険料率、第2種特別加入保険料率又は第3種特別加入保険料率の引上げを行ったときは、増加した保険料の額の多少にかかわらず、法律上、当該保険料の額について追加徴収が行われることとなっている。

⑩問7
□□□
H30-災9ｹ

追加徴収される概算保険料については、所轄都道府県労働局歳入徴収官が当該概算保険料の額の通知を行うが、その納付は納付書により行われる。

⑩問8
□□□
R4-雇9E

事業主は、政府が保険年度の中途に一般保険料率、第一種特別加入保険料率、第二種特別加入保険料率、第三種特別加入保険料率の引上げを行ったことにより、概算保険料の増加額を納付するに至ったとき、所轄都道府県労働局歳入徴収官が追加徴収すべき概算保険料の増加額等を通知した納付書によって納付することとなり、追加徴収される概算保険料に係る申告書を提出する必要はない。

⑩答4 ○ 法18条、則30条1項。設問の通り正しい。

⑩答5 ○ 則30条2項。設問の通り正しい。設問の場合は、7月1日に保険料算定基礎額の増加が見込まれることから、7月1日から7月31日を最初の期、8月1日から11月30日を第2期、12月1日から翌年3月31日を第3期として、当該増加概算保険料を3回に分けて納付することができ、最初の期分の納付期限は増加が見込まれた日の翌日から起算して30日目である7月31日となる。

> **Point** 増加概算保険料の延納の場合、最初の期は2月を超えていなくても成立させる点が、概算保険料の延納と大きく異なる。

⑩答6 ○ 法17条1項。設問の通り正しい。

⑩答7 ○ 法17条2項、則26条、則38条4項。設問の通り正しい。なお、納入告知書に係る労働保険料等（下記 **Point** 参照）以外の納付については、納付書によって行わなければならない。

> **Point** 納入告知書によって通知するもの
> ・認定決定に係る確定保険料・追徴金の額
> ・有期事業のメリット制の適用により徴収する差額
> ・認定決定に係る印紙保険料・追徴金の額
> ・対象事業主の申出に係る特例納付保険料の額

⑩答8 ○ 法17条、則38条1項、4項、5項。設問の通り正しい。設問（概算保険料の追加徴収）の場合は、所轄都道府県労働局歳入徴収官は、通知を発する日から起算して30日を経過した日をその納期限と定め、事業主に追加徴収すべき概算保険料の増加額等を通知し、事業主は、当該納期限までに増加額等を通知した納付書により納付しなければならないとされているが、この場合、事業主は保険料申告書を提出する必要はない。

10 問9
□□□
H30-災9I

政府が、保険年度の中途に、一般保険料率、第1種特別加入保険料率、第2種特別加入保険料率又は第3種特別加入保険料率の引下げを行ったときは、法律上、引き下げられた保険料の額に相当する額の保険料の額について、未納の労働保険料その他この法律による徴収金の有無にかかわらず還付が行われることとなっている。

10 問10
□□□
R4-雇9D

事業主は、政府が保険年度の中途に一般保険料率、第一種特別加入保険料率、第二種特別加入保険料率、第三種特別加入保険料率の引下げを行ったことにより、既に納付した概算保険料の額が保険料率引下げ後の概算保険料の額を超える場合は、保険年度の中途にその超える額の還付を請求できない。

10 問11
□□□
H27-雇9B

概算保険料について延納が認められている継続事業(一括有期事業を含む。)の事業主が、労働保険徴収法第17条第2項の規定により概算保険料の追加徴収の通知を受けた場合、当該事業主は、その指定された納期限までに延納の申請をすることにより、追加徴収される概算保険料を延納することができる。

10 問12
□□□
H30-災9I

追加徴収される概算保険料については、延納をすることはできない。

10 問13
□□□
R3-災9D

概算保険料の納付は事業主による申告納付方式がとられているが、事業主が所定の期限までに概算保険料申告書を提出しないとき、又はその申告書の記載に誤りがあると認めるときは、都道府県労働局歳入徴収官が労働保険料の額を決定し、これを事業主に通知する。

10 問14
□□□
R3-災9E

事業主の納付した概算保険料の額が、労働保険徴収法第15条第3項の規定により政府の決定した概算保険料の額に足りないとき、事業主はその不足額を同項の規定による通知を受けた日の翌日から起算して15日以内に納付しなければならない。

⑩答9 ✕ 法17条。設問の場合に還付を行うとする規定はない。

⑩答10 ○ 法17条。設問の通り正しい。

⑩答11 ○ 法18条、則31条。設問の通り正しい。なお、追加徴収される概算保険料の延納回数及び各期の納期限は、増加概算保険料の延納の場合と同様であるが、最初の期分の追加徴収される概算保険料は、通知により指定された納期限までに納付しなければならない。

⑩答12 ✕ 法18条、則31条。概算保険料について延納が認められている事業主は、通知により指定された納期限までに延納の申請をすることにより、追加徴収される概算保険料についても延納することができる。

⑩答13 ○ 法15条3項、則1条3項。設問の通り正しい。

⑩答14 ○ 法15条4項。設問の通り正しい。

概算保険料の認定決定の場合は、確定保険料の認定決定の場合と異なり、追徴金は徴収されない。

⑩問15 都道府県労働局歳入徴収官により認定決定された概算保険料の額
□□□ 及び確定保険料の額の通知は、納入告知書によって行われる。
H29-雇8ウ

⑩問16 追加徴収される増加概算保険料については、事業主が増加概算保
□□□ 険料申告書を提出しないとき、又はその申告書の記載に誤りがある
H30-災9オ と認められるときは、所轄都道府県労働局歳入徴収官は増加概算保
険料の額を決定し、これを当該事業主に通知しなければならない。

⑩問17 認定決定された概算保険料については延納をすることができる
□□□ が、認定決定された増加概算保険料については延納することはでき
H29-災10エ ない。

⑩問18 事業主は、保険年度又は事業期間の中途に、一般保険料の算定の
□□□ 基礎となる賃金総額の見込額が増加した場合に、労働保険徴収法施
R4-雇9C 行規則に定める要件に該当するに至ったとき、既に納付した概算保
険料と増加を見込んだ賃金総額の見込額に基づいて算定した概算保
険料との差額（以下「増加概算保険料」という。）を納期限までに増
加概算保険料に係る申告書に添えて申告・納付しなければならない
が、その申告書の記載に誤りがあると認められるときは、所轄都道
府県労働局歳入徴収官は正しい増加概算保険料の額を決定し、これ
を事業主に通知することとされている。

⑩答15 ✕ 則38条4項、5項。認定決定された確定保険料の額の通知は設問の通り納入告知書によって行われる（**⑩答7**の **Point** 参照）が、認定決定された概算保険料の額の通知は、「納入告知書」によっては行われない。なお、認定決定された概算保険料の納付は、納付書によって行わなければならない。

⑩答16 ✕ 法16条。増加概算保険料については、認定決定は行われない。

⑩答17 ✕ 法16条、則29条。「増加概算保険料」については、認定決定は行われない。なお、増加概算保険料は、要件を満たせば延納することができる。また、設問前半の「認定決定された概算保険料については延納することができる」とする記述は正しい。

⑩答18 ✕ 法16条。増加概算保険料については、認定決定は行われない。

　次に示す業態をとる事業についての労働保険料に関する記述のうち、正しいものはどれか。

　なお、本問においては、保険料の滞納はないものとし、また、一般保険料以外の対象となる者はいないものとする。

　　　保険関係成立年月日：令和元年7月10日
　　　事業の種類：食料品製造業
　　　令和2年度及び3年度の労災保険率：1000分の6
　　　令和2年度及び3年度の雇用保険率：1000分の9
　　　令和元年度の確定賃金総額：4,000万円
　　　令和2年度に支払いが見込まれていた賃金総額：7,400万円
　　　令和2年度の確定賃金総額：7,600万円
　　　令和3年度に支払いが見込まれる賃金総額3,600万円

A　令和元年度の概算保険料を納付するに当たって概算保険料の延納を申請した。当該年度の保険料は3期に分けて納付することが認められ、第1期分の保険料の納付期日は保険関係成立の日の翌日から起算して50日以内の令和元年8月29日までとされた。

B　令和2年度における賃金総額はその年度当初には7,400万円が見込まれていたので、当該年度の概算保険料については、下記の算式により算定し、111万円とされた。

　　　7,400万円×1000分の15＝111万円

C　令和3年度の概算保険料については、賃金総額の見込額を3,600万円で算定し、延納を申請した。また、令和2年度の確定保険料の額は同年度の概算保険料の額を上回った。この場合、第1期分の保険料は下記の算式により算定した額とされた。

　　　3,600万円×1000分の15÷3＝18万円‥‥‥‥‥‥‥‥‥‥‥‥‥‥①
　　　（令和2年度の確定保険料）−（令和2年度の概算保険料）‥‥②
　　　第1期分の保険料＝①＋②

D　令和3年度に支払いを見込んでいた賃金総額が3,600万円から6,000万円に増加した場合、増加後の賃金総額の見込額に基づき算定した概算保険料の額と既に納付した概算保険料の額との差額を増加概算保険料として納付しなければならない。

E　令和3年度の概算保険料の納付について延納を申請し、定められた納期限に従って保険料を納付後、政府が、申告書の記載に誤りがあったとして概算保険料の額を決定し、事業主に対し、納付した概算保険料の額が政府の決定した額に足りないと令和3年8月16日に通知した場合、事業主はこの不足額を納付しなければならないが、この不足額については、その額にかかわらず、延納を申請することができない。

⑩答19 **正解　C**

A　×　則27条1項。設問の場合は、令和元年7月10日に保険関係が成立しているため、令和元年7月10日から11月30日を第1期、令和元年12月1日から令和2年3月31日を第2期とし、令和元年度の概算保険料は「3期」ではなく、「2期」に分けて納付することが認められる。なお、納付期日に関する記述は正しい。

B　×　法15条1項1号、則24条1項。設問の場合、令和2年度における賃金総額の見込額が7,400万円、令和元年度の確定賃金総額が4,000万円であり、令和2年度の賃金総額の見込額が令和元年度の確定賃金総額の100分の50以上100分の200以下の範囲内にあることから、令和2年度の概算保険料の額は令和元年度の確定賃金総額を用いて計算し、「4,000万円」×1000分の15＝「60万円」となる。

C　〇　法15条1項1号、法19条3項、則27条。設問の通り正しい。設問の場合は、令和3年度における賃金総額の見込額が3,600万円であり、令和2年度の確定賃金総額が7,600万円であり、令和3年度の賃金総額の見込額が令和2年度の確定賃金総額の100分の50以上100分の200以下の範囲内にはないため、令和3年度の概算保険料の額の算定に当たっては、令和3年度の賃金総額の見込額である3,600万円を用いて計算することになる。また、前保険年度より保険関係が引き続く場合は、概算保険料を3期に分けて納付することができる。したがって、令和3年度の最初の期分である18万円と、令和2年度の確定精算分を合わせた額が、第1期分の保険料となる。

D　×　法16条、則25条1項。設問の場合、増加後の賃金総額の見込額が増加前の賃金総額の見込額の100分の200を超えていないことから、増加概算保険料を納付する必要はない。

E　×　則29条1項。事業主は、いわゆる概算保険料の認定決定を受けた場合であっても、延納の要件に該当するときは、当該概算保険料の延納の申請を行うことができる。

11 確定保険料の申告・納付

最新問題

11 問 1
□□□
R6-雇10A

前保険年度より保険関係が引き続く継続事業の事業主は、労働保険徴収法第19条第 1 項に定める確定保険料申告書を、保険年度の 7 月10日までに所轄都道府県労働局歳入徴収官に提出しなければならないが、当該事業が 3 月31日に廃止された場合には同年 5 月10日までに提出しなければならない。

11 問 2
□□□
R6-雇10B

3 月31日に事業が終了した有期事業の事業主は、労働保険徴収法第19条第 1 項に定める確定保険料申告書を、同年 5 月10日までに所轄都道府県労働局歳入徴収官に提出しなければならない。

過 去 問

11 問 1
□□□
R元-災9B

継続事業(一括有期事業を含む。)の事業主は、保険年度の中途に労災保険法第34条第 1 項の承認が取り消された事業に係る第 1 種特別加入保険料に関して、当該承認が取り消された日から50日以内に確定保険料申告書を提出しなければならない。

11 問 2
□□□
R5-雇8B

小売業を継続して営んできた事業主が令和 4 年10月31日限りで事業を廃止した場合、確定保険料申告書を同年12月10日までに所轄都道府県労働局歳入徴収官あてに提出しなければならない。

⓫答1 × 法5条、法19条1項、則38条1項。設問の「同年5月10日」は、正しくは「同年5月20日」である。継続事業における確定保険料申告書の提出期限は、次の保険年度の6月1日から**40日以内**（すなわち7月10日までに）又は保険関係が消滅した日から**50日以内**とされており、設問の後半の場合は、3月31日に事業が廃止されているので、保険関係消滅日は4月1日となり、同年5月20日までに提出しなければならないこととなる。

⓫答2 × 法5条、法19条2項、則38条1項。設問の「同年5月10日」は、正しくは「同年5月20日」である。有期事業における確定保険料申告書の提出期限は、保険関係が消滅した日から**50日以内**とされており、設問の場合は、3月31日に事業が終了しているので、保険関係消滅日は4月1日となり、同年5月20日までに提出しなければならないこととなる。

⓫答1 ○ 法19条1項。設問の通り正しい。

⓫答2 × 法5条、法19条1項、則38条1項。設問の場合は、確定保険料申告書を「同年12月20日」までに提出しなければならない。保険年度の中途に保険関係が消滅した場合には、保険関係が消滅した日から**50日以内**に確定保険料申告書を提出しなければならず、設問の場合は、保険関係消滅日は令和4年11月1日であり、提出期限は同年12月20日となる。

①問3
□□□
R5-雇8C
難

　令和4年6月1日に労働保険の保険関係が成立し、継続して交通運輸事業を営んできた事業主は、概算保険料の申告及び納付手続と確定保険料の申告及び納付手続とを令和5年度の保険年度において同一の用紙により一括して行うことができる。

①問4
□□□
H27-災9C

　建設の有期事業を行う事業主は、当該事業に係る労災保険の保険関係が消滅した場合であって、納付した概算保険料の額が確定保険料の額として申告した額に足りないときは、当該保険関係が消滅した日から起算して50日以内にその不足額を、確定保険料申告書に添えて、申告・納付しなければならない。

①問5
□□□
H27-雇9C

　概算保険料について延納が認められている継続事業(一括有期事業を含む。)の事業主が、納期限までに確定保険料申告書を提出しないことにより、所轄都道府県労働局歳入徴収官が労働保険料の額を決定し、これを事業主に通知した場合において、既に納付した概算保険料の額が、当該決定された確定保険料の額に足りないときは、その不足額を納付する際に延納の申請をすることができる。

①問6
□□□
H30-雇91

　確定保険料申告書は、納付した概算保険料の額が確定保険料の額以上の場合でも、所轄都道府県労働局歳入徴収官に提出しなければならない。

①問7
□□□
R元-災9D改

　事業主は、既に納付した概算保険料の額と確定保険料の額が同一であり過不足がないときは、確定保険料申告書を所轄都道府県労働局歳入徴収官に提出するに当たって、日本銀行(本店、支店、代理店及び歳入代理店をいう。)、年金事務所(日本年金機構法第29条の年金事務所をいう。)又は所轄労働基準監督署長を経由して提出できる。

①問8
□□□
R4-災8E

　労働保険料の納付を口座振替により金融機関に委託して行っている社会保険適用事業所(厚生年金保険又は健康保険法による健康保険の適用事業所)の事業主は、労働保険徴収法第19条第3項の規定により納付すべき労働保険料がある場合、有期事業以外の事業についての一般保険料に係る確定保険料申告書を提出するとき、年金事務所を経由して所轄都道府県労働局歳入徴収官に提出することができる。

⑪答3 ○　法15条1項、法19条1項、則24条3項、則33条2項。設問の通り正しい。継続事業については、通常の場合には、確定保険料の申告・納付期限は概算保険料の申告・納付期限と同日となるため、確定保険料の申告及び納付手続と概算保険料の申告及び納付手続とを同一の用紙により一括して行うことができる。

⑪答4 ○　法19条2項、3項。設問の通り正しい。

⑪答5 ×　法18条、法19条4項、5項、則1条3項、則38条5項。確定保険料については、延納することはできない。

⑪答6 ○　則38条1項、2項4号、7号。設問の通り正しい。

⑪答7 ×　則38条1項、2項4号、7号。事業主は、既に納付した概算保険料の額と確定保険料の額が同一であり過不足がないときは、確定保険料申告書を所轄都道府県労働局歳入徴収官に提出するに当たって、「日本銀行」を経由することはできない。なお、設問の事業主は、確定保険料申告書を年金事務所(所定の要件を満たす場合に限る。)又は所轄労働基準監督署長を経由して提出することができる。

⑪答8 ×　則38条2項2号、3号。労働保険料の納付を口座振替により金融機関に委託して行っている事業所に係る確定保険料申告書については、年金事務所を経由して所轄都道府県労働局歳入徴収官に提出することはできない。

⓫問9
☐☐☐
R元-災9C

事業主は、既に納付した概算保険料の額のうち確定保険料の額を超える額（超過額）の還付を請求できるが、その際、労働保険料還付請求書を所轄都道府県労働局歳入徴収官に提出しなければならない。

⓫問10
☐☐☐
R4-災8B

概算保険料を納付した事業主が、所定の納期限までに確定保険料申告書を提出しなかったとき、所轄都道府県労働局歳入徴収官は当該事業主が申告すべき正しい確定保険料の額を決定し、これを事業主に通知することとされているが、既に納付した概算保険料の額が所轄都道府県労働局歳入徴収官によって決定された確定保険料の額を超えるとき、当該事業主はその通知を受けた日の翌日から起算して10日以内に労働保険料還付請求書を提出することによって、その超える額の還付を請求することができる。

⓫問11
☐☐☐
H29-雇87改

事業主が、納付した概算保険料の額のうち確定保険料の額を超える額（**⓫問12**において「超過額」という。）の還付を請求したときは、国税通則法の例にはよらず、還付加算金は支払われない。

⓫問12
☐☐☐
H29-雇81

事業主による超過額の還付の請求がない場合であって、当該事業主から徴収すべき次の保険年度の概算保険料その他未納の労働保険料等があるときは、所轄都道府県労働局歳入徴収官は、当該超過額を当該概算保険料等に充当することができるが、この場合、当該事業主による充当についての承認及び当該事業主への充当後の通知は要しない。

⑪答9 ✕　法19条6項、則36条。労働保険料還付請求書は、「所轄都道府県労働局歳入徴収官」ではなく、「**官署支出官**」又は「**所轄都道府県労働局労働保険特別会計資金前渡官吏(所轄都道府県労働局資金前渡官吏)**」に提出しなければならない。

> 【還付・充当】
> (1)事業主は、納付した概算保険料の額が、確定保険料の額を超えるときには、その超える額の**還付を請求**することができる。
> (2)**還付請求がない場合**には、超過額は、次の保険年度の概算保険料若しくは未納の労働保険料又は未納の一般拠出金その他の徴収金に**充当**される。

⑪答10 〇　法19条4項、6項、則1条3項、則36条。設問の通り正しい。

⑪答11 〇　法19条6項、法30条、則36条。設問の通り正しい。労働保険料その他徴収法の規定による徴収金は、同法に別段の定めがある場合を除き、国税徴収の例により徴収するとされており、労働保険料の還付に関しては徴収法19条6項に定めがあるため、国税徴収(国税通則法)の例にはよらず、還付加算金は支払われない。

⑪答12 ✕　則37条2項。設問の場合、当該事業主による充当についての承認は要しないが、所轄都道府県労働局歳入徴収官は、当該事業主への「充当後の通知」をしなければならない。

11 問13
□□□
R4-災8A
難

労災保険の適用事業場のすべての事業主は、労働保険の確定保険料の申告に併せて一般拠出金(石綿による健康被害の救済に関する法律第35条第1項の規定により徴収する一般拠出金をいう。以下同じ。)を申告・納付することとなっており、一般拠出金の額の算定に当たって用いる料率は、労災保険のいわゆるメリット制の対象事業場であってもメリット料率(割増・割引)の適用はない。

11 問14
□□□
H29-雇8I

有期事業(一括有期事業を除く。)について、事業主が確定保険料として申告すべき労働保険料の額は、特別加入者がいない事業においては一般保険料の額となり、特別加入者がいる事業においては第1種又は第3種特別加入者がいることから、これらの者に係る特別加入保険料の額を一般保険料の額に加算した額となる。

11 問15
□□□
R元-災9E

事業主が提出した確定保険料申告書の記載に誤りがあり、労働保険料の額が不足していた場合、所轄都道府県労働局歳入徴収官は労働保険料の額を決定し、これを事業主に通知する。このとき事業主は、通知を受けた日の翌日から起算して30日以内にその不足額を納付しなければならない。

11 問16
□□□
R4-災8D

事業主が所定の納期限までに確定保険料申告書を提出したが、当該事業主が法令の改正を知らなかったことによりその申告書の記載に誤りが生じていると認められるとき、所轄都道府県労働局歳入徴収官が正しい確定保険料の額を決定し、その不足額が1,000円以上である場合には、労働保険徴収法第21条に規定する追徴金が徴収される。

⑪答13 ○　法12条3項、石綿救済法35条、同法38条1項。設問の通り正しい。

⑪答14 ×　法19条2項。有期事業について、第3種特別加入者は存在し得ない。

⑪答15 ×　法19条4項、5項、則38条5項、国税通則法10条。設問の場合、事業主は、通知を受けた日の翌日から起算して「30日以内」ではなく、通知を受けた日の翌日から起算して「**15日以内**」にその不足額を納付しなければならない。

⑪答16 ○　法19条4項、法21条1項、2項、則1条3項、平成25.3.29基発0329第10号。設問の通り正しい。認定決定に係る確定保険料又はその不足額を納付しなければならない場合であっても、当該納付が天災その他やむを得ない理由によるものであるときは、追徴金を徴収しないこととされているが、「天災その他やむを得ない理由」とは、地震、火災、洪水、暴風雨等不可抗力的なできごと及びこれに類する真にやむを得ない客観的な事故をいい、法令の不知等は含まれない。

Point　【追徴金が徴収されない場合】
(1)事業主が天災その他やむを得ない理由(法令の不知、営業の不振等はこれに含まれない。)により、認定決定された確定保険料の額又はその不足額を納付しなければならなくなった場合
(2)認定決定された確定保険料の額又はその不足額が1,000円未満である場合

12 口座振替納付

最新問題

12 問 1
R6-災9A

労働保険料の口座振替による納付制度は、一括有期事業の事業主も、単独有期事業の事業主も対象となる。

12 問 2
R6-災9B

労働保険料の口座振替による納付制度は、納付が確実と認められ、かつ、口座振替の申出を承認することが労働保険料の徴収上有利と認められるときに限り、その申出を承認することができ、納入告知書によって行われる納付についても認められる。

12 問 3
R6-災9C

労働保険料を口座振替によって納付することを希望する事業主は、労働保険徴収法施行規則第38条の2に定める事項を記載した書面を所轄都道府県労働局歳入徴収官に提出することによって申出を行わなければならない。

12 問 4
R6-災9D

労働保険料を口座振替によって納付する事業主は、概算保険料申告書及び確定保険料申告書（労働保険徴収法施行規則第38条第2項第4号の申告書を除く。）を、日本銀行、年金事務所又は所轄公共職業安定所長を経由して所轄都道府県労働局歳入徴収官に提出することはできない。

12 問 5
R6-災9E

口座振替による納付制度を利用する事業主から納付に際し添えることとされている申告書の提出を受けた所轄都道府県労働局歳入徴収官は、労働保険料の納付に必要な納付書を労働保険徴収法第21条の2第1項の金融機関へ送付するものとされている。

過去問

12 問 1
H30-災10D

労働保険料の口座振替の承認は、労働保険料の納付が確実と認められれば、法律上、必ず行われることとなっている。

⓲答1 ○　法21条の2,1項、則38条の4。設問の通り正しい。

⓲答2 ×　法21条の2,1項、則38条の4。労働保険料の口座振替による納付制度は、納入告知書によって行われる納付については対象とならない。**過去問** ⓲**答2**の **Point** 参照。

⓲答3 ○　法21条の2,1項、則38条の2。設問の通り正しい。**過去問** ⓲**問7**参照。

⓲答4 ○　法21条の2,1項、則38条1項、2項7号。設問の通り正しい。

⓲答5 ○　法21条の2,1項、則38条の3。設問の通り正しい。なお、当該保険料の納付に関し必要な事項について金融機関に電磁的記録（情報通信技術活用法に規定する電磁的記録をいう。）を送付したときは、設問の納付書を金融機関に送付する必要はない。

⓲答1 ×　法21条の2,1項。労働保険料の口座振替の承認は、労働保険料の納付が確実と認められ、かつ、「その申出を承認することが労働保険料の徴収上有利と認められるとき」に限り、行うことができるとされている。

⑫問2
□□□
H30-災10A

口座振替により納付することができる労働保険料は、納付書により行われる概算保険料(延納する場合を除く。)と確定保険料である。

⑫問3
□□□
H30-災10C

労働保険徴収法第16条の規定による増加概算保険料の納付については、口座振替による納付の対象となる。

⑫問4
□□□
H27-災9E

労働保険徴収法第21条の2の規定に基づく口座振替による納付の承認を受けている建設の事業を行う事業主が、建設の有期事業で、納期限までに確定保険料申告書を提出しないことにより、所轄都道府県労働局歳入徴収官が労働保険料の額を決定し、これを事業主に通知した場合において、既に納付した概算保険料の額が当該決定された確定保険料の額に足りないときは、その不足額を口座振替により納付することができる。

⑫問5
□□□
H30-災10E

労働保険料の追徴金の納付については、口座振替による納付の対象とならない。

⑫問6
□□□
R3-雇8C

政府は、事業主から、特例納付保険料の納付をその預金口座又は貯金口座のある金融機関に委託して行うことを希望する旨の申出があった場合には、その納付が確実と認められ、かつ、その申出を承認することが労働保険料の徴収上有利と認められるときに限り、その申出を承認することができる。

⑫問7
□□□
R2-雇9A

事業主は、概算保険料及び確定保険料の納付を口座振替によって行うことを希望する場合、労働保険徴収法施行規則に定める事項を記載した書面を所轄都道府県労働局歳入徴収官に提出することによって、その申出を行わなければならない。

⑫問8
□□□
H30-災10B改

口座振替による労働保険料の納付が承認された事業主は、概算保険料申告書及び確定保険料申告書を所轄都道府県労働局歳入徴収官に提出するが、この場合には所轄労働基準監督署長を経由して提出することはできない。

⑫答2 ✕ 　則38条の４。設問のカッコ書が誤りである。延納する場合の概算保険料も口座振替により納付することができる

> **Point**　口座振替により納付することができるのは、納付書によって行われる次の労働保険料である。
> (1)概算保険料(延納する場合を含む。)
> (2)確定保険料

⑫答3 ✕ 　則38条の４。増加概算保険料については、口座振替による納付の対象とならない。**⑫答2**の **Point** 参照。

⑫答4 ✕ 　則38条の４。認定決定された労働保険料の納付については、口座振替による納付の対象とされていない。**⑫答2**の **Point** 参照。

⑫答5 〇 　則38条の４。設問の通り正しい。**⑫答2**の **Point** 参照。

⑫答6 ✕ 　則38条の４。特例納付保険料は、口座振替による納付の対象とはされていない。**⑫答2**の **Point** 参照。

⑫答7 〇 　則38条の２。設問の通り正しい。

⑫答8 ✕ 　則38条１項、２項７号。口座振替により労働保険料を納付する場合の概算保険料申告書及び確定保険料申告書は、所轄労働基準監督署長を経由して所轄都道府県労働局歳入徴収官に提出することができる。

12 問 9
□□□
R2-雇9B

都道府県労働局歳入徴収官から労働保険料の納付に必要な納付書の送付を受けた金融機関が口座振替による納付を行うとき、当該納付書が金融機関に到達した日から2取引日を経過した最初の取引日までに納付された場合には、その納付の日が納期限後であるときにおいても、その納付は、納期限においてなされたものとみなされる。

13 印紙保険料

最新問題

13 問 1
□□□
R6-雇9A

雇用保険印紙購入通帳は、その交付の日の属する保険年度に限りその効力を有するが、有効期間の更新を受けた当該雇用保険印紙購入通帳は、更新前の雇用保険印紙購入通帳の有効期間が満了する日の翌日の属する保険年度に限り、その効力を有する。

13 問 2
□□□
R6-雇9B
🔴難

事業主は、雇用保険印紙購入通帳の雇用保険印紙購入申込書がなくなった場合であって、当該保険年度中に雇用保険印紙を購入しようとするときは、その旨を所轄公共職業安定所長に申し出て、再交付を受けなければならない。

13 問 3
□□□
R6-雇9C

事業主は、その所持する雇用保険印紙購入通帳の有効期間が満了したときは、速やかに、その所持する雇用保険印紙購入通帳を所轄公共職業安定所長に返納しなければならない。

13 問 4
□□□
R6-雇9D

事業主は、雇用保険印紙と印紙保険料納付計器を併用して印紙保険料を納付する場合、労働保険徴収法施行規則第54条に定める印紙保険料納付状況報告書によって、毎月における雇用保険印紙の受払状況及び毎月における印紙保険料納付計器の使用状況を、所轄公共職業安定所長を経由して、所轄都道府県労働局歳入徴収官に報告しなければならない。

13 問 5
□□□
R6-雇9E
🔴難

事業主は、印紙保険料納付計器の全部又は一部を使用しなくなったときは、当該使用しなくなった印紙保険料納付計器を納付計器に係る都道府県労働局歳入徴収官に提示しなければならず、当該都道府県労働局歳入徴収官による当該印紙保険料納付計器の封の解除その他必要な措置を受けることとなる。

⓬答9 ○ 法21条の2,2項、則38条の5。設問の通り正しい。なお、取引日とは、金融機関の休日以外の日をいう。

⓭答1 ○ 則42条2項、5項。設問の通り正しい。

⓭答2 ○ 則42条6項。設問の通り正しい。

⓭答3 ○ 則42条8項。設問の通り正しい。

⓭答4 × 法24条、則54条、則55条。設問の場合には、労働保険徴収法施行規則第54条に定める印紙保険料納付状況報告書と併せて「労働保険徴収法施行規則第55条に定める印紙保険料納付計器使用状況報告書」によって報告しなければならない。

⓭答5 ○ 則52条1項、2項。設問の通り正しい。

13問1
☐☐☐
H28-雇9A

請負事業の一括の規定により元請負人が事業主とされる場合は、当該事業に係る労働者のうち下請負人が使用する日雇労働被保険者に係る印紙保険料についても、当該元請負人が納付しなければならない。

13問2
☐☐☐
H28-雇9B

事業主は、その使用する日雇労働被保険者については、印紙保険料を納付しなければならないが、一般保険料を負担する義務はない。

13問3
☐☐☐
R2-雇9C

印紙保険料の納付は、日雇労働被保険者手帳へ雇用保険印紙を貼付して消印又は納付印の押印によって行うため、事業主は、日雇労働被保険者を使用する場合には、その者の日雇労働被保険者手帳を提出させなければならず、使用期間が終了するまで返還してはならない。

13問4
☐☐☐
R2-雇9D

事業主は、日雇労働被保険者手帳に貼付した雇用保険印紙の消印に使用すべき認印の印影をあらかじめ所轄公共職業安定所長に届け出なければならない。

13問5
☐☐☐
R5-雇9B

事業主は、雇用保険印紙を購入しようとするときは、あらかじめ、労働保険徴収法施行規則第42条第1項に掲げる事項を記載した申請書を所轄都道府県労働局歳入徴収官に提出して、雇用保険印紙購入通帳の交付を受けなければならない。

13問6
☐☐☐
R2-雇9E

雇用保険印紙購入通帳の有効期間の満了後引き続き雇用保険印紙を購入しようとする事業主は、当該雇用保険印紙購入通帳の有効期間が満了する日の翌日の1月前から当該期間が満了する日までの間に、当該雇用保険印紙購入通帳を添えて雇用保険印紙購入通帳更新申請書を所轄公共職業安定所長に提出して、有効期間の更新を受けなければならない。

13問7
☐☐☐
R5-雇9D

事業主は、雇用保険印紙が変更されたときは、その変更された日から1年間、雇用保険印紙を販売する日本郵便株式会社の営業所に雇用保険印紙購入通帳を提出し、その保有する雇用保険印紙の買戻しを申し出ることができる。

13答1 ×　法23条1項カッコ書。設問の場合、下請負人が使用する日雇労働被保険者に係る印紙保険料については、「当該**下請負人**」が納付しなければならない。

13答2 ×　法23条1項、法31条。事業主は、日雇労働被保険者の一般保険料についても負担する義務がある。

13答3 ×　法23条6項。「使用期間が終了するまで返還してはならない」という規定はない。なお、使用する日雇労働被保険者から日雇労働被保険者手帳の提出を受けた事業主は、その者から請求があったときは、これを返還しなければならないとされている。

13答4 ○　則40条2項。設問の通り正しい。

13答5 ×　則42条1項。申請書は、「所轄都道府県労働局歳入徴収官」ではなく、「所轄公共職業安定所長」に提出する。

13答6 ○　則42条3項、4項。設問の通り正しい。

> 雇用保険印紙購入通帳は、その交付の日の属する保険年度に限り、その効力を有する。

13答7 ×　則43条2項3号。設問の「1年間」は、正しくは「6月間」である。

⑬問8
□□□
印紙保険料納付計器を厚生労働大臣の承認を受けて設置した事業主は、使用した日雇労働被保険者に賃金を支払う都度、その使用した日の被保険者手帳における該当日欄に納付印をその使用した日数に相当する回数だけ押した後、納付すべき印紙保険料の額に相当する金額を所轄都道府県労働局歳入徴収官に納付しなければならない。

⑬問9
□□□
雇用保険印紙購入通帳の交付を受けている事業主は、印紙保険料納付状況報告書により、毎月における雇用保険印紙の受払状況を翌月末日までに、所轄公共職業安定所長を経由して、所轄都道府県労働局歳入徴収官に報告しなければならないが、日雇労働被保険者を一人も使用せず雇用保険印紙の受払いのない月に関しても、報告する義務がある。

⑬問10
□□□
印紙保険料を所轄都道府県労働局歳入徴収官が認定決定したときは、納付すべき印紙保険料については、日本銀行(本店、支店、代理店及び歳入代理店をいう。)に納付することはできず、所轄都道府県労働局収入官吏に現金で納付しなければならない。

⑬問11
□□□
事業主は、正当な理由がないと認められるにもかかわらず、印紙保険料の納付を怠ったときは、認定決定された印紙保険料の額(その額に1000円未満の端数があるときは、その端数は、切り捨てる)の100分の10に相当する追徴金を徴収される。

⑬**答8** × 法23条3項、則44条。設問の後半が誤り。納付印を押すことによって印紙保険料を納付することができるのであり、納付印を押した後、納付すべき印紙保険料の額に相当する金額を所轄都道府県労働局歳入徴収官に納付する必要はない。

⑬**答9** ○ 法24条、則54条、則78条1項2号。設問の通り正しい。雇用保険印紙購入通帳の交付を受けている事業主は、雇用保険印紙の受払がない月についても、その旨を報告しなければならない。

⑬**答10** × 則38条3項2号、平成15.3.31基発0331002号。認定決定により納付すべき印紙保険料については、所轄都道府県労働局収入官吏のほか、「日本銀行」に納付することもできる。なお、認定決定された印紙保険料は、設問の通り、現金で納付しなければならず、雇用保険印紙によって納付することはできない。

【認定決定された保険料の納期限】

概算保険料	通知を受けた日から15日以内
確定保険料	
印紙保険料	調査決定をした日から20日以内の休日でない日

⑬**答11** × 法25条2項。「100分の10」ではなく、「**100分の25**」である。

【追徴金の額】
・確定保険料…認定決定により納付すべき額(1,000円未満の端数は切り捨てる)の100分の10
・印紙保険料…認定決定により納付すべき額(1,000円未満の端数は切り捨てる)の100分の25

過去問

14 問1
☐☐☐
R3-雇8A

雇用保険の被保険者となる労働者を雇い入れ、労働者の賃金から雇用保険料負担額を控除していたにもかかわらず、労働保険徴収法第4条の2第1項の届出を行っていなかった事業主は、納付する義務を履行していない一般保険料のうち徴収する権利が時効によって既に消滅しているものについても、特例納付保険料として納付する義務を負う。

14 問2
☐☐☐
H27-雇10B

雇用保険法第7条の規定による被保険者自らに関する届出がされていなかった事実を知っていた者については、特例対象者から除かれている。

14 問3
☐☐☐
H27-雇10A

特例納付保険料の対象となる事業主は、特例対象者を雇用していた事業主で、雇用保険に係る保険関係が成立していたにもかかわらず、労働保険徴収法第4条の2第1項の規定による届出をしていなかった者である。

14 問4
☐☐☐
H27-雇10C

特例納付保険料は、その基本額のほか、その額に100分の10を乗じて得た額を加算したものとされている。

14 問5
☐☐☐
R3-雇8B

特例納付保険料の納付額は、労働保険徴収法第26条第1項に規定する厚生労働省令で定めるところにより算定した特例納付保険料の基本額に、当該特例納付保険料の基本額に100分の10を乗じて得た同法第21条第1項の追徴金の額を加算して求めるものとされている。

徴収

⑭答1 ✕ 法26条1項、3項、5項。設問の事業主は、特例納付保険料を納付することが「できる」とされており、当然に特例納付保険料を納付する義務を負うわけではなく、特例納付保険料の納付を申し出た場合に、特例納付保険料を納付する義務を負うこととなる。

徴収する権利が時効によって消滅していない保険料については、特例納付保険料の対象とならない(確定保険料額に係る認定決定をし、徴収することとなる)。

⑭答2 ◯ 雇用保険法22条5項1号。設問の通り正しい。

プラスα

特例対象者とは、次の①、②のいずれにも該当する者(①の届出がされていなかった事実を知っていた者を除く。)をいう。
① 被保険者資格取得等の届出がされていなかったこと。
② 賃金台帳等に基づき、被保険者となったことの確認があった日の2年前の日より前に、被保険者が負担すべき労働保険料の額に相当する額が、その者に支払われた賃金から控除されていたことが明らかである時期があること。

⑭答3 ◯ 法26条1項。設問の通り正しい。

Point

特例納付保険料の対象となる事業主は、特例対象者を雇用していた事業主であって、雇用保険に係る保険関係が成立していたにもかかわらず、保険関係成立届を提出していなかった事業主である。

⑭答4 ◯ 法26条1項、則56条1項、則57条。設問の通り正しい。特例納付保険料は、一般保険料等と違い、本来申告などにより事業主が納めるべき義務がかかっている性質の保険料ではないため、追徴金の規定は適用されないが、追徴金と同旨により100分の10の額を加算した額を徴収することとされている。

⑭答5 ✕ 法26条1項、則56条1項、則57条。特例納付保険料の基本額に加算されるのは、当該特例納付保険料の基本額に100分の10を乗じて得た「加算額」であって、「同法第21条第1項の追徴金の額」ではない。**⑭答4**参照。

⑭問6
☐☐☐
H27-雇10E
　　特例納付保険料の基本額は、当該特例対象者に係る被保険者の負担すべき額に相当する額がその者に支払われた賃金から控除されていたことが明らかである時期のすべての月に係る賃金が明らかである場合には、各月それぞれの賃金の額に各月それぞれに適用される雇用保険率を乗じて得た額の合計額とされている。

⑭問7
☐☐☐
H27-雇10D
　　厚生労働大臣による特例納付保険料の納付の勧奨を受けた事業主から当該保険料を納付する旨の申出があった場合には、都道府県労働局歳入徴収官が、通知を発する日から起算して30日を経過した日をその納期限とする納入告知書により、当該事業主に対し、決定された特例納付保険料の額を通知する。

⑭問8
☐☐☐
R3-雇8E
　　所轄都道府県労働局歳入徴収官は、労働保険徴収法第26条第4項の規定に基づき、特例納付保険料を徴収しようとする場合には、通知を発する日から起算して30日を経過した日をその納期限と定め、事業主に、労働保険料の増加額及びその算定の基礎となる事項並びに納期限を通知しなければならない。

15 滞納に対する措置

過去問

⑮問1
☐☐☐
R元-雇8A
　　労働保険徴収法第27条第1項は、「労働保険料その他この法律の規定による徴収金を納付しない者があるときは、政府は、期限を指定して督促しなければならない。」と定めているが、この納付しない場合の具体的な例には、保険年度の6月1日を起算日として40日以内又は保険関係成立の日の翌日を起算日として50日以内に(延納する場合には各々定められた納期限までに)納付すべき概算保険料の完納がない場合がある。

⑭答6 ✕ 法26条1項、則56条1項。設問の場合の基本額は、「各月それぞれの賃金の額に各月それぞれに適用される雇用保険率を乗じて得た額の合計額」ではなく、「当該賃金の合計額を当該月数で除した額に、被保険者の負担すべき額に相当する額がその者に支払われた賃金から控除されていたことが明らかである時期の直近の日の雇用保険率及びその最も古い日から被保険者の負担すべき額に相当する額がその者に支払われた賃金から控除されていたことが明らかである時期の直近の日までの期間（保険関係成立の届出をしていた期間及び認定決定による確定保険料の額の算定の対象となった期間を除く。）に係る月数を乗じて得た額」とされている。

$$基本額 = \frac{対象期間の すべての月の賃金の合計額}{対象期間のすべての月数} \times 対象期間の 直近の雇用保険率 \times 対象期間の月数$$

⑭答7 ◯ 法26条3項、4項、則38条5項、則59条。設問の通り正しい。なお、納入告知書により通知するものについては、⑩「増加概算保険料等」⑩**答7**の **Point** 参照。

⑭答8 ✕ 則59条。設問の場合、所轄都道府県労働局歳入徴収官は、「労働保険料の増加額及びその算定の基礎となる事項並びに納期限」ではなく、「特例納付保険料の額及び納期限」を通知しなければならない。なお、設問前半の納期限に関する記述は正しい。

⑮答1 ◯ 法27条1項、昭和55.6.5発労徴40号。設問の通り正しい。

⑮問2 不動産業を継続して営んできた事業主が令和5年7月10日までに確定保険料申告書を提出しなかった場合、所轄都道府県労働局歳入徴収官が労働保険料の額を決定し、これを当該事業主に通知するとともに労働保険徴収法第27条に基づく督促が行われる。

R5-雇8A

⑮問3 労働保険徴収法第27条第2項により政府が発する督促状で指定すべき期限は、「督促状を発する日から起算して10日以上経過した日でなければならない。」とされているが、督促状に記載した指定期限経過後に督促状が交付され、又は公示送達されたとしても、その督促は無効であり、これに基づいて行った滞納処分は違法となる。

R元-雇8C

⑮問4 労働保険徴収法第27条第3項に定める「労働保険料その他この法律の規定による徴収金」には、法定納期限までに納付すべき概算保険料、法定納期限までに納付すべき確定保険料及びその確定不足額等のほか、追徴金や認定決定に係る確定保険料及び確定不足額も含まれる。

R元-雇8B

⑮問5 労働保険徴収法第26条第2項の規定により厚生労働大臣から特例納付保険料の納付の勧奨を受けた事業主が、特例納付保険料を納付する旨を、厚生労働省令で定めるところにより、厚生労働大臣に対して書面により申し出た場合、同法第27条の督促及び滞納処分の規定並びに同法第28条の延滞金の規定の適用を受ける。

R3-雇8D

⑮問6 労働保険料の納付義務者の住所及び居所が不明な場合は、公示送達（都道府県労働局の掲示場に掲示すること。）の方法により、督促を行うことになるが、公示送達の場合は、掲示を始めた日から起算して7日を経過した日、すなわち掲示日を含めて8日目にその送達の効力が生じるところ、その末日が休日に該当したときは延期される。

H29-雇9D

⑮答2 ✕ 法19条１項、４項、法27条１項。確定保険料については、所定の納期限までに事業主が確定保険料申告書を提出しなかった場合は、所轄都道府県労働局歳入徴収官が労働保険料の額を決定（認定決定）をし、当該事業主に通知してこれを納付させることとなるので、この場合に、法27条に基づく督促が行われるのは、この通知があってもなお法定納期限（通知を受けた日から15日以内）までに納付しなかったときに限られる。

⑮答3 〇 法27条２項。設問の通り正しい。

⑮答4 〇 法27条３項、昭和55.6.5発労徴40号。設問の通り正しい。

⑮答5 〇 法26条、法27条、法28条。設問の通り正しい。設問の事業主が特例納付保険料を納付する旨を申し出た場合は、所定の納期限までに特例納付保険料を納付しなければならないこととされるので、他の労働保険料と同様、督促、滞納処分及び延滞金の規定が適用される。

⑮答6 ✕ 法30条、則61条、国税通則法14条３項、昭和62.3.26労徴発19号。設問の末日が休日に該当しても延期されない。

⑮問7
□□□
R4-雇10E

　政府は、労働保険料その他労働保険徴収法の規定による徴収金を納付しない事業主に対して、同法第27条に基づく督促を行ったにもかかわらず、督促を受けた当該事業主がその指定の期限までに労働保険料その他同法の規定による徴収金を納付しないとき、同法に別段の定めがある場合を除き、政府は、当該事業主の財産を差し押さえ、その財産を強制的に換価し、その代金をもって滞納に係る労働保険料等に充当する措置を取り得る。

⑮問8
□□□
H29-雇9B
🈔

　労働保険料その他労働保険徴収法の規定による徴収金の先取特権の順位は、国税及び地方税に次ぐものとされているが、徴収金について差押えをしている場合は、国税の交付要求があったとしても、当該差押えに係る徴収金に優先して国税に配当しなくてもよい。

⑮問9
□□□
R元-雇8E

　政府は、労働保険料の督促をしたときは、労働保険料の額につき年14.6％の割合で、督促状で指定した期限の翌日からその完納又は財産差押えの日の前日までの期間の日数により計算した延滞金を徴収する。

⑮答7 ○　法27条3項、国税徴収法47条他。設問の通り正しい。労働保険徴収法上の徴収金は、労働保険徴収法27条3項に「国税滞納処分の例によって、これを処分する」と規定され、国税徴収法を準用することとされており、国税徴収法上規定されている滞納処分の執行手続は、①財産の差押え、②財産の換価、③換価代金等の配当（換価代金等を滞納保険料等に充当する措置等）、とされている。

⑮答8 ×　法29条、昭和56.9.25労徴発68号。設問の場合でも、当該差押えに係る徴収金に優先して国税に配当しなければならない。

⑮答9 ×　法28条1項。設問の延滞金の計算の基礎となる期間の日数の起算日は、「督促状で指定した期限の翌日」ではなく、「**納期限の翌日**」である。なお、労働保険料に係る延滞金の割合は、当該納期限の翌日から**2月**を経過する日までの期間については、年**7.3%**とされている。

> **プラスα**
>
> 【延滞金の割合の特例】
> 当分の間、延滞税特例基準割合が年7.3％に満たない場合には、「年14.6％」の率にあっては、「延滞税特例基準割合＋年7.3％」の率が適用され、「年7.3％」の率にあっては、「年7.3％」と「延滞税特例基準割合＋年1.0％」のいずれか低い率が適用される。
>
>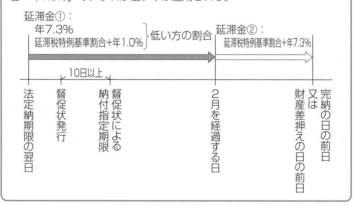

15 問10
☐☐☐
H29-雇9E

労働保険料を納付しない者に対して、平成29年中に、所轄都道府県労働局歳入徴収官が督促したときは、労働保険料の額に、納期限の翌日からその完納又は財産差押えの日までの期間の日数に応じ、年14.6％（当該納期限の翌日から２月を経過する日までの期間については、年7.3％）を乗じて計算した延滞金が徴収される。

15 問11
☐☐☐
H29-雇9A

事業主が労働保険料その他労働保険徴収法の規定による徴収金を法定納期限までに納付せず督促状が発せられた場合でも、当該事業主が督促状に指定された期限までに当該徴収金を完納したときは、延滞金は徴収されない。

15 問12
☐☐☐
R元-雇8D

延滞金は、労働保険料の額が1,000円未満であるとき又は延滞金の額が100円未満であるときは、徴収されない。

15 問13
☐☐☐
H29-雇9C

認定決定された確定保険料に対しては追徴金が徴収されるが、滞納した場合には、この追徴金を含めた額に対して延滞金が徴収される。

16 継続事業（一括有期事業を含む）のメリット制

過去問

16 問 1
☐☐☐
R2-災9A

メリット制においては、個々の事業の災害率の高低等に応じ、事業の種類ごとに定められた労災保険率を一定の範囲内で引き上げ又は引き下げた率を労災保険率とするが、雇用保険率についてはそのような引上げや引下げは行われない。

16 問 2
☐☐☐
H28-災107

メリット制が適用される事業の要件である①100人以上の労働者を使用する事業及び②20人以上100人未満の労働者を使用する事業であって所定の要件を満たすものの労働者には、第１種特別加入者も含まれる。

⑮答10 ✕ 法28条１項、法附則12条、則１条３項。延滞金の額は、納期限の翌日からその完納又は財産差押えの日の前日までの期間の日数に応じて計算される。

⑮答11 ◯ 法28条５項１号。設問の通り正しい。

> **Point**
>
> 【延滞金を徴収しない場合】
> ・督促状に指定した期限までに労働保険料等の徴収金を完納したとき
> ・公示送達の方法により督促したとき
> ・督促を受けた労働保険料の額が1,000円未満であるとき
> ・延滞金の額が100円未満であるとき
> ・滞納処分の執行を停止又は猶予したとき（その執行を停止し、又は猶予した期間に対応する部分の金額に限る。）
> ・労働保険料を納付しないことについてやむを得ない理由があると認められるとき

⑮答12 ◯ 法28条１項ただし書、５項３号。設問の通り正しい。**⑮答11**の **Point** 参照。

⑮答13 ✕ 法21条１項、法28条１項。延滞金の計算の基礎となるのは労働保険料の額であり、追徴金は労働保険料ではないので、延滞金の計算の基礎に含まれない。

⑯答1 ◯ 法12条３項。設問の通り正しい。

⑯答2 ◯ 法12条３項１号、２号、昭和40.11.1基発1454号。設問の通り正しい。第１種特別加入者については、その事業に使用される労働者とみなされることから、メリット制適用の要件となる労働者数に算入することとされている。

⓰問3 有期事業の一括の適用を受けている建築物の解体の事業であっ
□□□ て、その事業の当該保険年度の確定保険料の額が40万円未満のと
R4-災9B き、その事業の請負金額(消費税等相当額を除く。)が1億1,000万
円以上であれば、労災保険のいわゆるメリット制の適用対象となる
場合がある。

⓰問4 令和元年7月1日に労災保険に係る保険関係が成立した事業の
□□□ メリット収支率は、令和元年度から令和3年度までの3保険年度の
R2-災9D 収支率で算定される。

⓰問5 メリット収支率の算定基礎に、労災保険特別支給金支給規則の規
□□□ 定による特別支給金で業務災害に係るものは含める。
R2-災9C

⓰問6 メリット収支率を算定する基礎となる保険給付の額には、第3
□□□ 種特別加入者のうち、海外の事業により業務災害が生じた場合に係
H28-災10改 る保険給付の額は含まれない。

16答3 ✕ 法12条3項3号、則4条1項6号、則17条3項。有期事業の一括の適用を受けている建築物の解体の事業(建設の事業)については、その事業の当該保険年度の確定保険料の額が40万円未満の場合は、メリット制の適用対象とならない。一括有期事業がメリット制の適用対象となるには、連続する3保険年度中の各保険年度において、確定保険料の額が**40万円以上**でなければならない。

16答4 ✕ 法12条3項。「令和元年度から令和3年度」ではなく、「令和2年度から令和4年度」である。継続事業のメリット制は、「連続する3保険年度中の最後の3月31日(基準日)において労災保険に係る保険関係が成立した後**3年以上**経過したもの」が対象となる。

16答5 ○ 法12条3項。設問の通り正しい。

16答6 ○ 法12条3項カッコ書。設問の通り正しい。

> **Point**
> 業務災害に関する保険給付等の額のうち、次に掲げるものはメリット収支率の算定の基礎に含まれない。
> ①遺族補償年金の受給権者が全員失権したことにより支給される遺族補償一時金及び遺族特別一時金
> ②障害補償年金差額一時金及び障害特別年金差額一時金
> ③特定疾病(特定の業務に長期間従事することにより発生する疾病であって、厚生労働省令で定めるもの)にかかった者に係る保険給付及び特別支給金
> ④第3種特別加入者のうち、海外の事業により業務災害が生じた場合に係る保険給付及び特別支給金

徴収

16 問 7
□□□
H28-災10ｵ

メリット収支率を算定する基礎となる保険給付の額には、特定の業務に長期間従事することにより発症する一定の疾病にかかった者に係る保険給付の額は含まれないが、この疾病には鉱業の事業における粉じんを飛散する場所における業務によるじん肺症が含まれる。

16 問 8
□□□
R2-災9E

継続事業の一括を行った場合には、労働保険徴収法第12条第3項に規定する労災保険に係る保険関係の成立期間は、一括の認可の時期に関係なく、一の事業として指定された事業の労災保険に係る保険関係成立の日から起算し、指定された事業以外の事業については保険関係が消滅するので、これに係る一括前の保険料及び一括前の災害に係る給付は、指定事業のメリット収支率の算定基礎に算入しない。

16 問 9
□□□
R4-災9A

継続事業の一括(一括されている継続事業の一括を含む。)を行った場合には、労働保険徴収法第12条第3項に規定する労災保険のいわゆるメリット制に関して、労災保険に係る保険関係の成立期間は、一括の認可の時期に関係なく、当該指定事業の労災保険に係る保険関係成立の日から起算し、当該指定事業以外の事業に係る一括前の保険料及び一括前の災害に係る給付は当該指定事業のいわゆるメリット収支率の算定基礎に算入しない。

16答7 ×　法12条3項、法20条1項、則17条の2。設問のいわゆる特定疾病には、「建設」の事業における粉じんを飛散する場所における業務によるじん肺症は掲げられているが、「鉱業」の事業における粉じんを飛散する場所における業務によるじん肺症は掲げられていない。

Point

【特定疾病】

事業の種類	疾病
港湾貨物取扱事業 港湾荷役業	非災害性腰痛
林業・建設の事業	振動障害
建設の事業	じん肺症
建設の事業	（石綿にさらされる業務による）
港湾貨物取扱事業	肺がん
港湾荷役業	中皮腫
建設の事業	騒音性難聴

16答8　○　法9条、法12条3項、昭和42.4.4基災発9号。設問の通り正しい。継続事業の一括が行われた場合、メリット制の適用は、指定事業について行うことになる（指定事業以外の事業については保険関係が消滅する。）。したがって、メリット制に関する労災保険に係る保険関係の成立期間は、当該指定事業の労災保険に係る保険関係成立の日から起算し、指定事業以外の事業に係る一括前の保険料及び一括前の災害に係る給付は、指定事業のメリット収支率の算定基礎に算入しない。

16答9　○　法9条、法12条3項、昭和42.4.4基災発9号。設問の通り正しい。**16問8**参照。

16問10
□□□
R2-災9B

労災保険率をメリット制によって引き上げ又は引き下げた率は、当該事業についての基準日の属する保険年度の次の次の保険年度の労災保険率となる。

16問11
□□□
H28-災10工改

継続事業(建設の事業及び立木の伐採の事業以外の事業に限る。)に係るメリット制においては、所定の要件を満たす中小企業事業主については、その申告により、メリット制が適用される際のメリット増減幅(メリット制による、労災保険率から非業務災害率を減じた率を増減させる範囲のことをいう。)が、最大40%から45%に拡大される。

17 有期事業(一括有期事業を除く)のメリット制

過去問

17問1
□□□
H28-災10I

メリット制とは、一定期間における業務災害に関する給付の額と業務災害に係る保険料の額の収支の割合(収支率)に応じて、有期事業を含め一定の範囲内で労災保険率を上下させる制度である。

17問2
□□□
R4-災9C

有期事業の一括の適用を受けていない立木の伐採の有期事業であって、その事業の素材の見込生産量が1,000立方メートル以上のとき、労災保険のいわゆるメリット制の適用対象となるものとされている。

⑯答10 ○ 法12条3項。設問の通り正しい。

Point
> メリット制の適用により、上げ下げした労災保険率は、基準日が属する保険年度（連続する3保険年度の最後の保険年度）の**次の次の保険年度**の労災保険率となる。
>
> メリット労災保険率
>
> ←―――連続する3保険年度―――→
>
> 4/1　　4/1　　4/1　　基準日（3/31）

⑯答11 ○ 法12条の2、則20条の6、則別表第3の3。設問の通り正しい。

Point
> メリット制の特例は、継続事業のメリット制が適用される事業のうち一定規模以下の事業（中小企業）の事業主が、労働者の安全又は衛生を確保するための措置を講じた場合において、当該措置が講じられた保険年度のいずれかの保険年度の次の保険年度の初日から6箇月以内に申告したときは、労災保険率から非業務災害率を減じた率を引き上げ又は引き下げる範囲を、最大40％から45％に拡大するものである。

⑰答1 × 法20条1項。有期事業に関するメリット制は、「労災保険率を上下させる制度」ではなく、「確定保険料額を増減させる制度」である。

⑰答2 × 法20条1項、則35条1項2号。設問中「その事業の見込生産量が1,000立方メートル以上」は、正しくは、「その事業の素材の生産量が1,000立方メートル以上」である。

17問3
□□□
R4-災9D

労働保険徴収法第20条に規定する確定保険料の特例の適用により、確定保険料の額が引き下げられた場合、その引き下げられた額と当該確定保険料の額との差額について事業主から所定の期限内に還付の請求があった場合においても、当該事業主から徴収すべき未納の労働保険料その他の徴収金(石綿による健康被害の救済に関する法律第35条第1項の規定により徴収する一般拠出金を含む。)があるときには、所轄都道府県労働局歳入徴収官は当該差額をこの未納の労働保険料等に充当するものとされている。

17問4
□□□
R4-災9E
🈴

労働保険徴収法第20条第1項に規定する確定保険料の特例は、第一種特別加入保険料に係る確定保険料の額及び第二種特別加入保険料に係る確定保険料の額について準用するものとされている。

18 労働保険事務組合

　以下において、「委託事業主」とは、労働保険事務組合に労働保険事務の処理を委託している事業主をいう。

【過去問】

18問1
□□□
H29-雇10A

労働保険事務組合に労働保険事務の処理を委託することができる事業主は、当該労働保険事務組合の主たる事務所が所在する都道府県に主たる事務所をもつ事業の事業主に限られる。

18問2
□□□
R5-災9A

労働保険事務組合の主たる事務所が所在する都道府県に主たる事務所を持つ事業の事業主のほか、他の都道府県に主たる事務所を持つ事業の事業主についても、当該労働保険事務組合に労働保険事務を委託することができる。

18問3
□□□
H29-雇10B

労働保険事務組合に労働保険事務の処理を委託することができる事業主は、継続事業(一括有期事業を含む。)のみを行っている事業主に限られる。

17答3 ✕ 法20条3項、則36条1項、則37条1項。設問の場合に差額を未納の労働保険料等に充当することができるのは、事業主から当該差額の還付請求がない場合であり、還付請求があった場合には、当該差額を充当することはできない。

17答4 ✕ 法20条2項。法20条1項に規定する確定保険料の特例（有期事業のメリット制）は、第1種特別加入保険料に係る確定保険料の額については準用されるが、第2種特別加入保険料に係る確定保険料の額については準用されない。

18答1 ✕ 法33条1項。労働保険事務組合に労働保険事務の処理を委託することができる事業主は、当該労働保険事務組合の主たる事務所が所在する都道府県に主たる事務所をもつ事業の事業主に限られない。

18答2 ○ 法33条1項。設問の通り正しい。**18問1**参照。

18答3 ✕ 法33条1項、則62条1項、2項。一括有期事業以外の有期事業を行っている事業主も労働保険事務組合に労働保険事務の処理を委託することができる。

18 問 4
□□□
R3-雇9B

　労働保険徴収法第33条第１項に規定する事業主の団体の構成員又はその連合団体を構成する団体の構成員である事業主以外の事業主であっても、労働保険事務の処理を委託することが必要であると認められる事業主は、労働保険事務組合に労働保険事務の処理を委託することができる。

18 問 5
□□□
R元-雇9A

　金融業を主たる事業とする事業主であり、常時使用する労働者が50人を超える場合、労働保険事務組合に労働保険事務の処理を委託することはできない。

18 問 6
□□□
R5-災9E

　清掃業を主たる事業とする事業主は、その使用する労働者数が臨時に増加し一時的に300人を超えることとなった場合でも、常態として300人以下であれば労働保険事務の処理を労働保険事務組合に委託することができる。

18 問 7
□□□
R5-災9B

難

　労働保険事務組合の主たる事務所の所在地を管轄する都道府県労働局長は、必要があると認めたときは、当該労働保険事務組合に対し、当該労働保険事務組合が労働保険事務の処理の委託を受けることができる事業の行われる地域について必要な指示をすることができる。

18 問 8
□□□
R元-雇9D

　労働保険事務組合は、団体の構成員又は連合団体を構成する団体の構成員である事業主その他厚生労働省令で定める事業主(厚生労働省令で定める数を超える数の労働者を使用する事業主を除く。)の委託を受けて、労災保険の保険給付に関する請求の事務を行うことができる。

18答4 ○ 法33条1項、則62条1項。設問の通り正しい。

18答5 ○ 法33条1項、則62条2項。設問の通り正しい。

Point 【委託事業主の事業規模】

主たる事業	労働者数
① 金融業・保険業・不動産業・小売業	50人以下
② 卸売業・サービス業	100人以下
③ ①②以外の事業	300人以下

18答6 ○ 法33条1項、則62条2項、平成25.3.29基発0329第7号。設問の通り正しい。なお、委託事業主の規模については、**18答5**の**Point**参照。

18答7 ○ 法33条1項、則62条3項、昭和50.3.25発労徴17号。設問の通り正しい。

18答8 × 法33条1項、平成12.3.31発労徴31号。「労災保険の保険給付に関する請求の事務」は、労働保険事務組合が処理することができる事務に含まれていない。

Point 次に掲げる事務は、労働保険事務組合の受託業務の範囲に含まれない。
- 印紙保険料に関する事項
- 労災保険の保険給付及び社会復帰促進等事業として行う特別支給金に関する請求書等に係る事務手続及びその代行
- 雇用保険の失業等給付等に関する請求書等に係る事務手続及びその代行
- 雇用保険二事業（雇用安定事業及び能力開発事業）に係る事務手続及びその代行　等

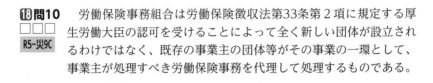 **問9**
R3-雇9C
保険給付に関する請求書等の事務手続及びその代行、雇用保険二事業に係る事務手続及びその代行、印紙保険料に関する事項などは、事業主が労働保険事務組合に処理を委託できる労働保険事務の範囲に含まれない。

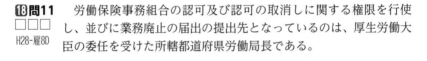 **問10**
R5-災9C
労働保険事務組合は労働保険徴収法第33条第2項に規定する厚生労働大臣の認可を受けることによって全く新しい団体が設立されるわけではなく、既存の事業主の団体等がその事業の一環として、事業主が処理すべき労働保険事務を代理して処理するものである。

問11
H28-雇8D
労働保険事務組合の認可及び認可の取消しに関する権限を行使し、並びに業務廃止の届出の提出先となっているのは、厚生労働大臣の委任を受けた所轄都道府県労働局長である。

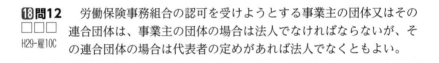 **問12**
H29-雇10C
労働保険事務組合の認可を受けようとする事業主の団体又はその連合団体は、事業主の団体の場合は法人でなければならないが、その連合団体の場合は代表者の定めがあれば法人でなくともよい。

問13
H29-雇10D
労働保険事務組合の主たる事務所の所在地を管轄する都道府県労働局長は、労働保険事務組合の認可の取消しがあったときには、その旨を、当該労働保険事務組合に係る委託事業主に対し通知しなければならない。

問14
R5-災9D
労働保険事務組合事務処理規約に規定する期限までに、確定保険料申告書を作成するための事実を事業主が報告したにもかかわらず、労働保険事務組合が労働保険徴収法の定める申告期限までに確定保険料申告書を提出しなかったため、所轄都道府県労働局歳入徴収官が確定保険料の額を認定決定し、追徴金を徴収することとした場合、当該事業主が当該追徴金を納付するための金銭を当該労働保険事務組合に交付しなかったときは、当該労働保険事務組合は政府に対して当該追徴金の納付責任を負うことはない。

⑱答9 ○ 法33条1項、平成12.3.31発労徴31号。設問の通り正しい。
⑱答8 の **Point** 参照。

⑱答10 ○ 法33条1項、2項、平成12.3.31発労徴31号。設問の通り正しい。

⑱答11 ○ 則1条2項、則66条、則76条3号。設問の通り正しい。労働保険事務組合の認可及び当該認可の取消し並びに業務廃止の届出の受理に関する厚生労働大臣の権限は、都道府県労働局長に委任されている。また、労働保険事務組合業務廃止届の提出先は、労働保険事務組合の主たる事務所の所在地を管轄する都道府県労働局長である。

⑱答12 × 平成12.3.31発労徴31号。「事業主の団体の場合は法人でなければならない」ということはない。なお、事業主の団体又はその連合団体(団体等)が法人でない場合にあっては、代表者の定めがあることのほか、団体等の事業内容、構成員の範囲、その他団体等の組織、運営方法等が定款等において明確に定められ、団体性が明確であることを要するとされている。

⑱答13 ○ 則67条2項。設問の通り正しい。

⑱答14 × 法35条2項、平成25.3.29基発0329第7号。設問の追徴金の徴収については、労働保険事務組合の責めに帰すべき理由があるため、その限度で、当該労働保険事務組合は、政府に対して当該追徴金の納付責任を負うことになる。

18 問15
□□□
R元-雇9E

労働保険事務組合が、委託を受けている事業主から交付された追徴金を督促状の指定期限までに納付しなかったために発生した延滞金について、政府は当該労働保険事務組合と当該事業主の両者に対して同時に当該延滞金に関する処分を行うこととなっている。

18 問16
□□□
H29-雇10E

委託事業主が労働保険料その他の徴収金の納付のため金銭を労働保険事務組合に交付したときは、当該委託事業主は当該徴収金を納付したものとみなされるので、当該労働保険事務組合が交付を受けた当該徴収金について滞納があり滞納処分をしてもなお徴収すべき残余がある場合においても、当該委託事業主は、当該徴収金に係る残余の額を徴収されることはない。

18 問17
□□□
R3-雇9A

労働保険事務組合は、雇用保険に係る保険関係が成立している事業にあっては、労働保険事務の処理の委託をしている事業主ごとに雇用保険被保険者関係届出事務等処理簿を事務所に備えておかなければならない。

18 問18
□□□
R3-雇9D

労働保険事務組合に労働保険事務の処理を委託している事業場の所在地を管轄する行政庁が、当該労働保険事務組合の主たる事務所の所在地を管轄する行政庁と異なる場合、当該事業場についての一般保険料の徴収は、労働保険事務組合の主たる事務所の所在地の都道府県労働局歳入徴収官が行う。

18 問19
□□□
R元-雇9B

労働保険事務組合は、労災保険に係る保険関係が成立している二元適用事業の事業主から労働保険事務の処理に係る委託があったときは、労働保険徴収法施行規則第64条に掲げられている事項を記載した届書を、所轄労働基準監督署長又は所轄公共職業安定所長を経由して都道府県労働局長に提出しなければならない。

⑱**答15** ✕　法28条1項、法35条2項、3項。追徴金は労働保険料ではないので、追徴金を納付しなかったために延滞金が発生することはない。なお、政府が延滞金を徴収する場合において、その徴収について労働保険事務組合の責めに帰すべき理由があるときは、その限度で、労働保険事務組合は、政府に対して当該徴収金の納付の責めに任ずるものとされており、労働保険事務組合が納付すべき徴収金については、「労働保険事務組合に対して滞納処分をしてもなお徴収すべき残余がある場合に限り、その残余の額を当該事業主から徴収することができる」とされている。

⑱**答16** ✕　法35条1項、3項。委託事業主が労働保険料その他の徴収金の納付のため金銭を労働保険事務組合に交付したときは、**その金額の限度で**、労働保険事務組合は、政府に対して当該徴収金の納付の責めに任ずるものとされており、「当該委託事業主は当該徴収金を納付したものとみなされる」と規定されているわけではない。また、当該労働保険事務組合が交付を受けた当該徴収金について滞納があり滞納処分をしてもなお徴収すべき残余がある場合に限り、政府はその**残余の額を委託事業主から徴収することができる**とされている。

⑱**答17** ◯　法36条、則68条3号。設問の通り正しい。

> **Point**
> 【労働保険事務組合に備付けが義務付けられている帳簿】
> ①　労働保険事務等処理委託事業主名簿
> ②　労働保険料等徴収及び納付簿
> ③　雇用保険被保険者関係届出事務等処理簿

⑱**答18** ◯　則69条。設問の通り正しい。

⑱**答19** ✕　則64条1項、則78条3項。設問の場合、「所轄労働基準監督署長」を経由して提出するものとされており、「所轄公共職業安定所長」を経由することはできない。

18問20
□□□
R3-雇9E

労働保険事務組合は、労働保険事務の処理の委託があったとき
は、委託を受けた日の翌日から起算して14日以内に、労働保険徴
収法施行規則第64条に定める事項を記載した届書を、その主たる
事務所の所在地を管轄する都道府県労働局長に提出しなければなら
ない。

18問21
□□□
R元-雇9C

労働保険事務組合は、定款に記載された事項に変更を生じた場合
には、その変更があった日の翌日から起算して14日以内に、その
旨を記載した届書を厚生労働大臣に提出しなければならない。

18問22
□□□
H30-雇10C

労働保険料に係る報奨金の交付要件である労働保険事務組合が
委託を受けて労働保険料を納付する事業主とは、常時15人以下の
労働者を使用する事業の事業主のことをいうが、この「常時15人」
か否かの判断は、事業主単位ではなく、事業単位(一括された事業
については、一括後の事業単位)で行う。

18問23
□□□
H30-雇10B

労働保険事務組合は、その納付すべき労働保険料を完納していた
場合に限り、政府から、労働保険料に係る報奨金の交付を受けるこ
とができる。

18問24
□□□
H30-雇10A

労働保険事務組合が、政府から、労働保険料に係る報奨金の交付
を受けるには、前年度の労働保険料(当該労働保険料に係る追徴金
を含み延滞金を除く。)について、国税滞納処分の例による処分を受
けたことがないことがその要件とされている。

18問25
□□□
H30-雇10E

労働保険料に係る報奨金の額は、現在、労働保険事務組合ごと
に、2千万円以下の額とされている。

⑱答20 ✕ 則64条1項。設問の届書は、「委託を受けた日の翌日から起算して14日以内に」ではなく、「**遅滞なく**」提出しなければならない。

プラスα
「労働保険事務等処理委託届」及び「労働保険事務等処理委託解除届」は、委託事業主ではなく、労働保険事務組合が提出する。

⑱答21 ✕ 則65条。設問の届書は、「厚生労働大臣」ではなく、「所轄都道府県労働局長」に提出しなければならない。

⑱答22 ◯ 報奨金政令1条1項1号、労働保険事務組合報奨金交付要領。設問の通り正しい。

⑱答23 ✕ 整備法23条、報奨金政令1条1項1号。納付すべき労働保険料を**完納**した場合だけでなく、「その**納付の状況が著しく良好**であると認められるとき」も報奨金が交付されることがある。

⑱答24 ✕ 報奨金政令1条1項1号カッコ書、2号。設問のカッコ書が誤りである。前年度の労働保険料については、「当該労働保険料に係る追徴金及び延滞金を含む。」とされている。

⑱答25 ✕ 報奨金政令2条1項。労働保険料に係る報奨金の額は、現在、労働保険事務組合ごとに、「1,000万円」又は「常時15人以下の労働者を使用する事業の事業主の委託を受けて納付した前年度の労働保険料（督促を受けて納付した労働保険料を除く。）の額（その額が確定保険料の額を超えるときは、当該確定保険料の額）に100分の2を乗じて得た額に厚生労働省令で定める額を加えた額」の「いずれか低い額以内」とされている。

徴収

18問26 労働保険料に係る報奨金の交付を受けようとする労働保険事務組合は、労働保険事務組合報奨金交付申請書を、所轄公共職業安定所長に提出しなければならない。

□□□
H30-雇10D

19 労働保険料の負担

過去問

19問1 労災保険及び雇用保険に係る保険関係が成立している事業に係る被保険者は、「当該事業に係る一般保険料の額」から、「当該事業に係る一般保険料の額に相当する額に二事業率を乗じて得た額」を減じた額の2分の1の額を負担するものとする。

□□□
R2-雇10C

19問2 一般の事業について、雇用保険率が1,000分の15.5であり、二事業費充当徴収保険率が1,000分の3.5のとき、事業主負担は1,000分の9.5、被保険者負担は1,000分の6となる。

□□□
R5-雇10E改

19問3 日雇労働被保険者は、労働保険徴収法第31条第1項の規定によるその者の負担すべき額のほか、印紙保険料の額が176円のときは88円を負担するものとする。

□□□
R2-雇10D

19問4 事業主は、被保険者が負担すべき労働保険料相当額を被保険者に支払う賃金から控除できるが、日雇労働被保険者の賃金から控除できるのは、当該日雇労働被保険者が負担すべき一般保険料の額に限られており、印紙保険料に係る額については部分的にも控除してはならない。

□□□
R元-雇10A

19問5 日雇労働被保険者が負担すべき額を賃金から控除する場合において、労働保険徴収法施行規則第60条第2項に定める一般保険料控除計算簿を作成し、事業場ごとにこれを備えなければならないが、その形式のいかんを問わないため賃金台帳をもってこれに代えることができる。

□□□
R5-雇9A

18答26 × 報奨金省令 2 条 1 項。労働保険事務組合報奨金交付申請書は、「所轄公共職業安定所長」ではなく、「所轄都道府県労働局長」に提出しなければならない。

> 労働保険事務組合報奨金交付申請書は、10月15日までに提出するものとされている。

19答 1 × 法31条 1 項 1 号。「当該事業に係る一般保険料の額」ではなく、「当該事業に係る一般保険料の額のうち雇用保険率に応ずる部分の額」である。

19答 2 ○ 法12条 6 項、法31条 1 項 1 号、 3 項。設問の通り正しい。

19答 3 ○ 法31条 1 項、 2 項。設問の通り正しい。日雇労働被保険者は、一般保険料の額（労災保険分及び二事業分を除く。）の 2 分の 1 の額のほか、印紙保険料の額の 2 分の 1 の額を負担する。

19答 4 × 法32条 1 項、則60条 1 項。事業主は、日雇労働被保険者が負担すべき一般保険料の額のほか、印紙保険料に係る額についても、当該日雇労働被保険者の賃金から控除することができる。

19答 5 ○ 法32条 1 項、則60条。設問の通り正しい。

過去問

20問1
□□□
R2-雇10B
労働保険徴収法の規定による処分に不服がある者は、処分があったことを知った日の翌日から起算して3か月以内であり、かつ、処分があった日の翌日から起算して1年以内であれば、厚生労働大臣に審査請求をすることができる。ただし、当該期間を超えた場合はいかなる場合も審査請求できない。

20問2
□□□
H28-災9オ
平成28年度の概算保険料に係る認定決定に不服のある事業主は、当該認定決定について、取消しの訴えを提起する場合を除いて、代理人によらず自ら不服の申立てを行わなければならない。

20問3
□□□
H28-災97
平成28年度の概算保険料に係る認定決定に不服のある事業主は、当該認定決定について、その処分庁である都道府県労働局歳入徴収官に対し、異議申立てを行うことができる。

20問4
□□□
H28-災9イ
平成28年度の概算保険料に係る認定決定に不服のある事業主は、当該認定決定について、その処分に係る都道府県労働局に置かれる労働者災害補償保険審査官に対し、審査請求を行うことができる。

20問5
□□□
H28-災9ウ
平成28年度の概算保険料に係る認定決定に不服のある事業主は、当該認定決定について、厚生労働大臣に対し、再審査請求を行うことができる。

⑳答1 ×　行審法18条1項、2項。設問の期間を超えた場合であっても、「正当な理由があるとき」は、審査請求をすることができる。

⑳答2 ×　行審法12条。事業主は、設問の認定決定について、自ら不服の申立てを行うだけでなく、代理人によって行うこともできる。

⑳答3 ×　行審法4条3号。事業主は、設問の認定決定について、行政不服審査法に基づいて厚生労働大臣に対して審査請求を行うことができる。なお、直ちに処分の取消しの訴えを提起することもできる。平成28年4月1日前は、概算保険料の認定決定及び確定保険料の認定決定について不服がある者は、徴収法の規定により、処分庁である都道府県労働局歳入徴収官に異議申立てをすることができるとされていたが、法改正により、当該規定が削除されたため、同日以後は、行政不服審査法に基づき、厚生労働大臣に対して審査請求を行うこととされた。

⑳答4 ×　行審法4条3号。事業主は、設問の認定決定については、行政不服審査法に基づいて厚生労働大臣に対して審査請求を行うことができる。なお、直ちに処分の取消しの訴えを提起することもできる。

⑳答5 ×　行審法4条3号。事業主は、設問の認定決定については、行政不服審査法に基づいて厚生労働大臣に対して審査請求を行うことができる。なお、直ちに処分の取消しの訴えを提起することもできる。

⑳問6
☐☐☐
H28-災9I
平成28年度の概算保険料に係る認定決定に不服のある事業主は、当該認定決定について、直ちにその取消しの訴えを提起することができる。

21 時効

最新問題

㉑問1
☐☐☐
R6-災10C
難
前保険年度より保険関係が引き続く継続事業における年度当初の確定精算に伴う精算返還金に係る時効の起算日は6月1日となるが、確定保険料申告書が法定納期限内に提出された場合、時効の起算日はその提出された日の翌日となる。

㉑問2
☐☐☐
R6-災10D
難
継続事業の廃止及び有期事業の終了に伴う精算返還金に係る時効の起算日は事業の廃止又は終了の日の翌日となるが、確定保険料申告書が法定納期限内に提出された場合、時効の起算日はその提出された日となる。

㉑問3
☐☐☐
R6-災10E
事業主が概算保険料の申告書を提出していない場合、政府が労働保険徴収法第15条第3項の規定に基づき認定決定した概算保険料について通知を行ったとき、当該通知によって未納の当該労働保険料について時効の更新の効力を生ずる。

過去問

㉑問1
☐☐☐
H28-雇107
労働保険料その他労働保険徴収法の規定による徴収金を徴収する権利は、国税通則法第72条第1項の規定により、5年を経過したときは時効によって消滅する。

⑳答6 ○ 改正前法38条、行訴法8条1項。設問の通り正しい。平成28年4月1日前は、徴収法の規定により、労働保険料その他徴収法の規定による徴収金に関する処分の取消しの訴えは、当該処分についての審査請求に対する厚生労働大臣の裁決又は当該処分についての異議申立てに対する厚生労働大臣の決定を経た後でなければ、提起することができないとされていたが、法改正により当該規定が削除されたため、同日以後は、行政不服審査法に基づく審査請求のほか、直ちに処分の取消しの訴えを提起することができるようになった。

㉑答1 ○ 法41条1項、平成21.2.27基発0227003号、徴収関係事務取扱手引Ⅰ。設問の通り正しい。

㉑答2 × 法41条1項、平成21.2.27基発0227003号、徴収関係事務取扱手引Ⅰ。継続事業の廃止及び有期事業の終了に伴う精算返還金に係る時効の起算日は、設問の通り、事業の廃止又は終了の日の翌日となるが、確定保険料申告書が法定納期限内に提出された場合、時効の起算日はその提出された「日の翌日」となる。

㉑答3 ○ 法41条2項、徴収関係事務取扱手引Ⅰ。設問の通り正しい。

㉑答1 × 法41条1項。労働保険料その他労働保険徴収法の規定による徴収金を徴収する権利は、労働保険徴収法第41条第1項の規定により、これらを行使することができる時から「2年」を経過したときは、時効によって消滅する。

21 問 2
☐☐☐
R2-雇10A
　　労働保険料その他労働保険徴収法の規定による徴収金を納付しない者に対して政府が行う督促は時効の更新の効力を生ずるが、政府が行う徴収金の徴収の告知は時効の更新の効力を生じない。

21 問 3
☐☐☐
H28-雇10改
(難)
　　政府が行う労働保険料その他労働保険徴収法の規定による徴収金の徴収の告知は、時効の更新の効力を生ずるので、納入告知書に指定された納期限の翌日から、新たな時効が進行することとなる。

21 問 4
☐☐☐
H28-雇10I
　　時効で消滅している労働保険料その他労働保険徴収法の規定による徴収金について、納付義務者がその時効による利益を放棄して納付する意思を示したときは、政府はその徴収権を行使できる。

22 書類の保存等

最新問題

22 問 1
☐☐☐
R6-災10B
　　所轄都道府県労働局長、所轄労働基準監督署長又は所轄公共職業安定所長は、保険関係が成立し、若しくは成立していた事業の事業主又は労働保険事務組合若しくは労働保険事務組合であった団体に対して、労働保険徴収法の施行に関し必要な報告、文書の提出又は出頭を命ずる場合、文書によって行わなければならない。

過去問

22 問 1
☐☐☐
H28-雇10I
　　事業主若しくは事業主であった者又は労働保険事務組合若しくは労働保険事務組合であった団体は、労働保険徴収法又は労働保険徴収法施行規則の規定による書類をその完結の日から3年間(雇用保険被保険者関係届出事務等処理簿にあっては、4年間)保存しなければならない。

㉑答2 ✕　法41条2項。政府が行う徴収金の徴収の告知は時効の更新の効力を「生ずる」。

㉑答3 ◯　法41条2項、徴収関係事務取扱手引Ⅰ。設問の通り正しい。

Point

> 政府が行う労働保険料その他徴収法の規定による徴収金の徴収の告知又は督促は、時効の更新の効力を生ずるとされている。新たな時効の起算日は、徴収の告知の場合には「納入告知の納期限の翌日」であり、督促の場合には「督促状の指定期限の翌日」である。

㉑答4 ✕　法30条、法41条1項、国税通則法72条2項、徴収関係事務取扱手引Ⅰ。設問の場合、政府は、その徴収権を行使することはできない。徴収金に係る徴収権の時効については、その利益を放棄することができないとされているため、納付義務者が、時効による利益を放棄して納付する意思を有していても、政府はその徴収権を行使することはできない。

㉒答1 ◯　法42条、則74条。設問の通り正しい。

㉒答1 ◯　則72条。設問の通り正しい。

22 問2
□□□
R元-雇10D

　　行政庁は、厚生労働省令で定めるところにより、労働保険の保険関係が成立している事業主又は労働保険事務組合に対して、労働保険徴収法の施行に関して出頭を命ずることができるが、過去に労働保険事務組合であった団体に対しては命ずることができない。

22 問3
□□□
H28-雇10オ

　　厚生労働大臣、都道府県労働局長、労働基準監督署長又は公共職業安定所長が労働保険徴収法の施行のため必要があると認めるときに、その職員に行わせる検査の対象となる帳簿書類は、労働保険徴収法及び労働保険徴収法施行規則の規定による帳簿書類に限られず、賃金台帳、労働者名簿等も含む。

23 罰則

過去問

23 問1
□□□
H27-雇8B

　　日雇労働被保険者を使用している事業主が、雇用保険印紙を譲り渡し、又は譲り受けた場合は、当該事業主に罰則規定の適用がある。

23 問2
□□□
R5-雇9E

　　日雇労働被保険者を使用する事業主が、正当な理由がないと認められるにもかかわらず、雇用保険印紙を日雇労働被保険者手帳に貼付することを故意に怠り、1,000円以上の額の印紙保険料を納付しなかった場合、労働保険徴収法第46条の罰則が適用され、6月以下の懲役又は所轄都道府県労働局歳入徴収官が認定決定した印紙保険料及び追徴金の額を含む罰金に処せられる。

23 問3
□□□
H27-雇8C

　　日雇労働被保険者を使用している事業主が、印紙保険料納付状況報告書によって、毎月におけるその雇用保険印紙の受払状況を翌月末日までに所轄都道府県労働局歳入徴収官に報告をしなかった場合には、当該事業主に罰則規定の適用がある。

[22]答2 × 法42条。「行政庁は、厚生労働省令で定めるところにより、保険関係が成立し、若しくは成立していた事業の事業主又は労働保険事務組合若しくは労働保険事務組合であった団体に対して、この法律の施行に関し必要な報告、文書の提出又は出頭を命ずることができる。」とされているため、行政庁は、「過去に労働保険事務組合であった団体」に対しても、出頭を命ずることができる。

[22]答3 ○ 法43条1項。設問の通り正しい。本問は、徴収法43条の行政庁による立入検査に関する問題である。検査の対象となる「帳簿書類」は、徴収法及び徴収法施行規則の規定による帳簿書類のみならず、賃金台帳、労働者名簿その他必要と認められる一切の帳簿書類(帳簿書類に代えて電磁的記録の作成、備付け又は保存がされている場合には、当該電磁的記録を含む。)である。

[23]答1 × 法46条。事業主は、雇用保険印紙を譲り渡し、又は譲り受けてはならないとされているが、設問の場合であっても、事業主に罰則の適用はない。

[23]答2 × 法23条2項、法46条1号。日雇労働被保険者を使用する事業主が、正当な理由がないと認められるにもかかわらず、雇用保険印紙を日雇労働被保険者手帳に貼付することを故意に怠り、印紙保険料を納付しなかった場合は、法46条の罰則が適用され、6月以下の懲役又は「30万円以下の罰金」に処せられる。なお、認定決定した印紙保険料及び追徴金の額は、罰金に含まれるものではなく、罰金とは別に徴収されるものである。

[23]答3 ○ 法24条、法46条2号、則54条。設問の通り正しい。設問の場合には、6月以下の懲役又は30万円以下の罰金に処せられる。

[23]問4
□□□
R元-雇10B

行政庁の職員が、確定保険料の申告内容に疑いがある事業主に対して立入検査を行う際に、当該事業主が立入検査を拒み、これを妨害した場合、30万円以下の罰金刑に処せられるが懲役刑に処せられることはない。

[23]問5
□□□
H27-雇8A

労働保険事務組合が、労働保険徴収法第36条及び同法施行規則第68条で定めるところにより、その処理する労働保険料等徴収及び納付簿を備えておかない場合には、その違反行為をした当該労働保険事務組合の代表者又は代理人、使用人その他の従業者に罰則規定の適用がある。

[23]問6
□□□
H27-雇8D

雇用保険暫定任意適用事業の事業主が、当該事業に使用される労働者が労働保険徴収法附則第２条第１項の規定による雇用保険の保険関係の成立を希望したことを理由として、労働者に対して解雇その他不利益な取扱いをした場合には、当該事業主に罰則規定の適用がある。

[23]問7
□□□
H29-災9C

労災保険暫定任意適用事業の事業主は、その事業に使用される労働者の過半数が希望するときは、労災保険の任意加入の申請をしなければならず、この申請をしないときは、６箇月以下の懲役又は30万円以下の罰金に処せられる。

[23]問8
□□□
H27-雇8E

法人でない労働保険事務組合であっても、当該労働保険事務組合の代表者又は代理人、使用人その他の従業者が、当該労働保険事務組合の業務に関して、労働保険徴収法第46条又は第47条に規定する違反行為をしたときには、その行為者を罰するほか、当該労働保険事務組合に対しても、罰則規定の適用がある。

[23]答4　×　法43条、法46条４号。設問の場合、「６月以下の懲役又は30万円以下の罰金に処する」とされており、設問の事業主は、罰金刑に限られず、**懲役刑**に処せられることもある。

[23]答5　○　法36条、法47条１号、則68条。設問の通り正しい。設問の場合には、６月以下の懲役又は30万円以下の罰金に処せられる。

[23]答6　○　法附則６条、法附則７条１項。設問の通り正しい。設問の場合には、６月以下の懲役又は30万円以下の罰金に処せられる。

[23]答7　×　整備法５条２項、同法20条。設問の場合については、罰則は定められていない。

プラスα

雇用保険暫定任意適用事業の事業主は、その事業に使用される労働者の２分の１以上が希望するときは、雇用保険の任意加入の申請をしなければならず、この申請をしないときは、６月以下の懲役又は30万円以下の罰金に処せられる。

[23]答8　○　法48条１項。設問の通り正しい。法人でない労働保険事務組合に対してもいわゆる両罰規定の適用があり、各本条の罰金刑が科される。

3 労一
（労務管理その他の労働に関する一般常識）

労務管理その他の労働に関する一般常識

凡 例

有期特措法
→専門的知識等を有する有期雇用労働者等に関する特別措置法

パートタイム・有期雇用労働法
→短時間労働者及び有期雇用労働者の雇用管理の改善等に関する法律

個別労働紛争解決促進法、個別労働関係紛争解決促進法
→個別労働関係紛争の解決の促進に関する法律

均等法、男女雇用機会均等法
→雇用の分野における男女の均等な機会及び待遇の確保等に関する法律

育児介護休業法
→育児休業、介護休業等育児又は家族介護を行う労働者の福祉に関する法律

次世代法→次世代育成支援対策推進法

女性活躍推進法
→女性の職業生活における活躍の推進に関する法律

労働施策総合推進法
→労働施策の総合的な推進並びに労働者の雇用の安定及び職業生活の充実等に関する法律

派遣法、労働者派遣法
→労働者派遣事業の適正な運営の確保及び派遣労働者の保護等に関する法律

青少年雇用促進法
→青少年の雇用の促進等に関する法律

高年齢者雇用安定法
→高年齢者等の雇用の安定等に関する法律

障害者雇用促進法
→障害者の雇用の促進等に関する法律

厚労告　→厚生労働省告示
〔平成12年以前：労働省告示（労告）〕

労一：目次

※ 社会保険労務士法の問題は、『よくわかる社労士　合格するための過去10年本試験問題集３　健保・社一』に掲載しています。

労一：択一式出題ランキング

1位　その他統計調査（40問）
2位　労働契約法（37問）
3位　労働経済（白書）（20問）
3位　就労条件総合調査（20問）

過 去 問

1 問 1
□□□
R2-4E

　いわゆるロックアウト（作業所閉鎖）は、個々の具体的な労働争議における労使間の交渉態度、経過、組合側の争議行為の態様、それによって使用者側の受ける打撃の程度等に関する具体的諸事情に照らし、衡平の見地からみて労働者側の争議行為に対する対抗防衛手段として相当と認められる場合には、使用者の正当な争議行為として是認され、使用者は、いわゆるロックアウト（作業所閉鎖）が正当な争議行為として是認される場合には、その期間中における対象労働者に対する個別的労働契約上の賃金支払義務を免れるとするのが、最高裁判所の判例である。

1 問 2
□□□
R2-4A

　労働組合が、使用者から最小限の広さの事務所の供与を受けていても、労働組合法上の労働組合の要件に該当するとともに、使用者の支配介入として禁止される行為には該当しない。

①答 1 ○ 最三小昭和50.4.25丸島水門事件。設問の通り正しい。設問の最高裁判所の判例では、「争議権を認めた法の趣旨が争議行為の一般市民法による制約からの解放にあり、労働者の争議権について特に明文化した理由が専らこれによる労使対等の促進と確保の必要に出たもので、窮極的には公平の原則に立脚するものであるとすれば、力関係において優位に立つ使用者に対して、一般的に労働者に対すると同様な意味において争議権を認めるべき理由はなく、また、その必要もないけれども、そうであるからといって、使用者に対し一切争議権を否定し、使用者は労働争議に際し一般市民法による制約の下においてすることのできる対抗措置をとりうるにすぎないとすることは相当でなく、個々の具体的な労働争議の場において、労働者側の争議行為によりかえって労使間の勢力の均衡が破れ、使用者側が著しく不利な圧力を受けることになるような場合には、衡平の原則に照らし、使用者側においてこのような圧力を阻止し、労使間の勢力の均衡を回復するための対抗防衛手段として相当性を認められるかぎりにおいては、使用者の争議行為も正当なものとして是認されると解すべきである。」としている。

①答 2 ○ 労働組合法2条2号、法7条3号。設問の通り正しい。団体の運営のための経費の支出につき使用者の経理上の援助を受けるものは、労働組合法上の労働組合とはならず、また、使用者が労働組合の運営のための経費の支払につき経理上の援助を与えることは不当労働行為として禁止されているが、ここにいう「経理上の援助」については、「労働者が労働時間中に時間又は賃金を失うことなく使用者と協議し、又は交渉することを使用者が許すことを妨げるものではなく、且つ、厚生資金又は経済上の不幸若しくは災厄を防止し、若しくは救済するための支出に実際に用いられる福利その他の基金に対する使用者の寄附及び最小限の広さの事務所の供与を除くものとする。」とされている。したがって、使用者から最小限の広さの事務所の供与を受けていても、労働組合法上の労働組合の要件に該当するとともに、使用者の支配介入として禁止される行為（不当労働行為）には該当しない。

労一

① 問3
□□□
H29-2ウ
難

労働組合法により、労働組合は少なくとも毎年1回総会が開催されることを要求されているが、「総会」とは、代議員制度を採っている場合には、その代議員制度による大会を指し、全組合員により構成されるものでなくてもよい。

① 問4
□□□
R2-4C

労働組合の規約には、組合員又は組合員の直接無記名投票により選挙された代議員の直接無記名投票の過半数による決定を経なければ、同盟罷業を開始しないこととする規定を含まなければならない。

① 問5
□□□
R2-4B

「労働組合の規約により組合員の納付すべき組合費が月を単位として月額で定められている場合には、組合員が月の途中で組合から脱退したときは、特別の規定又は慣行等のない限り、その月の組合費の納付につき、脱退した日までの分を日割計算によつて納付すれば足りると解すべきである。」とするのが、最高裁判所の判例である。

① 問6
□□□
H28-2C

同一企業内に複数の労働組合が併存する場合には、使用者は団体交渉の場面に限らず、すべての場面で各組合に対し中立的態度を保持しなければならないとするのが、最高裁判所の判例である。

1答3 ○ 労働組合法5条2項6号、昭和29.4.21労発126号。設問の通り正しい。「総会」とは、必ずしも全組合員によって構成されるものであることを要せず、代議員制度を採る組合にあってはその制度による大会をいう。

1答4 ○ 労働組合法5条2項8号。設問の通り正しい。なお、同盟罷業の開始決定は、組合員又は代議員の過半数ではなく、組合員又は代議員の「直接無記名投票の過半数」と規定されているので、有効投票数の過半数で足りる。

1答5 × 最三小昭和50.11.28国労広島地本事件。最高裁判所の判例では、「労働組合の規約により組合員の納付すべき組合費が月を単位として月額で定められている場合には、組合員が月の途中で組合から脱退したときでも、特別の規定又は慣行等のない限り、その月の組合費の全額を納付する義務を免れないものというべきであり、所論のように脱退した日までの分を日割計算によって納付すれば足りると解することはできない。」としている。

1答6 ○ 最三小昭和60.4.23日産自動車事件。設問の通り正しい。最高裁判所の判例では、「複数組合併存下にあっては、各組合はそれぞれ独自の存在意義を認められ、固有の団体交渉権及び労働協約締結権を保障されているものであるから、その当然の帰結として、使用者は、いずれの組合との関係においても誠実に団体交渉を行うべきことが義務づけられているものといわなければならず、また、単に団体交渉の場面に限らず、すべての場面で使用者は各組合に対し、中立的態度を保持し、その団結権を平等に承認、尊重すべきものであり、各組合の性格、傾向や従来の運動路線のいかんによって差別的な取扱いをすることは許されないものといわなければならない。」としている。また、同判例では、「中立的態度の保持といい、平等取扱いといっても、現実の問題として、併存する組合間の組織人員に大きな開きがある場合、各組合の使用者に対する交渉力、すなわちその団結行動の持つ影響力に大小の差異が生ずるのは当然であり、この点を直視するならば、使用者が各組合との団体交渉においてその交渉相手の持つ現実の交渉力に対応してその態度を決することを是認しなければならないものであって、団結力の小さい組合が団体交渉において使用者側の力に押し切られることがあったとしても、そのこと自体に法的な問題が生ずるものではない。」としている。

❶問7
□□□
R2-4D

「ユニオン・ショップ協定によって、労働者に対し、解雇の威嚇の下に特定の労働組合への加入を強制することは、それが労働者の組合選択の自由及び他の労働組合の団結権を侵害する場合には許されないものというべきである」から、「ユニオン・ショップ協定のうち、締結組合以外の他の労働組合に加入している者及び締結組合から脱退し又は除名されたが、他の労働組合に加入し又は新たな労働組合を結成した者について使用者の解雇義務を定める部分は、右の観点からして、民法90条の規定により、これを無効と解すべきである（憲法28条参照）。」とするのが、最高裁判所の判例である。

❶問8
□□□
H28-2E

労働条件を不利益に変更する内容の労働協約を締結したとき、当該協約の規範的効力が労働者に及ぶのかについて、「同協約が締結されるに至った以上の経緯、当時の被上告会社の経営状態、同協約に定められた基準の全体としての合理性に照らせば、同協約が特定の又は一部の組合員を殊更不利益に取り扱うことを目的として締結されたなど労働組合の目的を逸脱して締結されたもの」とはいえない場合は、その規範的効力を否定すべき理由はないとするのが、最高裁判所の判例である。

❶問9
□□□
H30-4A

ある企業の全工場事業場に常時使用される同種の労働者の４分の３以上の数の者が一の労働協約の適用を受けているとしても、その企業のある工場事業場において、その労働協約の適用を受ける者の数が当該工場事業場に常時使用される同種の労働者の数の４分の３に達しない場合、当該工場事業場においては、当該労働協約は一般的拘束力をもたない。

1答7 ○ 最一小平成元.12.14三井倉庫港運事件。設問の通り正しい。なお、設問の最高裁判所の判例では、「ユニオン・ショップ協定は、労働者が労働組合の組合員たる資格を取得せず又はこれを失った場合に、使用者をして当該労働者との雇用関係を終了させることにより間接的に労働組合の組織の拡大強化を図ろうとするものであるが、他方、労働者には、自らの団結権を行使するため労働組合を選択する自由があり、また、ユニオン・ショップ協定を締結している労働組合（締結組合）の団結権と同様、同協定を締結していない他の労働組合の団結権も等しく尊重されるべきである」とした上で、設問のように判示している。

民法90条：公の秩序又は善良の風俗に反する法律行為は、無効とする。

1答8 ○ 最一小平成9.3.27朝日火災海上保険事件。設問の通り正しい。

1答9 ○ 労働組合法17条、昭和29.4.7労発111号。設問の通り正しい。労働組合法17条（一般的拘束力）では、「一の工場事業場に常時使用される同種の労働者の4分の3以上の数の労働者が一の労働協約の適用を受けるに至ったときは、当該工場事業場に使用される他の同種の労働者に関しても、当該労働協約が適用されるものとする。」としているが、ここにいう「一の工場事業場」とは、一企業が数個の工場等を有する場合には、それら個々の工場等の各々をいい、したがってそれらのうち、ある工場において法17条の要件を満たさないものがあれば、当該工場については一般的拘束力は及ばない。

❶問10
□□□
R4-4A

一の地域において従業する同種の労働者の大部分が一の労働協約の適用を受けるに至ったときは、当該労働協約の当事者の双方又は一方の申立てに基づき、労働委員会の決議により、都道府県労働局長又は都道府県知事は、当該地域において従業する他の同種の労働者及びその使用者も当該労働協約の適用を受けるべきことの決定をしなければならない。

❶問11
□□□
H30-4D

労働委員会は、その事務を行うために必要があると認めたときは、使用者又はその団体、労働組合その他の関係者に対して、出頭、報告の提出若しくは必要な帳簿書類の提出を求め、又は委員若しくは労働委員会の職員に関係工場事業場に臨検し、業務の状況若しくは帳簿書類その他の物件を検査させることができる。

①答10 × 　労働組合法18条１項。一の地域において従業する同種の労働者の大部分が一の労働協約の適用を受けるに至ったときは、当該労働協約の当事者の双方又は一方の申立てに基づき、労働委員会の決議により、「厚生労働大臣又は都道府県知事」は、当該地域において従業する他の同種の労働者及びその使用者も当該労働協約の適用を受けるべきことの「決定をすることができる」とされている。

労働組合法18条１項（設問）の「地域的の一般的拘束力」に係る決議及び決定は、当該地域が一の都道府県の区域内のみにあるときは、当該都道府県労働委員会（決議）及び当該都道府県知事（決定）が行い、当該地域が２以上の都道府県にわたるとき、又は中央労働委員会において当該事案が全国的に重要な問題に係るものであると認めたときは、中央労働委員会（決議）及び厚生労働大臣（決定）が行うものとする。

①答11 ○ 　労働組合法22条１項。設問の通り正しい。

設問の規定に違反して報告をせず、若しくは虚偽の報告をし、若しくは帳簿書類の提出をせず、又は出頭せず、若しくは検査を拒み、妨げ、若しくは忌避した者は、30万円以下の罰金に処せられる。

労
一

❶問12
□□□
R5-4A
「使用者が誠実交渉義務に違反する不当労働行為をした場合には、当該団体交渉に係る事項に関して合意の成立する見込みがないときであっても、労働委員会は、誠実交渉命令〔使用者が誠実交渉義務に違反している場合に、これに対して誠実に団体交渉に応ずべき旨を命ずることを内容とする救済命令〕を発することができると解するのが相当である。」とするのが、最高裁判所の判例である。

❶答12 ○　最二小令和4.3.18山形大学事件。設問の通り正しい。設問の最高裁判所の判例では、「労働組合法7条2号は、使用者がその雇用する労働者の代表者と団体交渉をすることを正当な理由なく拒むことを不当労働行為として禁止するところ、使用者は、必要に応じてその主張の論拠を説明し、その裏付けとなる資料を提示するなどして、誠実に団体交渉に応ずべき義務(以下「誠実交渉義務」という。)を負い、この義務に違反することは、同号の不当労働行為に該当するものと解される。そして、使用者が誠実交渉義務に違反した場合、労働者は、当該団体交渉に関し、使用者から十分な説明や資料の提示を受けることができず、誠実な交渉を通じた労働条件等の獲得の機会を失い、正常な集団的労使関係秩序が害されることとなるが、その後使用者が誠実に団体交渉に応ずるに至れば、このような侵害状態が除去、是正され得るものといえる。＜中略＞ところで、団体交渉に係る事項に関して合意の成立する見込みがないと認められる場合には、誠実交渉命令を発しても、労働組合が労働条件等の獲得の機会を現実に回復することは期待できないものともいえる。しかしながら、このような場合であっても、使用者が労働組合に対する誠実交渉義務を尽くしていないときは、その後誠実に団体交渉に応ずるに至れば、労働組合は当該団体交渉に関して使用者から十分な説明や資料の提示を受けることができるようになるとともに、組合活動一般についても労働組合の交渉力の回復や労使間のコミュニケーションの正常化が図られるから、誠実交渉命令を発することは、不当労働行為によって発生した侵害状態を除去、是正し、正常な集団的労使関係秩序の迅速な回復、確保を図ることに資するものというべきである。＜中略＞以上によれば、使用者が誠実交渉義務に違反する不当労働行為をした場合には、当該団体交渉に係る事項に関して合意の成立する見込みがないときであっても、労働委員会は、誠実交渉命令を発することができると解するのが相当である。」としている。

労一

2 労働契約法

2 問 1

□□□

R6-3A

　　労働契約は労働者及び使用者が合意することによって成立するが、合意の要素は、「労働者が使用者に使用されて労働すること」、「使用者がこれに対して賃金を支払うこと」、「詳細に定められた労働条件」であり、労働条件を詳細に定めていなかった場合には、労働契約が成立することはない。

2 問 2

□□□

R6-3B

　　労働基準法第106条に基づく就業規則の「周知」は、同法施行規則第52条の 2 各号に掲げる、常時各作業場の見やすい場所へ掲示する等の方法のいずれかによるべきこととされているが、労働契約法第 7 条柱書きの場合の就業規則の「周知」は、それらの方法に限定されるものではなく、実質的に判断される。

2 答1 ×　労働契約法6条、平成24.8.10基発0810第2号。合意の要素は、「労働者が使用者に使用されて労働すること」及び「使用者がこれに対して賃金を支払うこと」であり、労働条件を詳細に定めていなかった場合であっても、労働契約そのものは成立し得る。

Point
> 労働契約の成立の要件としては、契約内容について書面を交付することまでは求められない。

2 答2 ○　労働契約法7条、平成24.8.10基発0810第2号。設問の通り正しい。なお、法7条の「労働者に周知させていた」は、その事業場の労働者及び新たに労働契約を締結する労働者に対してあらかじめ周知させていなければならないものであり、新たに労働契約を締結する労働者については、労働契約の締結と同時である場合も含まれる。

Point
> ［労働契約法7条］
> 労働者及び使用者が労働契約を締結する場合において、使用者が合理的な労働条件が定められている就業規則を労働者に周知させていた場合には、労働契約の内容は、その就業規則で定める労働条件によるものとする。ただし、労働契約において、労働者及び使用者が就業規則の内容と異なる労働条件を合意していた部分については、法12条(就業規則違反の労働契約)に該当する場合を除き、この限りでない。

2 問3 労働基準法第89条及び第90条に規定する就業規則に関する手続
□□□ が履行されていることは、労働契約法第10条本文の、「労働契約の
R6-3C 内容である労働条件は、当該変更後の就業規則に定めるところによ
る」という法的効果を生じさせるための要件ではないため、使用者
による労働基準法第89条及び第90条の遵守の状況を労働契約法第
10条本文の合理性判断に際して考慮してはならない。

2 答3 ✕ 労働契約法10条、法11条、平成24.8.10基発0810第 2 号。労働基準法89条（就業規則の作成及び届出の義務）及び90条（就業規則の作成の手続）に規定する就業規則に関する手続が履行されていることは、労働契約法10条本文の「労働契約の内容である労働条件は、当該変更後の就業規則に定めるところによる」という法的効果を生じさせるための要件ではないものの、同条本文の就業規則変更の合理性判断に際しては、就業規則の変更に係る諸事情が総合的に考慮されることから、使用者による労働基準法89条及び90条の遵守の状況は、合理性判断に際して考慮され得るものである。

Point

[労働契約法10条]
使用者が就業規則の変更により労働条件を変更する場合において、変更後の就業規則を労働者に周知させ、かつ、就業規則の変更が、労働者の受ける不利益の程度、労働条件の変更の必要性、変更後の就業規則の内容の相当性、労働組合等との交渉の状況その他の就業規則の変更に係る事情に照らして合理的なものであるときは、労働契約の内容である労働条件は、当該変更後の就業規則に定めるところによるものとする。ただし、労働契約において、労働者及び使用者が就業規則の変更によっては変更されない労働条件として合意していた部分については、法12条（就業規則違反の労働契約）に該当する場合を除き、この限りでない。

**プラス
α**

法10条の「労働契約の内容である労働条件は、当該変更後の就業規則に定めるところによる」という法的効果が生じるのは、就業規則の変更という方法によって労働条件を変更する場合において、使用者が「変更後の就業規則を労働者に周知させ」たこと及び「就業規則の変更が合理的なものである」ことという要件を満たした場合である。

2 問 4
□□□
R6-3D

　労働契約法第17条第1項の「やむを得ない事由」があるか否かは、個別具体的な事案に応じて判断されるものであるが、期間の定めのある労働契約（以下本問において「有期労働契約」という。）は、試みの使用期間（試用期間）を設けることが難しく、使用者は労働者の有する能力や適性を事前に十分に把握できないことがあることから、「やむを得ない事由」があると認められる場合は、同法第16条に定めるいわゆる解雇権濫用法理における「客観的に合理的な理由を欠き、社会通念上相当であると認められない場合」以外の場合よりも広いと解される。

2 問 5
□□□
R6-3E

　労働契約法第18条第1項によれば、労働者が、同一の使用者との間で締結された2以上の有期労働契約（契約期間の始期の到来前のものを除く。以下本肢において同じ。）の契約期間を通算した期間が5年を超えた場合には、当該使用者が、当該労働者に対し、現に締結している有期労働契約の契約期間が満了する日の翌日から労務が提供される期間の定めのない労働契約の申込みをしたものとみなすこととされている。

過去問

2 問 1
□□□
H29-1A

　労働契約法第2条第2項の「使用者」とは、「労働者」と相対する労働契約の締結当事者であり、「その使用する労働者に対して賃金を支払う者」をいうが、これは、労働基準法第10条の「使用者」と同義である。

2答4 ✕　労働契約法17条1項、平成24.8.10基発0810第2号。法17条
1項（有期労働契約期間中の解雇）の「やむを得ない事由」がある
か否かは、個別具体的な事案に応じて判断されるものであるが、契
約期間は労働者及び使用者が合意により決定したものであり、遵守
されるべきものであることから、「やむを得ない事由」があると認
められる場合は、解雇権濫用法理における「客観的に合理的な理由
を欠き、社会通念上相当であると認められない場合」以外の場合よ
りも狭いと解されるものである。

> **Point**
> ［労働契約法17条1項］
> 使用者は、期間の定めのある労働契約（有期労働契約）について、やむ
> を得ない事由がある場合でなければ、その契約期間が満了するまでの
> 間において、労働者を解雇することができない。

> **プラス
> α**
> 法17条1項は、「解雇することができない」旨を規定したものであるこ
> とから、使用者が有期労働契約の契約期間中に労働者を解雇しようとす
> る場合の根拠規定になるものではなく、使用者が当該解雇をしようとす
> る場合には、民法628条が根拠規定となるものであり、「やむを得ない
> 事由」があるという評価を基礎付ける事実についての主張立証責任は、
> 使用者側が負う。

2答5 ✕　労働契約法18条1項。設問のような「当該使用者が、当該労
働者に対し、・・・労働契約の申込みをしたものとみなす」とする
規定はない。労働契約法18条1項によれば、「同一の使用者との間
で締結された2以上の有期労働契約（契約期間の始期の到来前のも
のを除く。以下同じ。）の契約期間を通算した期間が5年を超える
労働者が、当該使用者に対し、現に締結している有期労働契約の契
約期間が満了する日までの間に、当該満了する日の翌日から労務が
提供される期間の定めのない労働契約の締結の申込みをしたとき
は、使用者は当該申込みを承諾したものとみなす」こととされてい
る。

2答1 ✕　労働契約法2条2項、平成24.8.10基発0810第2号。労働契
約法2条2項の「使用者」とは、労働基準法10条の「事業主」に
相当するものであり、同条の「使用者」より狭い概念である。な
お、その他の記述は正しい。

2 問2
□□□
H27-1A
難

労働契約法第3条第2項では、労働契約は就業の実態に応じて、均衡を考慮しつつ締結し、又は変更すべきとしているが、これには、就業の実態が異なるいわゆる正社員と多様な正社員の間の均衡は含まれない。

2 問3
□□□
H27-1B
難

労働契約の基本的な理念及び労働契約に共通する原則を規定する労働契約法第3条のうち、第3項は様々な雇用形態や就業実態を広く対象とする「仕事と生活の調和への配慮の原則」を規定していることから、いわゆる正社員と多様な正社員との間の転換にも、かかる原則は及ぶ。

2 問4
□□□
R元-3A

労働契約法第4条第1項は、「使用者は、労働者に提示する労働条件及び労働契約の内容について、労働者の理解を深めるようにする」ことを規定しているが、これは労働契約の締結の場面及び変更する場面のことをいうものであり、労働契約の締結前において使用者が提示した労働条件について説明等をする場面は含まれない。

2 問5
□□□
H28-1イ

労働契約は、労働者が使用者に使用されて労働し、使用者がこれに対して賃金を支払うことについて、労働者及び使用者が必ず書面を交付して合意しなければ、有効に成立しない。

2 問6
□□□
H27-1C
難

労働契約法第4条は、労働契約の内容はできるだけ書面で確認するものとされているが、勤務地、職務、勤務時間の限定についても、この確認事項に含まれる。

❷答2 ✕　労働契約法３条２項、「多様な正社員」の普及・拡大のための有識者懇談会報告書（平成26年７月）。労働契約法３条２項の規定には、いわゆる正社員と多様な正社員の間の**均衡**を考慮することも含まれる。

> 労働契約法３条２項は、労働契約の締結又は変更に当たり、均衡を考慮することが重要であることから、労働契約の締結当事者である労働者及び使用者が、労働契約を締結し、又は変更する場合には、就業の実態に応じて、均衡を考慮すべきものとするという「均衡考慮の原則」を規定したものである。

❷答3 ○　労働契約法３条３項、「多様な正社員」の普及・拡大のための有識者懇談会報告書（平成26年７月）。設問の通り正しい。

> 「多様な正社員」の普及・拡大のための有識者懇談会報告書（平成26年７月）においては、転換は重要な労働条件の変更となることから、本人の同意が必要である、としている。

❷答4 ✕　労働契約法４条１項、平成24.8.10基発0810第２号。法４条１項は、労働契約の締結前において使用者が提示した労働条件について説明等をする場面をも含むものとされている。

> **Point**
> 労働契約法４条１項は、労働契約の締結前において使用者が提示した労働条件について説明等をする場面や、労働契約が締結又は変更されて継続している間の各場面が広く含まれるものであり、労働基準法15条１項により労働条件の明示が義務付けられている労働契約の締結時より広い。

❷答5 ✕　労働契約法６条、平成24.8.10基発0810第２号。労働契約は、労働契約法６条に「合意することによって成立する」と規定されているとおり、労働契約の締結当事者である労働者及び使用者の合意のみにより成立するものであり、したがって、労働契約の成立の要件としては、契約内容について書面を交付することまでは求められない。なお、「労働者が使用者に使用されて労働」すること及び「使用者がこれに対して賃金を支払う」ことが合意の要素である。

❷答6 ○　労働契約法４条２項、「多様な正社員」の普及・拡大のための有識者懇談会報告書（平成26年７月）。設問の通り正しい。

❷問7
□□□
H28-17
労働契約法第5条は労働者の安全への配慮を定めているが、その内容は、一律に定まるものではなく、使用者に特定の措置を求めるものではないが、労働者の職種、労務内容、労務提供場所等の具体的な状況に応じて、必要な配慮をすることが求められる。

❷問8
□□□
H30-3イ
使用者は、労働契約に特段の根拠規定がなくとも、労働契約上の付随的義務として当然に、安全配慮義務を負う。

❷問9
□□□
H27-2B
使用者は、労働者にとって過重な業務が続く中でその体調の悪化が看取される場合には、神経科の医院への通院、その診断に係る病名、神経症に適応のある薬剤の処方など労働者の精神的健康に関する情報については労働者本人からの積極的な申告が期待し難いことを前提とした上で、必要に応じてその業務を軽減するなど労働者の心身の健康への配慮に努める必要があるものというべきであるとするのが、最高裁判所の判例である。

2答7 ○　労働契約法 5 条、平成24.8.10基発0810第 2 号。設問の通り
正しい。なお、労働安全衛生法をはじめとする労働安全衛生関係法
令においては、事業主(事業者)の講ずべき具体的な措置が規定され
ているところであり、これらは当然に遵守されなければならないも
のである。

2答8 ○　労働契約法 5 条、平成24.8.10基発0810第 2 号。設問の通り
正しい。労働契約法 5 条は「使用者は、労働契約に伴い、労働者
がその生命、身体等の安全を確保しつつ労働することができるよ
う、必要な配慮をするものとする。」と使用者の安全配慮義務を定
めており、設問は同条の「労働契約に伴い」の意味を述べたもので
ある。

2答9 ○　最二小平成26.3.24東芝うつ病事件。設問の通り正しい。設問
の最高裁判所の判例では、「業務の過程において、上告人が被上告
人に申告しなかった自らの精神的健康(いわゆるメンタルヘルス)に
関する情報は、神経科の医院への通院、その診断に係る病名、神経
症に適応のある薬剤の処方等を内容とするもので、労働者にとっ
て、自己のプライバシーに属する情報であり、人事考課等に影響し
得る事柄として通常は職場において知られることなく就労を継続し
ようとすることが想定される性質の情報であったといえる。使用者
は、必ずしも労働者からの申告がなくても、その健康に関わる労働
環境等に十分な注意を払うべき安全配慮義務を負っているところ、
上記のように労働者にとって過重な業務が続く中でその体調の悪化
が看取される場合には、上記のような情報については労働者本人か
らの積極的な申告が期待し難いことを前提とした上で、必要に応じ
てその業務を軽減するなど労働者の心身の健康への配慮に努める必
要があるものというべきである。」としている。

2 問10 いわゆる採用内定の制度は、多くの企業でその実態が類似しているため、いわゆる新卒学生に対する採用内定の法的性質については、当該企業における採用内定の事実関係にかかわらず、新卒学生の就労の始期を大学卒業直後とし、それまでの間、内定企業の作成した誓約書に記載されている採用内定取消事由に基づく解約権を留保した労働契約が成立しているものとするのが、最高裁判所の判例である。

H30-37

2 問11 労働契約法第7条は、「労働者及び使用者が労働契約を締結する場合において、使用者が合理的な労働条件が定められている就業規則を労働者に周知させていた場合には、労働契約の内容は、その就業規則で定める労働条件によるものとする。」と定めているが、同条は、労働契約の成立場面について適用されるものであり、既に労働者と使用者との間で労働契約が締結されているが就業規則は存在しない事業場において新たに就業規則を制定した場合については適用されない。

R3-3A

2 問12 労働契約法第7条にいう就業規則の「周知」とは、労働者が知ろうと思えばいつでも就業規則の存在や内容を知り得るようにしておくことをいい、労働基準法第106条の定める「周知」の方法に限定されるものではない。

H27-1E

2 答10 ✕ 　最二小昭和54.7.20大日本印刷事件。最高裁判所の判例では、「企業が大学の新規卒業者を採用するについて、早期に採用試験を実施して採用を内定する、いわゆる採用内定の制度は、従来わが国において広く行われているところであるが、その実態は多様であるため、採用内定の法的性質について一義的に論断することは困難というべきである。したがって、具体的事案につき、採用内定の法的性質を判断するにあたっては、当該企業の当該年度における採用内定の事実関係に即してこれを検討する必要がある。」としている。

> 採用内定について、最高裁判所の判例には「就労の始期付解約権留保付労働契約（最二小昭和54.7.20大日本印刷事件）」とするもののほか、「労働契約の効力の始期付解約権留保付労働契約（最二小昭和55.5.30電電公社近畿電通局事件）」とするものがあり、それぞれ事実関係に即して判断されている。

2 答11 ◯ 　労働契約法 7 条、平成24.8.10基発0810第 2 号。設問の通り正しい。なお、就業規則が存在する事業場で使用者が就業規則の変更を行った場合については、労働契約法10条の問題となる。

2 答12 ◯ 　労働契約法 7 条、平成24.8.10基発0810第 2 号。設問の通り正しい。なお、労働契約法 7 条の「就業規則」とは、労働者が就業上遵守すべき規律及び労働条件に関する具体的細目について定めた規則類の総称をいい、労働基準法89条の「就業規則」と同様であるが、労働契約法 7 条の「就業規則」には、常時10人以上の労働者を使用する使用者以外の使用者が作成する労働基準法89条では作成が義務付けられていない就業規則も含まれる。

> 労働基準法106条の定める「周知の方法」とは、次に掲げる 3 つの方法である。
> (1) 常時各作業場の見やすい場所へ掲示し、又は備え付けること。
> (2) 書面を労働者に交付すること。
> (3) 使用者の使用に係る電子計算機に備えられたファイル又は電磁的記録媒体をもって調製するファイルに記録し、かつ、各作業場に労働者が当該記録の内容を常時確認できる機器を設置すること。

2 問13 就業規則に定められている事項であっても、例えば、就業規則の
□□□ 制定趣旨や根本精神を宣言した規定、労使協議の手続に関する規定
R元-3B 等労働条件でないものについては、労働契約法第7条本文によっ
ても労働契約の内容とはならない。

2 問14 「労働契約の内容である労働条件は、労働者と使用者との個別の
□□□ 合意によって変更することができるものであるが、就業規則に定め
H29-1B られている労働条件に関する条項を労働者の不利益に変更する場合
には、労働者と使用者との個別の合意によって変更することはでき
ない。」とするのが、最高裁判所の判例である。

2 問15 労働契約法第10条の「就業規則の変更」には、就業規則の中に
□□□ 現に存在する条項を改廃することのほか、条項を新設することも含
R元-3E まれる。

2 問16 使用者が就業規則の変更により労働条件を変更する場合におい
□□□ て、労働契約法第11条に定める就業規則の変更に係る手続を履行
H29-1C されていることは、労働契約の内容である労働条件が、変更後の就
業規則に定めるところによるという法的効果を生じさせるための要
件とされている。

2答13 ○ 労働契約法 7 条、平成24.8.10基発0810第 2 号。設問の通り正しい。

> 労働契約法 7 条は、労働契約において労働条件を詳細に定めずに労働者が就職した場合において、「合理的な労働条件が定められている就業規則」であること及び「就業規則を労働者に周知させていた」ことという要件を満たしている場合には、就業規則で定める労働条件が労働契約の内容を補充し、「労働契約の内容は、その就業規則で定める労働条件による」という法的効果が生じることを規定したものである。

2答14 × 労働契約法 8 条、法 9 条、最二小平成28.2.19山梨県民信用組合事件。最高裁判所の判例では、「労働契約の内容である労働条件は、労働者と使用者との個別の合意によって変更することができるものであり、このことは、就業規則に定められている労働条件を労働者の不利益に変更する場合であっても、その合意に際して就業規則の変更が必要とされることを除き、異なるものではないと解される。」としている。

> 労働者と使用者との個別の合意によって就業規則に定められている労働条件を不利益に変更する場合には、就業規則の変更が合理的なものであるか否かは問われない。

2答15 ○ 労働契約法10条、平成24.8.10基発0810第 2 号。設問の通り正しい。なお、労働契約法10条は、就業規則の変更による労働条件の変更が労働者の不利益となる場合に適用されるものであり、また、就業規則に定められている事項であっても、労働条件でないものについては、適用されない。

2答16 × 労働契約法11条、平成24.8.10基発0810第 2 号。労働契約法11条に定める就業規則の変更に係る手続(労働基準法89条及び90条に規定する就業規則に関する手続)が履行されていることは、労働契約の内容である労働条件が、変更後の就業規則に定めるところによるという法的効果を生じさせるための要件ではない。当該法的効果を生じさせるための要件は、「(1)変更後の就業規則を労働者に周知させたこと及び(2)就業規則の変更が合理的なものであること」である。なお、就業規則変更の合理性判断に際しては、就業規則の変更に係る諸事情が総合的に考慮されることから、使用者による就業規則の変更に係る手続の遵守の状況は、合理性判断に際して考慮され得るものである。

労
一

2 問17

☐☐☐
R3-3B

使用者が就業規則の変更により労働条件を変更する場合について定めた労働契約法第10条本文にいう「労働者の受ける不利益の程度、労働条件の変更の必要性、変更後の就業規則の内容の相当性、労働組合等との交渉の状況その他の就業規則の変更に係る事情」のうち、「労働組合等」には、労働者の過半数で組織する労働組合その他の多数労働組合や事業場の過半数を代表する労働者だけでなく、少数労働組合が含まれるが、労働者で構成されその意思を代表する親睦団体は含まれない。

2 問18

☐☐☐
H30-3ウ

就業規則の変更による労働条件の変更が労働者の不利益となるため、労働者が、当該変更によって労働契約の内容である労働条件が変更後の就業規則に定めるところによるものとはされないことを主張した場合、就業規則の変更が労働契約法第10条本文の「合理的」なものであるという評価を基礎付ける事実についての主張立証責任は、使用者側が負う。

2 問19

☐☐☐
R3-3C

労働契約法第13条は、就業規則で定める労働条件が法令又は労働協約に反している場合には、その反する部分の労働条件は当該法令又は労働協約の適用を受ける労働者との間の労働契約の内容とはならないことを規定しているが、ここでいう「法令」とは、強行法規としての性質を有する法律、政令及び省令をいい、罰則を伴う法令であるか否かは問わず、労働基準法以外の法令も含まれる。

2 問20

☐☐☐
H28-1ウ

いわゆる在籍出向においては、就業規則に業務上の必要によって社外勤務をさせることがある旨の規定があり、さらに、労働協約に社外勤務の定義、出向期間、出向中の社員の地位、賃金、退職金その他の労働条件や処遇等に関して出向労働者の利益に配慮した詳細な規定が設けられているという事情の下であっても、使用者は、当該労働者の個別的同意を得ることなしに出向命令を発令することができないとするのが、最高裁判所の判例である。

2答17 ✕ 労働契約法10条、平成24.8.10基発0810第2号。「労働組合等」には、労働者の過半数で組織する労働組合その他の多数労働組合や事業場の過半数を代表する労働者のほか、少数労働組合や、労働者で構成されその意思を代表する親睦団体等労働者の意思を代表するものが広く含まれる。

2答18 ○ 労働契約法10条、平成24.8.10基発0810第2号。設問の通り正しい。

2答19 ○ 労働契約法13条、平成24.8.10基発0810第2号。設問の通り正しい。なお、法13条の「労働協約」とは、労働組合法14条にいう「労働組合と使用者又はその団体との間の労働条件その他に関する」合意で、「書面に作成し、両当事者が署名し、又は記名押印したもの」をいい、また、法13条の「労働協約に反する場合」とは、就業規則の内容が労働協約において定められた労働条件その他労働者の待遇に関する基準（規範的部分）に反する場合をいう。

2答20 ✕ 最二小平成15.4.18新日本製鐵事件。最高裁判所の判例では、いわゆる在籍出向においては、就業規則に出向の根拠規定があり、労働協約に出向労働者の利益に配慮した詳細な規定が設けられているという事情の下においては、使用者は、労働者に対し、その個別的同意なしに出向を命ずることができる、としている。

プラスα

最高裁判所の判例（最二小昭和60.4.5古河電気工業事件）では、「労働者が使用者（出向元）との間の雇用契約に基づく従業員たる身分を保有しながら第三者（出向先）の指揮監督の下に労務を提供するという形態の出向（いわゆる在籍出向）が命じられた場合において、その後出向元が、出向先の同意を得た上、右出向関係を解消して労働者に対し復帰を命ずるについては、特段の事由のない限り、当該労働者の同意を得る必要はないものと解すべきである。」としている。

2 問21
□□□
H30-3I

「使用者が労働者を懲戒するには、あらかじめ就業規則において懲戒の種別及び事由を定めておくことをもって足り、その内容を適用を受ける事業場の労働者に周知させる手続が採られていない場合でも、労働基準法に定める罰則の対象となるのは格別、就業規則が法的規範としての性質を有するものとして拘束力を生ずることに変わりはない。」とするのが、最高裁判所の判例である。

2 問22
□□□
R元-3C

労働契約法第15条の「懲戒」とは、労働基準法第89条第9号の「制裁」と同義であり、同条により、当該事業場に懲戒の定めがある場合には、その種類及び程度について就業規則に記載することが義務付けられている。

2 問23
□□□
H29-1D

従業員が職場で上司に対する暴行事件を起こしたことなどが就業規則所定の懲戒解雇事由に該当するとして、使用者が捜査機関による捜査の結果を待った上で当該事件から7年以上経過した後に諭旨退職処分を行った場合において、当該事件には目撃者が存在しており、捜査の結果を待たずとも使用者において処分を決めることが十分に可能であったこと、当該諭旨退職処分がされた時点で企業秩序維持の観点から重い懲戒処分を行うことを必要とするような状況はなかったことなど判示の事情の下では、当該諭旨退職処分は、権利の濫用として無効であるとするのが、最高裁判所の判例の趣旨である。

2 問24
□□□
H27-1D

裁判例では、労働者の能力不足による解雇について、能力不足を理由に直ちに解雇することは認められるわけではなく、高度な専門性を伴わない職務限定では、改善の機会を与えるための警告に加え、教育訓練、配置転換、降格等が必要とされる傾向がみられる。

❷答21 ✕ 労働契約法 7 条、最二小平成15.10.10フジ興産事件。最高裁判所の判例では、「使用者が労働者を懲戒するには、あらかじめ就業規則において懲戒の種別及び事由を定めておくことを要する。」とした上で、「そして、就業規則が法的規範としての性質を有するものとして、拘束力を生ずるためには、その内容を適用を受ける事業場の労働者に周知させる手続が採られていることを要するものというべきである。」としている。

❷答22 ◯ 労働契約法15条、平成24.8.10基発0810第 2 号。設問の通り正しい。

❷答23 ◯ 労働契約法15条、最二小平成18.10.6ネスレ日本事件。設問の通り正しい。設問の最高裁判所の判例では、「使用者の懲戒権の行使は、企業秩序維持の観点から労働契約関係に基づく使用者の権能として行われるものであるが、就業規則所定の懲戒事由に該当する事実が存在する場合であっても、当該具体的事情の下において、それが客観的に合理的な理由を欠き、社会通念上相当なものとして是認することができないときには、権利の濫用として無効になると解するのが相当である。＜…中略…＞本件各事件から 7 年以上経過した後にされた本件諭旨退職処分は、原審が事実を確定していない本件各事件以外の懲戒解雇事由について被上告人が主張するとおりの事実が存在すると仮定しても、処分時点において企業秩序維持の観点からそのような重い懲戒処分を必要とする客観的に合理的な理由を欠くものといわざるを得ず、社会通念上相当なものとして是認することはできない。そうすると、本件諭旨退職処分は権利の濫用として無効というべきであり、本件諭旨退職処分による懲戒解雇はその効力を生じないというべきである。」としている。

❷答24 ◯ 「多様な正社員」の普及・拡大のための有識者懇談会報告書(平成26年 7 月)。設問の通り正しい。

❷問25 使用者は、期間の定めのある労働契約について、やむを得ない事
☐☐☐ 由がある場合でなければ、その契約期間が満了するまでの間におい
H28-1Ⅰ て、労働者を解雇することができないが、「やむを得ない事由」が
あると認められる場合は、解雇権濫用法理における「客観的に合理
的な理由を欠き、社会通念上相当であると認められない場合」以外
の場合よりも狭いと解される。

❷問26 有期労働契約の契約期間中であっても一定の事由により解雇する
☐☐☐ ことができる旨を労働者及び使用者が合意していた場合、当該事由
R元-3D に該当することをもって労働契約法第17条第1項の「やむを得な
い事由」があると認められるものではなく、実際に行われた解雇に
ついて「やむを得ない事由」があるか否かが個別具体的な事案に応
じて判断される。

❷問27 労働契約法第18条第1項の「同一の使用者」は、労働契約を締
☐☐☐ 結する法律上の主体が同一であることをいうものであり、したがっ
H30-3オ て、事業場単位ではなく、労働契約締結の法律上の主体が法人であ
れば法人単位で、個人事業主であれば当該個人事業主単位で判断さ
れる。

2答25 ○　労働契約法17条1項、平成24.8.10基発0810第2号。設問の通り正しい。なお、労働契約法17条1項は「解雇することができない」旨を規定したものであることから、使用者が有期労働契約の契約期間中に労働者を解雇しようとする場合の根拠規定になるものではなく、使用者が当該解雇をしようとする場合には、従来どおり、民法628条（当事者が雇用の期間を定めた場合であっても、やむを得ない事由があるときは、各当事者は、直ちに契約の解除をすることができる）が根拠規定となるものであり、「やむを得ない事由」があるという評価を基礎付ける事実についての主張立証責任は、使用者側が負う。

> 有期契約労働者の契約期間中の雇用保障に関しては、民法628条において、「当事者が雇用の期間を定めた場合であっても、やむを得ない事由があるときは、各当事者は、直ちに契約の解除をすることができる」ことが規定されているが、「やむを得ない事由があるとき」に該当しない場合の取扱いについては、同条の規定からは明らかでない。このため、労働契約法17条1項において、「やむを得ない事由があるとき」に該当しない場合は解雇することができないことを明らかにしたものである。

2答26 ○　労働契約法17条1項、平成24.8.10基発0810第2号。設問の通り正しい。

2答27 ○　労働契約法18条1項、平成24.8.10基発0810第2号。設問の通り正しい。なお、労働契約法において「使用者」とは、「労働者」と相対する労働契約の締結当事者であり、「その使用する労働者に対して賃金を支払う者」をいい、個人企業の場合はその企業主個人を、会社その他の法人組織の場合はその法人そのものをいう。

> 使用者が、就業実態が変わらないにもかかわらず、無期転換申込権の発生を免れる意図をもって、派遣形態や請負形態を偽装し、労働契約の当事者を形式的に他の使用者に切り替えた場合は、法を潜脱するものとして、通算契約期間の計算上「同一の使用者」との労働契約が継続していると解される。

2問28
□□□
H27-2E

専門的知識等を有する有期雇用労働者等に関する特別措置法は、5年を超える一定の期間内に完了することが予定されている専門的知識等を必要とする業務に就く専門的知識等を有する有期雇用労働者等について、労働契約法第18条に基づく無期転換申込権発生までの期間に関する特例を定めている。

2問29
□□□
R3-3D

有期労働契約の更新時に、所定労働日や始業終業時刻等の労働条件の定期的変更が行われていた場合に、労働契約法第18条第1項に基づき有期労働契約が無期労働契約に転換した後も、従前と同様に定期的にこれらの労働条件の変更を行うことができる旨の別段の定めをすることは差し支えないと解される。

2問30
□□□
H29-1E

有期労働契約が反復して更新されたことにより、雇止めをすることが解雇と社会通念上同視できると認められる場合、又は労働者が有期労働契約の契約期間の満了時にその有期労働契約が更新されるものと期待することについて合理的な理由が認められる場合に、使用者が雇止めをすることが、客観的に合理的な理由を欠き、社会通念上相当であると認められないときは、雇止めは認められず、この場合において、労働者が、当該使用者に対し、期間の定めのない労働契約の締結の申込みをしたときは、使用者は当該申込みを承諾したものとみなされる。

2問31
□□□
R3-3E

有期労働契約の更新等を定めた労働契約法第19条の「更新の申込み」及び「締結の申込み」は、要式行為ではなく、使用者による雇止めの意思表示に対して、労働者による何らかの反対の意思表示が使用者に伝わるものでもよい。

2問32
□□□
H28-1オ

労働契約法は、使用者が同居の親族のみを使用する場合の労働契約及び家事使用人の労働契約については、適用を除外している。

2答28 ○　有期特措法8条1項。設問の通り正しい。なお、設問の有期特措法8条において、次のような特例が定められている。

(1)　専門的知識等を有する一定の有期雇用労働者については、無期転換申込権が発生するまでの期間は「上限10年」とする。

(2)　定年後引き続いて雇用される一定の有期雇用労働者については、定年後引き続いて雇用されている期間は、通算契約期間に算入しない。

2答29 ○　労働契約法18条1項、平成24.8.10基発0810第2号。設問の通り正しい。なお、無期労働契約に転換した後における解雇については、個々の事情により判断されるものであるが、一般的には、勤務地や職務が限定されている等労働条件や雇用管理がいわゆる正社員と大きく異なるような労働者については、こうした限定等の事情がない、いわゆる正社員と当然には同列に扱われることにならないと解される。

2答30 ×　労働契約法19条。設問の場合においては、労働者が「期間の定めのない労働契約の締結の申込みをしたときは、使用者は当該申込みを承諾したものとみなされる」ではなく、「契約期間が満了する日までの間に当該**有期労働契約の更新の申込み**をしたとき又は当該契約期間の満了後遅滞なく**有期労働契約の締結の申込み**をしたときは、使用者は、従前の有期労働契約の内容である労働条件と**同一の労働条件**で当該申込みを承諾したものとみなされる」である。

2答31 ○　労働契約法19条、平成24.8.10基発0810第2号。設問の通り正しい。

2答32 ×　労働契約法21条2項。労働契約法は、使用者が同居の親族のみを使用する場合の労働契約については、適用を除外しているが、家事使用人の労働契約については、適用を除外していない(適用される。)。

3 個別労働紛争解決促進法

過去問

3 問1
□□□
R2-3D
難

個別労働関係紛争の解決の促進に関する法律第1条の「労働関係」とは、労働契約に基づく労働者と事業主の関係をいい、事実上の使用従属関係から生じる労働者と事業主の関係は含まれない。

3 問2
□□□
H29-2イ

個別労働関係紛争解決促進法第5条第1項は、都道府県労働局長は、同項に掲げる個別労働関係紛争について、当事者の双方又は一方からあっせんの申請があった場合において、その紛争の解決のために必要があると認めるときは、紛争調整委員会にあっせんを行わせるものとすると定めている。

4 パートタイム・有期雇用労働法

最新問題

4 問1
□□□
R6-4オ
難

基本給の一部について、労働者の業績又は成果に応じて支給しているY社において、通常の労働者が販売目標を達成した場合に行っている支給を、短時間労働者であるXについて通常の労働者と同一の販売目標を設定し、当該販売目標を達成しない場合には支給を行っていなくても、パートタイム・有期雇用労働法上は問題ない。

3答1 ×　個別労働紛争解決促進法1条、平成13.9.19厚労省発地129号他。法1条の「労働関係」とは、労働契約又は事実上の使用従属関係から生じる労働者と事業主の関係をいうこととされている。

3答2 ○　個別労働紛争解決促進法5条1項。設問の通り正しい。なお、同項に掲げる個別労働関係紛争（あっせんの対象となる個別労働関係紛争）からは、労働者の募集及び採用に関する事項についての紛争が除かれている。

4答1 ×　平成30.12.28厚労告430号。設問文のケースは、「短時間・有期雇用労働者及び派遣労働者に対する不合理な待遇の禁止等に関する指針」において、パートタイム・有期雇用労働法上「問題となる例」として挙げられている。なお、「基本給の一部について、労働者の業績又は成果に応じて支給しているA社において、所定労働時間が通常の労働者の半分の短時間労働者であるXに対し、その販売実績が通常の労働者に設定されている販売目標の半分の数値に達した場合には、通常の労働者が販売目標を達成した場合の半分を支給している」ケースは、同指針において、パートタイム・有期雇用労働法上「問題とならない例」として挙げられている。

4問1
□□□
R3-4I
難

A社において、定期的に職務の内容及び勤務地の変更がある通常の労働者の総合職であるXは、管理職となるためのキャリアコースの一環として、新卒採用後の数年間、店舗等において、職務の内容及び配置に変更のない短時間労働者であるYの助言を受けながら、Yと同様の定型的な業務に従事している場合に、A社がXに対し、キャリアコースの一環として従事させている定型的な業務における能力又は経験に応じることなく、Yに比べ基本給を高く支給していることは、パートタイム・有期雇用労働法に照らして許されない。

4問2
□□□
R2-3B
難

パートタイム・有期雇用労働法が適用される企業において、同一の能力又は経験を有する通常の労働者であるXと短時間労働者であるYがいる場合、XとYに共通して適用される基本給の支給基準を設定し、就業の時間帯や就業日が日曜日、土曜日又は国民の祝日に関する法律（昭和23年法律第178号）に規定する休日か否か等の違いにより、時間当たりの基本給に差を設けることは許されない。

4問3
□□□
R4-4E
難

賞与であって、会社の業績等への労働者の貢献に応じて支給するものについて、通常の労働者と同一の貢献である短時間・有期雇用労働者には、貢献に応じた部分につき、通常の労働者と同一の賞与を支給しなければならず、貢献に一定の相違がある場合においては、その相違に応じた賞与を支給しなければならない。

5 最低賃金法

最新問題

5問1
□□□
R6-4イ

最低賃金法第8条は、「最低賃金の適用を受ける使用者は、厚生労働省令で定めるところにより、当該最低賃金の概要を、常時作業場の見やすい場所に掲示し、又はその他の方法で、労働者に周知させるための措置をとらなければならない。」と定めている。

5問1
□□□
H29-27

最低賃金法第3条は、最低賃金額は、時間又は日によって定めるものとしている。

4答1 ✕　平成30.12.28厚労告430号。設問文のケースは、「短時間・有期雇用労働者及び派遣労働者に対する不合理な待遇の禁止等に関する指針」において、パートタイム・有期雇用労働法上「問題とならない例」として挙げられている。

4答2 ✕　平成30.12.28厚労告430号。指針〔短時間・有期雇用労働者及び派遣労働者に対する不合理な待遇の禁止等に関する指針(平成30.12.28厚労告430号)〕によれば、設問の場合は問題とならないとしている。**4答1**参照。

4答3 ○　平成30.12.28厚労告430号。設問の通り正しい。

5答1 ○　最低賃金法8条。設問の通り正しい。なお、設問の最低賃金法8条の規定に違反した者(地域別最低賃金及び船員に適用される特定最低賃金に係るものに限る。)は、30万円以下の罰金に処せられる。

5答1 ✕　最低賃金法3条。最低賃金額は、「時間」によって定めるものとされている。

5 問2
□□□
R元-4A
　労働者派遣法第44条第1項に規定する「派遣中の労働者」に対しては、賃金を支払うのは派遣元であるが、当該労働者の地域別最低賃金については、派遣先の事業の事業場の所在地を含む地域について決定された地域別最低賃金において定める最低賃金額が適用される。

6 男女雇用機会均等法

過去問

6 問1
□□□
H27-2A
　男女雇用機会均等法第9条第3項の規定は、同法の目的及び基本的理念を実現するためにこれに反する事業主による措置を禁止する強行規定として設けられたものと解するのが相当であり、女性労働者につき、妊娠、出産、産前休業の請求、産前産後の休業又は軽易業務への転換等を理由として解雇その他不利益な取扱いをすることは、同項に違反するものとして違法であり、無効であるというべきであるとするのが、最高裁判所の判例である。

6 問2
□□□
R3-4オ
　女性労働者につき労働基準法第65条第3項に基づく妊娠中の軽易な業務への転換を契機として降格させる事業主の措置は、原則として男女雇用機会均等法第9条第3項の禁止する取扱いに当たるが、当該労働者につき自由な意思に基づいて降格を承諾したものと認めるに足りる合理的な理由が客観的に存在するとき、又は事業主において当該労働者につき降格の措置を執ることなく軽易な業務への転換をさせることに円滑な業務運営や人員の適正配置の確保などの業務上の必要性から支障がある場合であって、上記措置につき男女雇用機会均等法第9条第3項の趣旨及び目的に実質的に反しないものと認められる特段の事情が存在するときは、同項の禁止する取扱いに当たらないとするのが、最高裁判所の判例である。

6 問3
□□□
H30-4E
　事業主は、その雇用する女性労働者が母子保健法の規定による保健指導又は健康診査に基づく指導事項を守ることができるようにするため、勤務時間の変更、勤務の軽減等必要な措置を講じなければならない。

5 答2 ○ 最低賃金法13条。設問の通り正しい。なお、派遣中の労働者について、その派遣先の事業と同種の事業又はその派遣先の事業の事業場で使用される同種の労働者の職業について特定最低賃金が適用されている場合には、当該特定最低賃金において定める最低賃金額が適用される。

6 答1 ○ 均等法9条3項、最一小平成26.10.23広島中央保健生活協同組合事件。設問の通り正しい。

> [男女雇用機会均等法9条3項(一部読替)]
> 事業主は、その雇用する女性労働者が妊娠したこと、出産したこと、労働基準法の規定による産前休業を請求し、又は産前産後休業をしたことその他の妊娠又は出産に関する事由であって厚生労働省令で定めるものを理由として、当該女性労働者に対して解雇その他不利益な取扱いをしてはならない。

6 答2 ○ 均等法9条3項、最一小平成26.10.23広島中央保健生活協同組合事件。設問の通り正しい。

> 設問の最高裁判所の判例では、「均等法の規定の文言や趣旨等に鑑みると、同法9条3項の規定は、上記の目的及び基本的理念を実現するためにこれに反する事業主による措置を禁止する強行規定として設けられたものと解するのが相当であり、女性労働者につき、妊娠、出産、産前休業の請求、産前産後の休業又は軽易業務への転換等を理由として解雇その他不利益な取扱いをすることは、同項に違反するものとして違法であり、無効であるというべきである。」としている。

6 答3 ○ 均等法13条1項。設問の通り正しい。なお、事業主は、その雇用する女性労働者が母子保健法の規定による保健指導又は健康診査を受けるために必要な時間を確保することができるようにしなければならないとされている。

7問1

R2-3A

育児介護休業法に基づいて育児休業の申出をした労働者は、当該申出に係る育児休業開始予定日とされた日の前日までに厚生労働省令で定める事由が生じた場合には、その事業主に申し出ることにより、法律上、当該申出に係る育児休業開始予定日を何回でも当該育児休業開始予定日とされた日前の日に変更することができる。

7問2

H28-2B改

育児介護休業法第9条の6により、父親と母親がともに育児休業を取得する場合、子が1歳6か月になるまで育児休業を取得できるとされている。

7問3

H29-2エ

育児介護休業法は、労働者は、対象家族1人につき、1回に限り、連続したひとまとまりの期間で最長93日まで、介護休業を取得することができると定めている。

7問4

R5-4C

事業主は、労働者が当該事業主に対し、当該労働者又はその配偶者が妊娠し、又は出産したことその他これに準ずるものとして厚生労働省令で定める事実を申し出たときは、厚生労働省令で定めるところにより、当該労働者に対して、育児休業に関する制度その他の厚生労働省令で定める事項を知らせるとともに、育児休業申出等に係る当該労働者の意向を確認するための面談その他の厚生労働省令で定める措置を講じなければならない。

7問5

R4-4B

事業主は、職場において行われるその雇用する労働者に対する育児休業、介護休業その他の子の養育又は家族の介護に関する厚生労働省令で定める制度又は措置の利用に関する言動により当該労働者の就業環境が害されることのないよう、当該労働者からの相談に応じ、適切に対応するために必要な体制の整備その他の雇用管理上必要な措置を講じなければならない。

7答1 ✕ 育児介護休業法7条1項。育児休業の申出をした労働者は、その後当該申出に係る育児休業開始予定日とされた日の前日までに、厚生労働省令で定める事由が生じた場合には、その事業主に申し出ることにより、当該申出に係る育児休業開始予定日を「1回に限り」当該育児休業開始予定日とされた日前の日に変更することができるとされている。なお、1歳に達する日までの期間内に2回の育児休業を申し出る場合には、各1回変更の申出をすることができる。

7答2 ✕ 育児介護休業法9条の6。父親と母親がともに育児休業を取得する場合(パパ・ママ育休プラスの場合)、子が「1歳2か月」になるまで育児休業を取得することができるとされている。

7答3 ✕ 育児介護休業法11条1項、2項。介護休業は、設問のように、必ずしも「1回に限り、連続したひとまとまりの期間」で取得しなければならないものではなく、対象家族1人につき、3回を上限として、通算93日まで、分割して取得することができる。

7答4 ○ 育児介護休業法21条1項。設問の通り正しい。なお、事業主は、労働者が当該事業主に対し、対象家族が当該労働者の介護を必要とする状況に至ったことを申し出たときは、当該労働者に対して、介護休業に関する制度、仕事と介護との両立に資するものとして厚生労働省令で定める制度又は措置(「介護両立支援制度等」という。)その他の厚生労働省令で定める事項を知らせるとともに、介護休業申出及び介護両立支援制度等申出に係る当該労働者の意向を確認するための面談その他の厚生労働省令で定める措置を講じなければならない。

7答5 ○ 育児介護休業法25条1項。設問の通り正しい。なお、事業主は、労働者が設問の相談を行ったこと又は事業主による当該相談への対応に協力した際に事実を述べたことを理由として、当該労働者に対して解雇その他不利益な取扱いをしてはならない。

8 次世代育成支援対策推進法

過去問

8 問 1
☐☐☐
H27-2D改
　平成15年に、平成27年 3 月31日までの時限立法として制定され
た次世代育成支援対策推進法は、平成26年の改正法により、法律
の有効期限が平成37（令和 7 ）年 3 月31日まで10年間延長され、新
たな認定制度の創設等が定められた後、令和 6 年の改正法により、
法律の有効期限が令和17年 3 月31日までさらに10年間延長された。

9 女性活躍推進法

過去問

9 問 1
☐☐☐
H29-2オ
　女性活躍推進法は、国及び地方公共団体以外の事業主であって、
常時雇用する労働者の数が300人を超えるものは、「厚生労働省令
で定めるところにより、職業生活を営み、又は営もうとする女性の
職業選択に資するよう、その事業における女性の職業生活における
活躍に関する情報を定期的に公表するよう努めなければならない。」
と定めている。

8答1 ○ 次世代法15条の2、法附則1条、法附則2条1項、平成26.4.23雇児発0423第2号他。設問の通り正しい。

労一

9答1 × 女性活躍推進法20条1項。設問の事業主（常時雇用する労働者の数が300人を超える一般事業主）については、厚生労働省令で定めるところにより、職業生活を営み、又は営もうとする女性の職業選択に資するよう、その事業における女性の職業生活における活躍に関する次の(1)及び(2)に掲げる情報を定期的に公表しなければならない。

(1) その雇用し、又は雇用しようとする女性労働者に対する職業生活に関する機会の提供に関する実績

(2) その雇用する労働者の職業生活と家庭生活との両立に資する雇用環境の整備に関する実績

　なお、女性活躍推進法8条1項に規定する一般事業主※（常時雇用する労働者の数が300人を超える一般事業主を除く。）は、厚生労働省令で定めるところにより、職業生活を営み、又は営もうとする女性の職業選択に資するよう、その事業における女性の職業生活における活躍に関する上記(1)又は(2)に掲げる情報の少なくともいずれか一方を定期的に公表しなければならない。

※ 女性活躍推進法8条1項に規定する一般事業主とは、一般事業主行動計画の策定が義務付けられている一般事業主（常時雇用する労働者の数が100人を超える一般事業主）である。

プラスα

女性活躍推進法8条7項に規定する一般事業主（常時雇用する労働者の数が100人以下の一般事業主）は、厚生労働省令で定めるところにより、職業生活を営み、又は営もうとする女性の職業選択に資するよう、その事業における女性の職業生活における活躍に関する上記(1)又は(2)に掲げる情報の少なくともいずれか一方を定期的に公表するよう努めなければならない。

10 労働施策総合推進法

10 問1

□□□

R6-4I

　労働施策総合推進法第9条は、「事業主は、労働者がその有する能力を有効に発揮するために必要であると認められるときとして厚生労働省令で定めるときは、労働者の配置（業務の配分及び権限の付与を含む。）及び昇進について、厚生労働省令で定めるところにより、その年齢にかかわりなく均等な機会を与えなければならない。」と定めている。

---

10 問1

□□□

R3-4ウ

　労働施策総合推進法第30条の2第1項の「事業主は、職場において行われる優越的な関係を背景とした言動であつて、業務上必要かつ相当な範囲を超えたものによりその雇用する労働者の就業環境が害されることのないよう、当該労働者からの相談に応じ、適切に対応するために必要な体制の整備その他の雇用管理上必要な措置を講じなければならない。」とする規定が、令和2年6月1日に施行されたが、同項の事業主のうち、同法の附則で定める中小事業主については、令和4年3月31日まで当該義務規定の適用が猶予されており、その間、当該中小事業主には、当該措置の努力義務が課せられている。

11 職業安定法

11 問1

□□□

R6-47

　労働者の募集を行う者及び募集受託者は、職業安定法に基づく業務に関して新聞、雑誌その他の刊行物に掲載する広告、文書の掲出又は頒布その他厚生労働省令で定める方法により労働者の募集に関する情報その他厚生労働省令で定める情報を提供するときは、正確かつ最新の内容に保たなければならない。

⑩答1 ✕ 労働施策総合推進法9条。労働施策総合推進法9条は、「事業主は、労働者がその有する能力を有効に発揮するために必要であると認められるときとして厚生労働省令で定めるときは、労働者の募集及び採用について、厚生労働省令で定めるところにより、その年齢にかかわりなく均等な機会を与えなければならない。」と定めている。

⑩答1 ○ 労働施策総合推進法30条の2,1項、（令和元）法附則3条。設問の通り正しい。なお、中小事業主については、令和4年4月1日から設問の義務規定が適用されている。

⑪答1 ○ 職業安定法5条の4,2項。設問の通り正しい。

プラス
α

公共職業安定所、特定地方公共団体及び職業紹介事業者、募集情報等提供事業を行う者並びに労働者供給事業者は、職業安定法に基づく業務に関して広告等（新聞、雑誌その他の刊行物に掲載する広告、文書の掲出又は頒布その他厚生労働省令で定める方法）により求人等に関する情報を提供するときは、正確かつ最新の内容に保つための措置を講じなければならない。

11 問 1

□□□
R5-4B
難

　職業紹介事業者、求人者、労働者の募集を行う者、募集受託者、特定募集情報等提供事業者、労働者供給事業者及び労働者供給を受けようとする者は、特別な職業上の必要性が存在することその他業務の目的の達成に必要不可欠であって、収集目的を示して本人から収集する場合でなければ、「人種、民族、社会的身分、門地、本籍、出生地その他社会的差別の原因となるおそれのある事項」「思想及び信条」「労働組合への加入状況」に関する求職者、募集に応じて労働者になろうとする者又は供給される労働者の個人情報を収集することができない。

11 問 2

□□□
R元-4E

　公共職業安定所は、労働争議に対する中立の立場を維持するため、同盟罷業又は作業所閉鎖の行われている事業所に、求職者を紹介してはならない。

11 問 3

□□□
R元-4D

　職業安定法にいう職業紹介におけるあっせんには、「求人者と求職者との間に雇用関係を成立させるために両者を引き合わせる行為のみならず、求人者に紹介するために求職者を探索し、求人者に就職するよう求職者に勧奨するいわゆるスカウト行為（以下「スカウト行為」という。）も含まれるものと解するのが相当である。」とするのが、最高裁判所の判例である。

12 労働者派遣法

12 問 1

□□□
H28-2D

　労働者派遣法第35条の3は、「派遣元事業主は、派遣先の事業所その他派遣就業の場所における組織単位ごとの業務について、3年を超える期間継続して同一の派遣労働者に係る労働者派遣（第40条の2第1項各号のいずれかに該当するものを除く。）を行つてはならない」と定めている。

⑪答1 ○ 職業安定法5条の5,1項、令和5.3.31厚労告165号(職業紹介事業者、求人者、労働者の募集を行う者、募集受託者、募集情報等提供事業を行う者、労働者供給事業者、労働者供給を受けようとする者等がその責務等に関して適切に対処するための指針)。設問の通り正しい。なお、職業紹介事業者、求人者、労働者の募集を行う者、募集受託者、特定募集情報等提供事業者、労働者供給事業者及び労働者供給を受けようとする者は、求職者等の個人情報を収集する際には、本人から直接収集し、本人の同意の下で本人以外の者から収集し、又は本人により公開されている求職者等の個人情報を収集する等の手段であって、適法かつ公正なものによらなければならないこととされている。

⑪答2 ○ 職業安定法20条1項。設問の通り正しい。

職業安定法20条1項に規定する場合(設問の場合)の外、労働委員会が公共職業安定所に対し、事業所において、同盟罷業又は作業所閉鎖に至る虞の多い争議が発生していること及び求職者を無制限に紹介することによって、当該争議の解決が妨げられることを通報した場合においては、公共職業安定所は当該事業所に対し、求職者を紹介してはならない。但し、当該争議の発生前、通常使用されていた労働者の員数を維持するため必要な限度まで労働者を紹介する場合は、この限りでない。

⑪答3 ○ 最二小平成6.4.22東京エグゼクティブ・サーチ事件。設問の通り正しい。

⑫答1 ○ 派遣法35条の3。設問の通り正しい。

⓬問2
☐☐☐
R4-4D
難

労働者派遣事業の許可を受けた者（派遣元事業主）は、その雇用する派遣労働者が段階的かつ体系的に派遣就業に必要な技能及び知識を習得することができるように教育訓練を実施しなければならず、また、その雇用する派遣労働者の求めに応じ、当該派遣労働者の職業生活の設計に関し、相談の機会の確保その他の援助を行わなければならない。

⓬問3
☐☐☐
H30-4B

派遣先は、当該派遣先の同一の事業所その他派遣就業の場所において派遣元事業主から1年以上継続して同一の派遣労働者を受け入れている場合に、当該事業所その他派遣就業の場所において労働に従事する通常の労働者の募集を行うときは、その者が従事すべき業務の内容、賃金、労働時間その他の当該募集に係る事項を当該派遣労働者に周知しなければならない。

⓭ 青少年雇用促進法

過去問

⓭問1
☐☐☐
R5-4E

厚生労働大臣は、常時雇用する労働者の数が300人以上の事業主からの申請に基づき、当該事業主について、青少年の募集及び採用の方法の改善、職業能力の開発及び向上並びに職場への定着の促進に関する取組に関し、その実施状況が優良なものであることその他の厚生労働省令で定める基準に適合するものである旨の認定を行うことができ、この制度は「ユースエール認定制度」と呼ばれている。

⑫答2 ○　派遣法30条の２。設問の通り正しい。

⑫答3 ○　派遣法40条の5,1項。設問の通り正しい。なお、設問の募集情報の周知は、当該募集に係る事業所その他派遣就業の場所に掲示することその他の措置を講ずることにより行うものとされている。

⑬答1 ×　青少年雇用促進法15条、令和3.3.29厚労告114号。「300人以上」を「300人以下」と読み替えると、正しい記述となる。

過去問

14問1
☐☐☐
R5-4D
難

高年齢者雇用安定法に定める義務として継続雇用制度を導入する場合、事業主に定年退職者の希望に合致した労働条件での雇用を義務付けるものではなく、事業主の合理的な裁量の範囲の条件を提示していれば、労働者と事業主との間で労働条件等についての合意が得られず、結果的に労働者が継続雇用されることを拒否したとしても、高年齢者雇用安定法違反となるものではない。

14問2
☐☐☐
R3-4イ

定年(65歳以上70歳未満のものに限る。)の定めをしている事業主又は継続雇用制度(その雇用する高年齢者が希望するときは、当該高年齢者をその定年後も引き続いて雇用する制度をいう。ただし、高年齢者を70歳以上まで引き続いて雇用する制度を除く。)を導入している事業主は、その雇用する高年齢者(高年齢者雇用安定法第9条第2項の契約に基づき、当該事業主と当該契約を締結した特殊関係事業主に現に雇用されている者を含み、厚生労働省令で定める者を除く。)について、「当該定年の引上げ」「65歳以上継続雇用制度の導入」「当該定年の定めの廃止」の措置を講ずることにより、65歳から70歳までの安定した雇用を確保しなければならない。

14答1 ○　平成24.11.12職高発1112第1号。設問の通り正しい。高年齢者雇用安定法は、事業主に高年齢者雇用確保措置(定年の引上げ、継続雇用制度の導入、定年の定めの廃止)のいずれかを講じることを義務付けているものであり、個別の労働者の65歳までの雇用義務を課すものではない。

Point　高年齢者雇用安定法は、事業主に高年齢者雇用確保措置のいずれかを講じることを義務付けているため、60歳以上の労働者が当分の間生じない企業であっても、65歳までの高年齢者雇用確保措置を講じなければならない。

14答2 ×　高年齢者雇用安定法10条の2,1項。設問の事業主は、設問の措置を講ずることにより、65歳から70歳までの安定した雇用を確保するよう「努めなければならない」(努力義務)とされている。

労一

15 障害者雇用促進法

15問 1

□□□

R6-4ウ

難

　障害者専用の求人の採用選考又は採用後において、仕事をする上での能力及び適性の判断、合理的配慮の提供のためなど、雇用管理上必要な範囲で、プライバシーに配慮しつつ、障害者に障害の状況等を確認することは、障害者であることを理由とする差別に該当せず、障害者の雇用の促進等に関する法律に違反しない。

過去問

15問 1

□□□

H28-2A

　障害者雇用促進法第34条は、常時使用する労働者数にかかわらず、「事業主は、労働者の募集及び採用について、障害者に対して、障害者でない者と均等な機会を与えなければならない」と定めている。

15問 2

□□□

R4-4C

　積極的差別是正措置として、障害者でない者と比較して障害者を有利に取り扱うことは、障害者であることを理由とする差別に該当せず、障害者の雇用の促進等に関する法律に違反しない。

15問 3

□□□

R元-4C

　事業主は、障害者と障害者でない者との均等な機会の確保の支障となっている事情を改善するため、事業主に対して過重な負担を及ぼすこととなるときを除いて、労働者の募集及び採用に当たり障害者からの申出により当該障害者の障害の特性に配慮した必要な措置を講じなければならない。

⑮答1 ○ 障害者雇用促進法34条、法35条、平成27.3.25厚労告116号。設問の通り正しい。

次に掲げる措置を講ずることは、障害者であることを理由とする差別に該当しない。
① 積極的差別是正措置として、障害者でない者と比較して障害者を有利に取り扱うこと
② 合理的配慮を提供し、労働能力等を適正に評価した結果として障害者でない者と異なる取扱いをすること
③ 合理的配慮に係る措置を講ずること(その結果として、障害者でない者と異なる取扱いとなること)
④ 障害者専用の求人の採用選考又は採用後において、仕事をする上での能力及び適性の判断、合理的配慮の提供のためなど、雇用管理上必要な範囲で、プライバシーに配慮しつつ、障害者に障害の状況等を確認すること

⑮答1 ○ 障害者雇用促進法34条。設問の通り正しい。

⑮答2 ○ 平成27.3.25厚労告116号。設問の通り正しい。

⑮答3 ○ 障害者雇用促進法36条の2。設問の通り正しい。

事業主は、障害者である労働者について、障害者でない労働者との均等な待遇の確保又は障害者である労働者の有する能力の有効な発揮の支障となっている事情を改善するため、事業主に対して過重な負担を及ぼすこととなるときを除いて、その雇用する障害者である労働者の障害の特性に配慮した職務の円滑な遂行に必要な施設の整備、援助を行う者の配置その他の必要な措置を講じなければならない。

⑮問4
□□□
R3-47

　障害者の雇用の促進等に関する法律第36条の2から第36条の4までの規定に基づき事業主が講ずべき措置(以下「合理的配慮」という。)に関して、合理的配慮の提供は事業主の義務であるが、採用後の合理的配慮について、事業主が必要な注意を払ってもその雇用する労働者が障害者であることを知り得なかった場合には、合理的配慮の提供義務違反を問われない。

⑮問5
□□□
R2-3C

　障害者雇用促進法では、事業主の雇用する障害者雇用率の算定対象となる障害者(以下「対象障害者」という。)である労働者の数の算定に当たって、対象障害者である労働者の1週間の所定労働時間にかかわりなく、対象障害者は1人として換算するものとされている。

⑮問6
□□□
H27-2C改

　障害者雇用促進法は、事業主に一定比率(一般事業主については2.7パーセント)以上の対象障害者の雇用を義務づけ、それを達成していない常時使用している労働者数が101人以上の事業主から、未達成1人につき月10万円の障害者雇用納付金を徴収することとしている。

⑮答 4 ○　平成27.3.25厚労告117号。設問の通り正しい。

⑮答 5 ×　障害者雇用促進法43条３項、法70条、則６条、則33条、則附則６条、平成21.4.24厚労告275号、令和5.7.7厚労告228号。対象障害者である労働者の数の算定に当たって、対象障害者である短時間労働者〔１週間の所定労働時間が、当該事業主の事業所に雇用する通常の労働者の１週間の所定労働時間に比し短く、かつ、厚生労働大臣の定める時間数(30時間)未満である常時雇用する労働者をいう。〕及び重度身体障害者、重度知的障害者又は精神障害者である特定短時間労働者〔短時間労働者のうち、１週間の所定労働時間が厚生労働大臣の定める時間の範囲内(10時間以上20時間未満)にある労働者をいい、一定のものを除く。〕は、その１人をもって、「0.5人」の対象障害者である労働者に相当するものとみなされる。なお、当分の間、精神障害者である短時間労働者は、その１人をもって、１人の対象障害者である労働者とみなされる。

⑮答 6 ×　障害者雇用促進法43条１項、２項、法53条１項、法54条１項、２項、法附則４条１項、令９条、令17条、令18条。障害者雇用納付金の額は、未達成１人につき月50,000円とされている。なお、設問の一般事業主に係る一定比率は、令和８年６月30日までの間は2.5％とされている。

> 常時使用している労働者数が100人以下の事業主については、当分の間、障害者雇用調整金及び障害者雇用納付金の規定は、適用しない。

過去問

16問1
□□□
H30-4C
過労死等防止対策推進法は、国及び地方公共団体以外の事業主であって、常時雇用する労働者の数が100人を超える者は、毎年、当該事業主が「過労死等の防止のために講じた対策の状況に関する報告書を提出しなければならない。」と定めている。

以下**17**～**23**の問題及び解説においては、各種統計、白書に関しては改題せず、本試験出題当時のまま掲載しています。

17 労働経済（白書）

過去問

次の**17問1**から**17問5**は、「令和元年版労働経済白書（厚生労働省）」を参照しており、当該白書又は当該白書が引用している調査による用語及び統計等を利用している。

17問1
□□□
R3-1A
正社員について、働きやすさに対する認識を男女別・年齢階級別にみると、男女ともにいずれの年齢階級においても、働きやすさに対して満足感を「いつも感じる」又は「よく感じる」者が、「全く感じない」又は「めったに感じない」者を上回っている。

17問2
□□□
R3-1B
正社員について、働きやすさの向上のために、労働者が重要と考えている企業側の雇用管理を男女別・年齢階級別にみると、男性は「職場の人間関係やコミュニケーションの円滑化」、女性は「労働時間の短縮や働き方の柔軟化」がいずれの年齢層でも最も多くなっている。

17問3
□□□
R3-1C
正社員について、男女計における1か月当たりの労働時間と働きやすさとの関係をみると、労働時間が短くなるほど働きやすいと感じる者の割合が増加し、逆に労働時間が長くなるほど働きにくいと感じる者の割合が増加する。

⑯答1 ×　過労死等防止対策推進法。設問のような規定(事業主に対して報告書の提出を義務付ける規定)はない。なお、同法6条では、「政府は、毎年、国会に、我が国における過労死等の概要及び政府が過労死等の防止のために講じた施策の状況に関する報告書を提出しなければならない。」と定めている。

⑰答1 ○　「令和元年版労働経済白書(厚生労働省)」P.126。設問の通り正しい。

⑰答2 ×　「令和元年版労働経済白書(厚生労働省)」P.126、127。正社員について、働きやすさの向上のために、労働者が重要と考えている企業側の雇用管理を男女別・年齢階層別にみると、男女ともにいずれの年齢階級においても「職場の人間関係やコミュニケーションの円滑化」が最も多くなっている。

⑰答3 ○　「令和元年版労働経済白書(厚生労働省)」P.130。設問の通り正しい。

⓱問 4　正社員について、テレワークの導入状況と働きやすさ・働きにく
□□□　さとの関係をみると、テレワークが導入されていない場合の方が、
R3-1D　導入されている場合に比べて、働きにくいと感じている者の割合が
高くなっている。

⓱問 5　勤務間インターバル制度に該当する正社員と該当しない正社員の
□□□　働きやすさを比較すると、該当する正社員の方が働きやすさを感じ
R3-1E　ている。

　次の**⓱問 6**から**⓱問10**は、「平成29年版厚生労働白書（厚生労働省）」を
参照しており、当該白書又は当該白書が引用している調査による用語及び統
計等を利用している。

⓱問 6　1990年代半ばから2010年代半ばにかけての全世帯の1世帯当
□□□　たり平均総所得金額減少傾向の背景には、高齢者世帯割合の急激な
H30-2A　増加がある。

⓱問 7　「国民生活基礎調査（厚生労働省）」によると、年齢別の相対的貧
□□□　困率は、17歳以下の相対的貧困率（子どもの貧困率）及び18～64
H30-2B　歳の相対的貧困率については1985年以降上昇傾向にあったが、直
近ではいずれも低下している。

⓱問 8　非正規雇用労働者が雇用労働者に占める比率を男女別・年齢階級
□□□　別にみて1996年と2006年を比較すると、男女ともに各年齢層にお
H30-2C　いて非正規雇用労働者比率は上昇したが、2006年と2016年の比較
においては、女性の高齢層（65歳以上）を除きほぼ同程度となって
おり、男性の15～24歳、女性の15～44歳層ではむしろ若干の低
下が見られる。

⓱問 9　2016年の労働者一人当たりの月額賃金については、一般労働者
□□□　は、宿泊業、飲食サービス業、生活関連サービス業など、非正規雇
H30-2D　用労働者割合が高い産業において低くなっており、産業間での賃金
格差が大きいが、パートタイム労働者については産業間で大きな格
差は見られない。

17 答4 ○ 「令和元年版労働経済白書（厚生労働省）」P.134、135。設問の通り正しい。

17 答5 ○ 「令和元年版労働経済白書（厚生労働省）」P.133。設問の通り正しい。

17 答6 ○ 「平成29年版厚生労働白書（厚生労働省）」P.38。設問の通り正しい。

17 答7 ○ 「平成29年版厚生労働白書（厚生労働省）」P.61。設問の通り正しい。

17 答8 ○ 「平成29年版厚生労働白書（厚生労働省）」P.65。設問の通り正しい。

17 答9 ○ 「平成29年版厚生労働白書（厚生労働省）」P.74。設問の通り正しい。

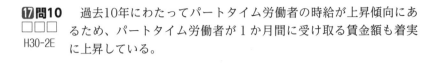

17問10 過去10年にわたってパートタイム労働者の時給が上昇傾向にあH30-2E るため、パートタイム労働者が1か月間に受け取る賃金額も着実に上昇している。

次の**17問11**から**17問15**は、「平成28年版厚生労働白書(厚生労働省)」を参照しており、当該白書又は当該白書が引用している調査による用語及び統計等を利用している。

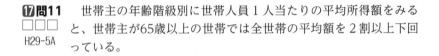

17問11 世帯主の年齢階級別に世帯人員1人当たりの平均所得額をみるH29-5A と、世帯主が65歳以上の世帯では全世帯の平均額を2割以上下回っている。

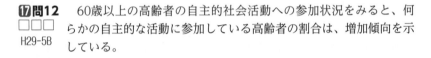

17問12 60歳以上の高齢者の自主的社会活動への参加状況をみると、何H29-5B らかの自主的な活動に参加している高齢者の割合は、増加傾向を示している。

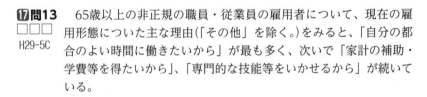

17問13 65歳以上の非正規の職員・従業員の雇用者について、現在の雇H29-5C 用形態についた主な理由(「その他」を除く。)をみると、「自分の都合のよい時間に働きたいから」が最も多く、次いで「家計の補助・学費等を得たいから」、「専門的な技能等をいかせるから」が続いている。

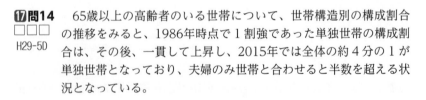

17問14 65歳以上の高齢者のいる世帯について、世帯構造別の構成割合H29-5D の推移をみると、1986年時点で1割強であった単独世帯の構成割合は、その後、一貫して上昇し、2015年では全体の約4分の1が単独世帯となっており、夫婦のみ世帯と合わせると半数を超える状況となっている。

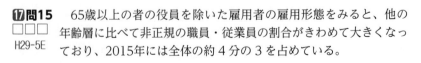

17問15 65歳以上の者の役員を除いた雇用者の雇用形態をみると、他のH29-5E 年齢層に比べて非正規の職員・従業員の割合がきわめて大きくなっており、2015年には全体の約4分の3を占めている。

⑰答10 ×　「平成29年版厚生労働白書（厚生労働省）」P.63、72。白書によれば、パートタイム労働者の月額賃金（現金給与総額）は、1993（平成5）年の調査開始以降わずかながら増加が続いているが、長期的に見るとおおむね横ばいで推移しており、パートタイム労働者の時給が上昇しているにもかかわらず、パートタイム労働者の月額ベースでの賃金は、あまり上昇していない、としている。

⑰答11 ×　「平成28年版厚生労働白書（厚生労働省）」P.21。世帯人員1人当たりの平均所得額をみると、世帯主が65歳以上の世帯では192.4万円と全世帯の211万円と比較して大きくは変わらない。

⑰答12 ○　「平成28年版厚生労働白書（厚生労働省）」P.28。設問の通り正しい。

⑰答13 ○　「平成28年版厚生労働白書（厚生労働省）」P.36。設問の通り正しい。

⑰答14 ○　「平成28年版厚生労働白書（厚生労働省）」P.17。設問の通り正しい。

⑰答15 ○　「平成28年版厚生労働白書（厚生労働省）」P.36。設問の通り正しい。

次の**⑰問16**から**⑰問20**は、「平成26年版労働経済白書（厚生労働省）」を参照しており、当該白書又は当該白書が引用している調査における用語及び統計等を利用している。

⑰問16
☐☐☐
H27-5A
1990年から2010年までの我が国の就業者の職業構造の変化をみると、生産工程・労務作業者が就業者に占める割合は大きく低下している一方で、管理的職業従事者、専門的・技術的職業従事者やサービス職業従事者ではその割合が上昇している。

⑰問17
☐☐☐
H27-5B
人材マネジメントの基本的な考え方として、「仕事」をきちんと決めておいてそれに「人」を当てはめるという「ジョブ型」雇用と、「人」を中心にして管理が行われ、「人」と「仕事」の結びつきはできるだけ自由に変えられるようにしておく「メンバーシップ型」雇用があり、「メンバーシップ型」が我が国の正規雇用労働者の特徴であるとする議論がある。

⑰問18
☐☐☐
H27-5C
企業の正規雇用労働者の管理職の育成・登用方針についてみると、内部育成・昇進を重視する企業が多数派になっており、この割合を企業規模別にみても、同様の傾向がみられる。

⑰問19
☐☐☐
H27-5D
我が国の企業は、正規雇用労働者について、新規学卒者を採用し、内部育成・昇進させる内部労働市場型の人材マネジメントを重視する企業が多数であり、「平成24年就業構造基本調査（総務省）」を用いて、60歳未満の正規雇用労働者（役員を含む）に占める転職経験がない者の割合をみると6割近くになっている。

⑰問20
☐☐☐
H27-5E
グローバル化によって激しい国際競争にさらされている業種が、外国からの安価な輸入財に価格面で対抗しようとして、人件費抑制の観点からパートタイム労働者比率を高めていることが確認された。

⒄答16 ○ 「平成26年版労働経済白書（厚生労働省）」P.82。設問の通り正しい。

⒄答17 ○ 「平成26年版労働経済白書（厚生労働省）」P.94、95。設問の通り正しい。

⒄答18 ○ 「平成26年版労働経済白書（厚生労働省）」P.96、97。設問の通り正しい。

⒄答19 ○ 「平成26年版労働経済白書（厚生労働省）」P.97。設問の通り正しい。

⒄答20 × 「平成26年版労働経済白書（厚生労働省）」P.86。パートタイム労働者比率の高まりは、企業業績の変動によることが確認されている。

18 その他白書等

過去問

次の**18問1**から**18問5**は、「平成28年版男女共同参画白書（内閣府）」を参照しており、当該白書又は当該白書が引用している調査による用語及び統計等を利用している。

18問1
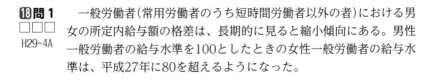
H29-4A
　　一般労働者（常用労働者のうち短時間労働者以外の者）における男女の所定内給与額の格差は、長期的に見ると縮小傾向にある。男性一般労働者の給与水準を100としたときの女性一般労働者の給与水準は、平成27年に80を超えるようになった。

18問2
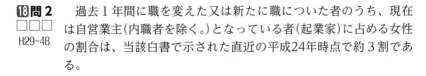
H29-4B
　　過去1年間に職を変えた又は新たに職についた者のうち、現在は自営業主（内職者を除く。）となっている者（起業家）に占める女性の割合は、当該白書で示された直近の平成24年時点で約3割である。

18問3
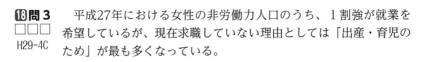
H29-4C
　　平成27年における女性の非労働力人口のうち、1割強が就業を希望しているが、現在求職していない理由としては「出産・育児のため」が最も多くなっている。

18問4
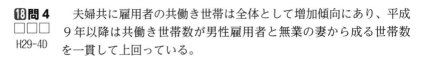
H29-4D
　　夫婦共に雇用者の共働き世帯は全体として増加傾向にあり、平成9年以降は共働き世帯数が男性雇用者と無業の妻から成る世帯数を一貫して上回っている。

18問5
□□□
H29-4E
　　世界経済フォーラムが2015（平成27）年に発表したジェンダー・ギャップ指数をみると、我が国は、測定可能な145か国中100位以内に入っていない。

⑱答1 ×　「平成28年版男女共同参画白書（内閣府）」P.43。男性一般労働者の給与水準を100としたときの女性一般労働者の給与水準は「72.2」となっており、80を超えていない。

⑱答2 ○　「平成28年版男女共同参画白書（内閣府）」P.46。設問の通り正しい。

⑱答3 ○　「平成28年版男女共同参画白書（内閣府）」P.41。設問の通り正しい。

⑱答4 ○　「平成28年版男女共同参画白書（内閣府）」P.47。設問の通り正しい。

⑱答5 ○　「平成28年版男女共同参画白書（内閣府）」P.35。設問の通り正しい。我が国は、145か国中101位となっている。

19 就労条件総合調査

過 去 問

労働時間制度

次の**⑲問 1** から**⑲問 5** は、「令和 3 年就労条件総合調査（厚生労働省）」を参照しており、当該調査による用語及び統計等を利用している。

⑲問 1
□□□
R4-2A
特別休暇制度の有無を企業規模計でみると、特別休暇制度のある企業の割合は約 6 割となっており、これを特別休暇制度の種類（複数回答）別にみると、「夏季休暇」が最も多くなっている。

⑲問 2
□□□
R4-2B
変形労働時間制の有無を企業規模計でみると、変形労働時間制を採用している企業の割合は約 6 割であり、これを変形労働時間制の種類（複数回答）別にみると、「1 年単位の変形労働時間制」が「1 か月単位の変形労働時間制」よりも多くなっている。

⑲問 3
□□□
R4-2C
主な週休制の形態を企業規模計でみると、完全週休 2 日制が 6 割を超えるようになった。

⑲問 4
□□□
R4-2D
勤務間インターバル制度の導入状況を企業規模計でみると、「導入している」は 1 割に達していない。

⑲問 5
□□□
R4-2E
労働者 1 人平均の年次有給休暇の取得率を企業規模別にみると、規模が大きくなるほど取得率が高くなっている。

次の**⑲問 6** から**⑲問10**は、「平成27年就労条件総合調査（厚生労働省）」を参照しており、当該調査による用語及び統計等を利用している。

⑲問 6
□□□
H28-4A
何らかの週休 2 日制を採用している企業はどの企業規模でも 8 割を超えているが、完全週休 2 日制となると、30 ～ 99人規模の企業では 3 割にとどまっている。

⑲答 1 ○ 「令和 3 年就労条件総合調査(厚生労働省)」。設問の通り正しい。

⑲答 2 ○ 「令和 3 年就労条件総合調査(厚生労働省)」。設問の通り正しい。

⑲答 3 × 「令和 3 年就労条件総合調査(厚生労働省)」。「完全週休 2 日制」を採用している企業割合は48.4％となっており、「6 割を超えて」いない。

⑲答 4 ○ 「令和 3 年就労条件総合調査(厚生労働省)」。設問の通り正しい。

⑲答 5 ○ 「令和 3 年就労条件総合調査(厚生労働省)」。設問の通り正しい。

⑲答 6 × 「平成27年就労条件総合調査(厚生労働省)」。30 ～ 99人規模の企業で完全週休 2 日制を採用している割合は、「48.3％」となっており、「3 割にとどまっている」とする記述は誤りである。なお、その他の記述は正しい。

⑲問7 みなし労働時間制の適用を受ける労働者割合は、10パーセントに達していない。

H28-4B

⑲問8 フレックスタイム制を採用している企業割合は、3割を超えている。

H28-4C

⑲問9 年次有給休暇の取得率は、男女ともに50パーセントを下回っている。

H28-4D

⑲問10 年次有給休暇を時間単位で取得できる制度がある企業割合は、3割を超える水準まで上昇してきた。

H28-4E

賃金制度

　次の⑲問11から⑲問15は、「就労条件総合調査（厚生労働省）」を参照しており、当該年の調査による用語及び統計等を利用している。

⑲問11 過去3年間の賃金制度の改定の有無をみると、平成19年調査以降、改定を行った企業の割合は、平成22年、平成26年と調査実施の度に減少している。

H27-4A

⑲問12 基本給の決定要素別の企業割合をみると、平成13年調査以降、管理職、管理職以外ともに、「業績・成果」の割合が上昇している。

H27-4B

⑲問13 平成24年調査において、業績評価制度を導入している企業について、業績評価制度の評価状況をみると、「改善すべき点がかなりある」とする企業割合が「うまくいっているが一部手直しが必要」とする企業割合よりも多く、その割合は5割近くになった。

H27-4C

⑲答7 ○ 「平成27年就労条件総合調査(厚生労働省)」。設問の通り正しい。

⑲答8 × 「平成27年就労条件総合調査(厚生労働省)」。フレックスタイム制を採用している企業割合は「4.3%」となっており、「3割を超えている」とする記述は誤りである。

⑲答9 × 「平成27年就労条件総合調査(厚生労働省)」。年次有給休暇の取得率は、男性では44.7%と50パーセントを下回っているが、女性では53.3%と50パーセントを超えている。

⑲答10 × 「平成27年就労条件総合調査(厚生労働省)」。年次有給休暇を時間単位で取得できる制度がある企業割合は「16.2%」となっており、「3割を超える」とする記述は誤りである。

⑲答11 ○ 「就労条件総合調査(厚生労働省、平成19年調査・平成22年調査・平成26年調査)」。設問の通り正しい。

⑲答12 × 「就労条件総合調査(厚生労働省、平成13年調査・平成21年調査・平成24年調査)」。基本給の決定要素別の企業割合のうち、「業績・成果」の割合は、次のようになっており、管理職、管理職以外ともに低下している。

	管理職	管理職以外
平成13年調査	64.2%	62.3%
平成21年調査	45.4%	44.4%
平成24年調査	42.2%	40.5%

⑲答13 × 「平成24年就労条件総合調査(厚生労働省)」。「改善すべき点がかなりある」とする企業割合(20.5%)は「うまくいっているが一部手直しが必要」とする企業割合(46.0%)より低く、その割合は約2割である。

19問14 平成26年調査において、賃金形態別に採用企業割合をみると、出来高払い制をとる企業の割合が増加し、その割合は2割近くになった。

□□□
H27-4D

19問15 平成26年調査において、時間外労働の割増賃金率を定めている企業のうち、1か月60時間を超える時間外労働の割増賃金率を定めている企業割合は、5割近くになった。

□□□
H27-4E

labelled: 労働費用

次の**19問16**から**19問20**は、「平成28年就労条件総合調査（厚生労働省）」を参照しており、当該調査による用語及び統計等を利用している。

19問16 「労働費用総額」に占める「現金給与額」の割合は約7割、「現金給与以外の労働費用」の割合は約3割となっている。

□□□
R元-1A

19問17 「現金給与以外の労働費用」に占める割合を企業規模計でみると、「法定福利費」が最も多くなっている。

□□□
R元-1B

19問18 「法定福利費」に占める割合を企業規模計でみると、「厚生年金保険料」が最も多く、「健康保険料・介護保険料」、「労働保険料」がそれに続いている。

□□□
R元-1C

19問19 「法定外福利費」に占める割合を企業規模計でみると、「住居に関する費用」が最も多く、「医療保健に関する費用」、「食事に関する費用」がそれに続いている。

□□□
R元-1D

19問20 「法定外福利費」に占める「住居に関する費用」の割合は、企業規模が大きくなるほど高くなっている。

□□□
R元-1E

⑲答14 ✕ 「平成26年就労条件総合調査(厚生労働省)」。出来高払い制を
とる企業の割合は、前回(平成22年調査)の5.5％より減少し、4.6
％となっている。

⑲答15 ✕ 「平成26年就労条件総合調査(厚生労働省)」。1か月60時間を
超える時間外労働の割増賃金率を定めている企業割合は、29.3％
となっている。

⑲答16 ✕ 「平成28年就労条件総合調査(厚生労働省)」。「労働費用総額」
に占める「現金給与額」の割合は80.9％（約8割）、「現金給与以
外の労働費用」の割合は19.1％（約2割)となっている。

⑲答17 ○ 「平成28年就労条件総合調査(厚生労働省)」。設問の通り正し
い。

⑲答18 ○ 「平成28年就労条件総合調査(厚生労働省)」。設問の通り正し
い。

⑲答19 ○ 「平成28年就労条件総合調査(厚生労働省)」。設問の通り正し
い。

⑲答20 ○ 「平成28年就労条件総合調査(厚生労働省)」。設問の通り正し
い。

20 就業形態の多様化に関する総合実態調査

過去問

次の**20問**1から**20問**5は、「令和元年就業形態の多様化に関する総合実態調査の概況(厚生労働省)」を参照しており、当該調査による用語及び統計等を利用している。

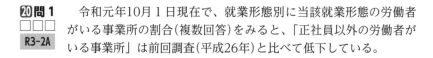

20問1
□□□
R3-2A

令和元年10月1日現在で、就業形態別に当該就業形態の労働者がいる事業所の割合(複数回答)をみると、「正社員以外の労働者がいる事業所」は前回調査(平成26年)と比べて低下している。

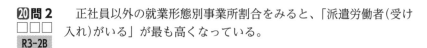

20問2
□□□
R3-2B

正社員以外の就業形態別事業所割合をみると、「派遣労働者(受け入れ)がいる」が最も高くなっている。

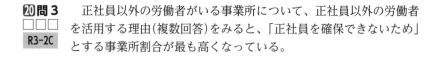

20問3
□□□
R3-2C

正社員以外の労働者がいる事業所について、正社員以外の労働者を活用する理由(複数回答)をみると、「正社員を確保できないため」とする事業所割合が最も高くなっている。

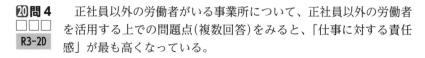

20問4
□□□
R3-2D

正社員以外の労働者がいる事業所について、正社員以外の労働者を活用する上での問題点(複数回答)をみると、「仕事に対する責任感」が最も高くなっている。

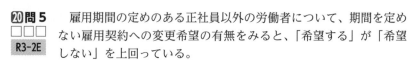

20問5
□□□
R3-2E

雇用期間の定めのある正社員以外の労働者について、期間を定めない雇用契約への変更希望の有無をみると、「希望する」が「希望しない」を上回っている。

労一

⑳答1 ✕ 「令和元年就業形態の多様化に関する総合実態調査の概況(厚生労働省)」。「正社員以外の労働者がいる事業所」は84.1％で、前回調査(平成26年)の80.1％と比べて「上昇」している。

⑳答2 ✕ 「令和元年就業形態の多様化に関する総合実態調査の概況(厚生労働省)」。正社員以外の就業形態別事業所割合をみると、「パートタイム労働者がいる」が65.9％と最も高くなっている。

⑳答3 ○ 「令和元年就業形態の多様化に関する総合実態調査の概況(厚生労働省)」。設問の通り正しい。

⑳答4 ✕ 「令和元年就業形態の多様化に関する総合実態調査の概況(厚生労働省)」。正社員以外の労働者を活用する上での問題点(複数回答)をみると、「良質な人材の確保」が56.8％と最も高くなっている。

⑳答5 ✕ 「令和元年就業形態の多様化に関する総合実態調査の概況(厚生労働省)」。期間を定めない雇用契約への変更希望の有無をみると、「希望しない」が47.1％、「希望する」が35.0％で、「希望しない」が「希望する」を上回っている。

過去問

　次の **21問 1** から **21問 5** は、「平成30年若年者雇用実態調査(厚生労働省)」を参照しており、当該調査による用語及び統計等を利用している。この調査では、15歳から34歳を若年労働者としている。

21問 1
□□□
R2-1A
　若年正社員の採用選考をした事業所のうち、採用選考に当たり重視した点(複数回答)についてみると、「職業意識・勤労意欲・チャレンジ精神」、「コミュニケーション能力」、「マナー・社会常識」が上位 3 つを占めている。

21問 2
□□□
R2-1B
　若年労働者の育成方針についてみると、若年正社員については、「長期的な教育訓練等で人材を育成」する事業所割合が最も高く、正社員以外の若年労働者については、「短期的に研修等で人材を育成」する事業所割合が最も高くなっている。

21問 3
□□□
R2-1C
　若年労働者の定着のために事業所が実施している対策別事業所割合(複数回答)をみると、「職場での意思疎通の向上」、「本人の能力・適性にあった配置」、「採用前の詳細な説明・情報提供」が上位 3 つを占めている。

21問 4
□□□
R2-1D
　全労働者に占める若年労働者の割合は約 3 割となっており、若年労働者の約半分がいわゆる正社員である。

21問 5
□□□
R2-1E
　最終学校卒業後に初めて勤務した会社で現在も働いている若年労働者の割合は約半数となっている。

答1 ◯ 「平成30年若年者雇用実態調査(厚生労働省)」。設問の通り正しい。

答2 ◯ 「平成30年若年者雇用実態調査(厚生労働省)」。設問の通り正しい。

答3 ◯ 「平成30年若年者雇用実態調査(厚生労働省)」。設問の通り正しい。

答4 × 「平成30年若年者雇用実態調査(厚生労働省)」。全労働者に占める若年労働者の割合は27.3%となっており、その内訳は若年正社員が17.2%、正社員以外の若年労働者が10.2%となっている。若年正社員は若年労働者の「約半分」ではなく、「6割を超えて(17.2÷27.3≒63%)」いる。

答5 ◯ 「平成30年若年者雇用実態調査(厚生労働省)」。設問の通り正しい。

次の**21問**6から**21問**10は、「平成25年若年者雇用実態調査(厚生労働省)」を参照しており、当該調査による用語及び統計等を利用している。

21問6
□□□
H28-5A
　若年正社員の採用選考をした事業所のうち、採用選考にあたり重視した点について採用区分別にみると、新規学卒者、中途採用者ともに「職業意識・勤労意欲・チャレンジ精神」、「コミュニケーション能力」、「体力・ストレス耐性」が上位３つを占めている。

21問7
□□□
H28-5B
　過去３年間(平成22年10月〜平成25年９月)に正社員以外の若年労働者がいた事業所のうち、正社員以外の若年労働者を「正社員へ転換させたことがある」事業所割合を事業所規模別にみると、事業所規模が大きくなるほど「正社員へ転換させたことがある」事業所割合が高くなっている。

21問8
□□□
H28-5C
　若年正社員労働者の定着のために実施している対策をみると、「職場での意思疎通の向上」が最も高くなっている。

21問9
□□□
H28-5D
　最終学校卒業から１年間に、正社員以外の労働者として勤務した主な理由についてみると、「正社員求人に応募したが採用されなかった」、「自分の希望する会社で正社員の募集がなかった」、「元々、正社員を希望していなかった」が上位３つを占めている。

21問10
□□□
H28-5E
　在学していない若年労働者が初めて勤務した会社で現在も「勤務している」割合は半数を超えている。

㉑答6 ✕ 「平成25年若年者雇用実態調査(厚生労働省)」。若年正社員の採用選考をした事業所のうち、採用選考にあたり重視した点について採用区分別にみると、新規学卒者、中途採用者ともに「職業意識・勤労意欲・チャレンジ精神」、「コミュニケーション能力」、「マナー・社会常識」が上位3つを占めている。

㉑答7 ◯ 「平成25年若年者雇用実態調査(厚生労働省)」。設問の通り正しい。

㉑答8 ◯ 「平成25年若年者雇用実態調査(厚生労働省)」。設問の通り正しい。

㉑答9 ◯ 「平成25年若年者雇用実態調査(厚生労働省)」。設問の通り正しい。

㉑答10 ◯ 「平成25年若年者雇用実態調査(厚生労働省)」。設問の通り正しい。

次の22問1から22問5は、「令和4年労使間の交渉等に関する実態調査（厚生労働省）」を参照しており、当該調査による用語及び統計等を利用している。また、22問2から22問4までの「過去3年間」とは、「令和元年7月1日から令和4年6月30日」の期間をいう。

最新問題

22問1
☐☐☐
R6-2A

過去1年間（令和3年7月1日から令和4年6月30日の期間）に、正社員以外の労働者に関して使用者側と話合いが持たれた事項（複数回答）をみると、「派遣労働者に関する事項」の割合が最も高く、次いで「同一労働同一賃金に関する事項」、「正社員以外の労働者（派遣労働者を除く）の労働条件」の順となっている。

22問2
☐☐☐
R6-2B

過去3年間に「何らかの労使間の交渉があった」事項をみると、「賃金・退職給付に関する事項」の割合が最も高く、次いで「労働時間・休日・休暇に関する事項」、「雇用・人事に関する事項」の順となっている。

22問3
☐☐☐
R6-2C

過去3年間に使用者側との間で「団体交渉を行った」労働組合について、交渉形態（複数回答）をみると、「当該労働組合のみで交渉」の割合が最も高く、次いで「企業内上部組織又は企業内下部組織と一緒に交渉」、「企業外上部組織（産業別組織）と一緒に交渉」の順となっている。

22問4
☐☐☐
R6-2D

過去3年間に「労働争議がなかった」労働組合について、その理由（複数回答 主なもの三つまで）をみると、「対立した案件がなかったため」の割合が最も高く、次いで「対立した案件があったが話合いで解決したため」、「対立した案件があったが労働争議に持ち込むほど重要性がなかったため」の順となっている。

22問5
☐☐☐
R6-2E

労使間の諸問題を解決するために今後最も重視する手段をみると、「団体交渉」の割合が最も高く、次いで「労使協議機関」となっている。

㉒答1 ×　「令和4年労使間の交渉等に関する実態調査(厚生労働省)」。正社員以外の労働者に関して使用者側と話合いが持たれた事項(複数回答)をみると、「正社員以外の労働者(派遣労働者を除く)の労働条件」の割合が最も高く、次いで「同一労働同一賃金に関する事項」、「正社員以外の労働者(派遣労働者を含む)の正社員への登用制度」の順となっている。

㉒答2 ○　「令和4年労使間の交渉等に関する実態調査(厚生労働省)」。設問の通り正しい。

㉒答3 ○　「令和4年労使間の交渉等に関する実態調査(厚生労働省)」。設問の通り正しい。

㉒答4 ○　「令和4年労使間の交渉等に関する実態調査(厚生労働省)」。設問の通り正しい。

㉒答5 ○　「令和4年労使間の交渉等に関する実態調査(厚生労働省)」。設問の通り正しい。

次の**22問**1から**22問**5は、「平成29年労使間の交渉等に関する実態調査（厚生労働省）」を参照しており、当該調査による用語及び統計等を利用している。

22問1
□□□
R元-2A

労働組合と使用者（又は使用者団体）の間で締結される労働協約の締結状況をみると、労働協約を「締結している」労働組合は9割を超えている。

22問2
□□□
R元-2B

過去3年間（平成26年7月1日から平成29年6月30日の期間）において、「何らかの労使間の交渉があった」事項をみると、「賃金・退職給付に関する事項」、「労働時間・休日・休暇に関する事項」、「雇用・人事に関する事項」が上位3つを占めている。

22問3
□□□
R元-2C

過去3年間（平成26年7月1日から平成29年6月30日の期間）において、使用者側との間で行われた団体交渉の状況をみると、「団体交渉を行った」労働組合が全体の約3分の2、「団体交渉を行わなかった」労働組合が約3分の1になっている。

22問4
□□□
R元-2D

過去3年間（平成26年7月1日から平成29年6月30日の期間）において、労働組合と使用者との間で発生した労働争議の状況をみると、「労働争議があった」労働組合は5％未満になっている。

22問5
□□□
R元-2E

使用者側との労使関係の維持について労働組合の認識をみると、安定的（「安定的に維持されている」と「おおむね安定的に維持されている」の合計）だとする割合が約4分の3になっている。

22答1 ○ 「平成29年労使間の交渉等に関する実態調査(厚生労働省)」。設問の通り正しい。

22答2 ○ 「平成29年労使間の交渉等に関する実態調査(厚生労働省)」。設問の通り正しい。

22答3 ○ 「平成29年労使間の交渉等に関する実態調査(厚生労働省)」。設問の通り正しい。

22答4 ○ 「平成29年労使間の交渉等に関する実態調査(厚生労働省)」。設問の通り正しい。

22答5 × 「平成29年労使間の交渉等に関する実態調査(厚生労働省)」。安定的(「安定的に維持されている(42.7%)」と「おおむね安定的に維持されている(46.4%)」の合計)だとする割合は89.1%となっており、「約4分の3」(約75%)とはいえない。

次の **23**問 1 から **23**問 5 は、「令和 4 年労働安全衛生調査(実態調査)(事業所調査)(厚生労働省)」を参照しており、当該調査による用語及び統計等を利用している。

最新問題

23問 1
R6-1A

メンタルヘルス対策に取り組んでいる事業所の割合は 6 割を超えている。このうち、対策に取り組んでいる事業所の取組内容(複数回答)をみると、「ストレスチェックの実施」の割合が最も多く、次いで「メンタルヘルス不調の労働者に対する必要な配慮の実施」となっている。

23問 2
R6-1B

過去 1 年間(令和 3 年11月 1 日から令和 4 年10月31日までの期間)に一般健康診断を実施した事業所のうち所見のあった労働者がいる事業所の割合は約 7 割となっている。このうち、所見のあった労働者に講じた措置内容(複数回答)をみると、「健康管理等について医師又は歯科医師から意見を聴いた」の割合が最も多くなっている。

23問 3
R6-1C

傷病(がん、糖尿病等の私傷病)を抱えた何らかの配慮を必要とする労働者に対して、治療と仕事を両立できるような取組がある事業所の割合は約 6 割となっている。このうち、取組内容(複数回答)をみると、「通院や体調等の状況に合わせた配慮、措置の検討(柔軟な労働時間の設定、仕事内容の調整)」の割合が最も多く、次いで「両立支援に関する制度の整備(年次有給休暇以外の休暇制度、勤務制度等)」となっている。

23問 4
R6-1D

傷病(がん、糖尿病等の私傷病)を抱えた労働者が治療と仕事を両立できるような取組がある事業所のうち、取組に関し困難や課題と感じていることがある事業所の割合は約 8 割となっている。このうち、困難や課題と感じている内容(複数回答)をみると、「上司や同僚の負担」の割合が最も多く、次いで「代替要員の確保」となっている。

労一

[23]答 1　○　「令和４年労働安全衛生調査(実態調査)（事業所調査）（厚生労働省)」。設問の通り正しい。

[23]答 2　○　「令和４年労働安全衛生調査(実態調査)（事業所調査）（厚生労働省)」。設問の通り正しい。

[23]答 3　○　「令和４年労働安全衛生調査(実態調査)（事業所調査）（厚生労働省)」。設問の通り正しい。

[23]答 4　×　「令和４年労働安全衛生調査(実態調査)（事業所調査）（厚生労働省)」。困難や課題と感じている内容(複数回答)をみると、「代替要員の確保」の割合が最も多く、次いで「上司や同僚の負担」となっている。なお、設問前段の記述は正しい。

[23]問 5
□□□
R6-1E

転倒災害を防止するための対策に取り組んでいる事業所の割合は８割を超えている。このうち、転倒災害防止対策の取組内容(複数回答)をみると、「通路、階段、作業場所等の整理・整頓・清掃の実施」の割合が最も多く、次いで「手すり、滑り止めの設置、段差の解消、照度の確保等の設備の改善」となっている。

過去問

次の**[23]問 1** から**[23]問 5** は、「令和３年度雇用均等基本調査(企業調査)(厚生労働省)」を参照しており、当該調査による用語及び統計等を利用している。

[23]問 1
□□□
R5-1A

女性の正社員・正職員に占める各職種の割合は、一般職が最も高く、次いで総合職、限定総合職の順となっている。他方、男性の正社員・正職員に占める各職種の割合は、総合職が最も高く、次いで一般職、限定総合職の順となっている。

[23]問 2
□□□
R5-1B

令和３年春卒業の新規学卒者を採用した企業について採用区分ごとにみると、総合職については「男女とも採用」した企業の割合が最も高く、次いで「男性のみ採用」の順となっている。

[23]問 3
□□□
R5-1C

労働者の職種、資格や転勤の有無によっていくつかのコースを設定して、コースごとに異なる雇用管理を行う、いわゆるコース別雇用管理制度が「あり」とする企業割合は、企業規模5,000人以上では約８割を占めている。

[23]問 4
□□□
R5-1D

課長相当職以上の女性管理職(役員を含む。)を有する企業割合は約５割、係長相当職以上の女性管理職(役員を含む。)を有する企業割合は約６割を占めている。

[23]問 5
□□□
R5-1E

不妊治療と仕事との両立のために利用できる制度を設けている企業について、制度の内容別に内訳をみると、「時間単位で取得可能な年次有給休暇制度」の割合が最も高く、次いで「特別休暇制度(多目的であり、不妊治療にも利用可能なもの)」、「短時間勤務制度」となっている。

23 答 5　○　「令和 4 年労働安全衛生調査(実態調査)(事業所調査)(厚生労働省)」。設問の通り正しい。

23 答 1　○　令和 3 年度雇用均等基本調査(企業調査)(厚生労働省)。設問の通り正しい。

23 答 2　○　令和 3 年度雇用均等基本調査(企業調査)(厚生労働省)。設問の通り正しい。

23 答 3　×　令和 3 年度雇用均等基本調査(企業調査)(厚生労働省)。企業規模5,000人以上では「約 6 割(57.4%)」を占めている。

23 答 4　○　令和 3 年度雇用均等基本調査(企業調査)(厚生労働省)。設問の通り正しい。

23 答 5　○　令和 3 年度雇用均等基本調査(企業調査)(厚生労働省)。設問の通り正しい。

次の**23問6**から**23問10**は、「令和３年度能力開発基本調査（事業所調査）（厚生労働省）」を参照しており、当該調査による用語及び統計等を利用している。

23問6
□□□
R5-2A
能力開発や人材育成に関して何らかの問題があるとする事業所のうち、問題点の内訳は、「指導する人材が不足している」の割合が最も高く、「人材育成を行う時間がない」、「人材を育成しても辞めてしまう」と続いている。

23問7
□□□
R5-2B
正社員を雇用する事業所のうち、正社員の自己啓発に対する支援を行っている事業所の支援の内容としては、「教育訓練機関、通信教育等に関する情報提供」の割合が最も高く、「受講料などの金銭的援助」、「自己啓発を通して取得した資格等に対する報酬」と続いている。

23問8
□□□
R5-2C
キャリアコンサルティングを行う仕組みを導入している事業所のうち、正社員に対してキャリアコンサルティングを行う上で問題があるとする事業所における問題の内訳をみると、「キャリアに関する相談を行っても、その効果が見えにくい」の割合が最も高く、「労働者からのキャリアに関する相談件数が少ない」、「キャリアコンサルタント等相談を受けることのできる人材を内部で育成することが難しい」と続いている。

23問9
□□□
R5-2D
労働者の主体的なキャリア形成に向けて実施した取組は、「上司による定期的な面談（1 on 1 ミーティング等）」の割合が最も高く、「職務の遂行に必要なスキル・知識等に関する情報提供」、「自己啓発に対する支援」と続いている。

23問10
□□□
R5-2E
職業能力評価を行っている事業所における職業能力評価の活用方法は、「人事考課（賞与、給与、昇格・降格、異動・配置転換等）の判断基準」の割合が最も高く、「人材配置の適正化」、「労働者に必要な能力開発の目標」と続いている。

次の**23問11**から**23問15**は、「令和３年パートタイム・有期雇用労働者総合実態調査（事業所調査）（厚生労働省）」を参照しており、当該調査による用語及び統計等を利用している。

[23]答6 ○　令和３年度能力開発基本調査(事業所調査)（厚生労働省)。設問の通り正しい。

[23]答7 ×　令和３年度能力開発基本調査(事業所調査)（厚生労働省)。自己啓発に対する支援の内容としては、「受講料などの金銭的援助」の割合が最も高く、「教育訓練機関、通信教育等に関する情報提供」、「自己啓発を通して取得した資格等に対する報酬」と続いている。

[23]答8 ○　令和３年度能力開発基本調査(事業所調査)（厚生労働省)。設問の通り正しい。

[23]答9 ○　令和３年度能力開発基本調査(事業所調査)（厚生労働省)。設問の通り正しい。

[23]答10 ○　令和３年度能力開発基本調査(事業所調査)（厚生労働省)。設問の通り正しい。

[23]問11
□□□
[R5-3A]

パートタイム・有期雇用労働者の雇用状況をみると、「パートタイム・有期雇用労働者を雇用している」企業の割合は７割を超えている。

[23]問12
□□□
[R5-3B]

「パートタイム・有期雇用労働者を雇用している」企業について、雇用している就業形態(複数回答)をみると、「有期雇用パートタイムを雇用している」の割合が最も高く、次いで「無期雇用パートタイムを雇用している」、「有期雇用フルタイムを雇用している」の順となっている。

[23]問13
□□□
[R5-3C]

正社員とパートタイム・有期雇用労働者を雇用している企業について、パートタイム・有期雇用労働者を雇用する理由(複数回答)をみると、「有期雇用フルタイム」では「定年退職者の再雇用のため」、「仕事内容が簡単なため」、「人を集めやすいため」が上位３つを占めている。「有期雇用パートタイム」では「定年退職者の再雇用のため」の割合が６割を超えている。

[23]問14
□□□
[R5-3D]

正社員とパートタイム・有期雇用労働者を雇用している企業が行っている教育訓練の種類(複数回答)について、正社員に実施し、うち「無期雇用パートタイム」「有期雇用パートタイム」「有期雇用フルタイム」にも実施している企業の割合をみると、いずれの就業形態においても「入職時のガイダンス(Off-ＪＴ)」が最も高くなっている。

[23]問15
□□□
[R5-3E]

「無期雇用パートタイム」「有期雇用パートタイム」「有期雇用フルタイム」のいずれかの就業形態に適用される正社員転換制度がある企業について、正社員に転換するに当たっての基準(複数回答)別企業の割合をみると、「パートタイム・有期雇用労働者の所属する部署の上司の推薦」の割合が最も高く、次いで「人事評価の結果」、「(一定の)職務経験年数」の順となっている。

次の**[23]問16**から**[23]問20**は、「労働力調査(基本集計)2021年平均結果(総務省統計局)」を参照しており、当該調査による用語及び統計等を利用している。

[23]問16
□□□
[R4-1A]

2021年の就業者数を産業別にみると、2020年に比べ最も減少したのは「宿泊業、飲食サービス業」であった。

[23]答11 ○ 令和３年パートタイム・有期雇用労働者総合実態調査(事業所調査)（厚生労働省)。設問の通り正しい。

[23]答12 × 令和３年パートタイム・有期雇用労働者総合実態調査(事業所調査)（厚生労働省)。「無期雇用パートタイムを雇用している」の割合が最も高く、次いで「有期雇用パートタイムを雇用している」、「有期雇用フルタイムを雇用している」の順となっている。

[23]答13 × 令和３年パートタイム・有期雇用労働者総合実態調査(事業所調査)（厚生労働省)。「有期雇用フルタイム」では「定年退職者の再雇用のため」、「経験・知識・技能のある人を採用したいため」、「正社員の代替要員の確保のため」が上位３つを占めており、また、「有期雇用パートタイム」では「定年退職者の再雇用のため」の割合は37.5%で、６割を超えていない。

[23]答14 × 令和３年パートタイム・有期雇用労働者総合実態調査(事業所調査)（厚生労働省)。いずれの就業形態においても「日常的な業務を通じた、計画的な教育訓練(OJT)」が最も高くなっている。

[23]答15 × 令和３年パートタイム・有期雇用労働者総合実態調査(事業所調査)（厚生労働省)。「人事評価の結果」の割合が最も高く、次いで「パートタイム・有期雇用労働者の所属する部署の上司の推薦」、「(一定の)職務経験年数」の順となっている。

[23]答16 ○ 「労働力調査(基本集計)2021年平均結果(総務省統計局)」。設問の通り正しい。

[23]問17
□□□
R4-1B

2021年の年齢階級別完全失業率をみると、15 ~ 24歳層が他の年齢層に比べて、最も高くなっている。

[23]問18
□□□
R4-1C

2021年の労働力人口に占める65歳以上の割合は、10パーセントを超えている。

[23]問19
□□□
R4-1D

従業上の地位別就業者数の推移をみると、「自営業主・家族従業者」の数は2011年以来、減少傾向にある。

[23]問20
□□□
R4-1E

役員を除く雇用者全体に占める「正規の職員・従業員」の割合は、2015年以来、一貫して減少傾向にある。

次の**[23]問21**から**[23]問25**は、「令和２年転職者実態調査(厚生労働省)」を参照しており、当該調査による用語及び統計等を利用している。

[23]問21
□□□
R4-3A

転職者がいる事業所の転職者の募集方法(複数回答)をみると、「求人サイト・求人情報専門誌、新聞、チラシ等」、「縁故(知人、友人等)」、「自社のウェブサイト」が上位３つを占めている。

[23]問22
□□□
R4-3B

転職者がいる事業所において、転職者の処遇(賃金、役職等)決定の際に考慮した要素(複数回答)をみると、「年齢」、「免許・資格」、「前職の賃金」が上位３つを占めている。

[23]問23
□□□
R4-3C

転職者がいる事業所で転職者を採用する際に問題とした点(複数回答)をみると、「応募者の能力評価に関する客観的な基準がないこと」、「採用時の賃金水準や処遇の決め方」、「採用後の処遇やキャリア形成の仕方」が上位３つを占めている。

[23]答17 ○ 「労働力調査(基本集計)2021年平均結果(総務省統計局)」。設問の通り正しい。

[23]答18 ○ 「労働力調査(基本集計)2021年平均結果(総務省統計局)」。設問の通り正しい。

[23]答19 ○ 「労働力調査(基本集計)2021年平均結果(総務省統計局)」。設問の通り正しい。

[23]答20 × 「労働力調査(基本集計)2021年平均結果(総務省統計局)」。役員を除く雇用者全体に占める「正規の職員・従業員」の割合は、2015年以来「概ね横ばい」で推移している。

[23]答21 × 「令和２年転職者実態調査(事業所調査)（厚生労働省)」。転職者がいる事業所の転職者の募集方法(複数回答)をみると、「ハローワーク等の公的機関」(57.3%)、「求人サイト・求人情報専門誌、新聞、チラシ等」(43.2%)、「縁故(知人、友人等)」(27.6%)が上位３つを占めている。

[23]答22 × 「令和２年転職者実態調査(事業所調査)（厚生労働省)」。転職者がいる事業所において、転職者の処遇(賃金、役職等)決定の際に考慮した要素(複数回答)をみると、「これまでの経験・能力・知識」(74.7%)、「年齢」(45.2%)、「免許・資格」(37.3%)が上位３つを占めている。

[23]答23 × 「令和２年転職者実態調査(事業所調査)（厚生労働省)」。転職者がいる事業所で転職者を採用する際に問題とした点(複数回答)をみると、「必要な職種に応募してくる人が少ないこと」(67.2%)、「応募者の能力評価に関する客観的な基準がないこと」(38.8%)、「採用時の賃金水準や処遇の決め方」(32.3%)が上位３つを占めている。

[23]問24　転職者がいる事業所が転職者の採用に当たり重視した事項(複数回答)をみると、「人員構成の歪みの是正」、「既存事業の拡大・強化」、「組織の活性化」が上位３つを占めている。
□□□
R4-3D

[23]問25　転職者がいる事業所の転職者に対する教育訓練の実施状況をみると、「教育訓練を実施した」事業所割合は約半数となっている。
□□□
R4-3E

次の[23]問26から[23]問30は、「平成30年労働安全衛生調査(実態調査)（常用労働者10人以上の民営事業所を対象）（厚生労働省)」の概況を参照しており、当該調査による用語及び統計等を利用している。

[23]問26　傷病(がん、糖尿病等の私傷病)を抱えた何らかの配慮を必要とする労働者に対して、治療と仕事を両立できるような取組を行っている事業所の割合は約３割である。
□□□
R2-2A

[23]問27　産業医を選任している事業所の割合は約３割となっており、産業医の選任義務がある事業所規模50人以上でみると、ほぼ100％となっている。
□□□
R2-2B

[23]問28　メンタルヘルス対策に取り組んでいる事業所の割合は約６割となっている。
□□□
R2-2C

[23]問29　受動喫煙防止対策に取り組んでいる事業所の割合は約６割にとどまっている。
□□□
R2-2D

[23]答24 ○ 「令和２年転職者実態調査(事業所調査）（厚生労働省)」。設問の通り正しい。

[23]答25 × 「令和２年転職者実態調査(事業所調査）（厚生労働省)」。転職者がいる事業所の転職者に対する教育訓練の実施状況をみると、「教育訓練を実施した」事業所割合は74.5％となっており、「約半数」ではない。

[23]答26 × 「平成30年労働安全衛生調査(実態調査）（常用労働者10人以上の民営事業所を対象）（厚生労働省)」。傷病を抱えた何らかの配慮を必要とする労働者に対して、治療と仕事を両立できるような取組を行っている事業所の割合は「55.8％」となっている(「約３割」ではない。)。

[23]答27 × 「平成30年労働安全衛生調査(実態調査）（常用労働者10人以上の民営事業所を対象）（厚生労働省)」。産業医を選任している事業所の割合は29.3％（設問の通り、約３割)となっているが、産業医の選任義務がある事業所規模50人以上でみると、「84.6％」となっている(「ほぼ100％」ではない。)。

[23]答28 ○ 「平成30年労働安全衛生調査(実態調査）（常用労働者10人以上の民営事業所を対象）（厚生労働省)」。設問の通り正しい。

[23]答29 × 「平成30年労働安全衛生調査(実態調査）（常用労働者10人以上の民営事業所を対象）（厚生労働省)」。受動喫煙防止対策に取り組んでいる事業所の割合は「88.5％」となっている(「約６割」ではない。)。

[23]問30 □□□ R2-2E

現在の仕事や職業生活に関することで、強いストレスとなっていると感じる事柄がある労働者について、その内容(主なもの３つ以内)をみると、「仕事の質・量」、「仕事の失敗、責任の発生等」、「顧客、取引先等からのクレーム」が上位３つを占めている。

次の**[23]問31**から**[23]問35**は、「平成28年労働災害発生状況の分析等(厚生労働省)」を参照しており、当該調査による用語及び統計等を利用している。

[23]問31 □□□ H30-1A

労働災害による死亡者数は、長期的に減少傾向にあり、死亡災害は平成28年に過去最少となった。

[23]問32 □□□ H30-1B

第12次労働災害防止計画(平成25～29年度)において、死亡災害と同様の災害減少目標を掲げている休業４日以上の死傷災害は、平成25年以降、着実に減少している。

[23]問33 □□□ H30-1C

陸上貨物運送事業における死傷災害(休業４日以上)の事故の型別では、「交通事故(道路)」が最も多く、「墜落・転落」がそれに続いている。

[23]問34 □□□ H30-1D

製造業における死傷災害(休業４日以上)の事故の型別では、「墜落・転落」が最も多く、「はさまれ・巻き込まれ」がそれに続いている。

[23]問35 □□□ H30-1E

第三次産業に属する小売業、社会福祉施設、飲食店における死傷災害(休業４日以上)の事故の型別では、いずれの業種においても「転倒」が最も多くなっている。

[23]答30 × 「平成30年労働安全衛生調査(実態調査)(常用労働者10人以上の民営事業所を対象)(厚生労働省)」。強いストレスとなっている内容(主なもの3つ以内)をみると、「仕事の質・量」(59.4%)、「仕事の失敗、責任の発生等」(34.0%)、「対人関係(セクハラ・パワハラを含む。)」(31.3%)が上位3つを占めている。

[23]答31 ○ 「平成28年労働災害発生状況の分析等(厚生労働省)」。設問の通り正しい。

[23]答32 × 「平成28年労働災害発生状況の分析等(厚生労働省)」。平成28年の死傷災害(休業4日以上)は平成27年を上回っている。死亡災害と同様の災害減少目標を掲げている死傷災害(休業4日以上)では、第三次産業の一部の業種で増加傾向が見られるなど、十分な減少傾向にあるとは言えない現状にある。

[23]答33 × 「平成28年労働災害発生状況の分析等(厚生労働省)」。陸上貨物運送事業における死傷災害(休業4日以上)の事故の型別では、「墜落・転落」が最も多い。

[23]答34 × 「平成28年労働災害発生状況の分析等(厚生労働省)」。製造業における死傷災害(休業4日以上)の事故の型別では、機械などによる「はさまれ・巻き込まれ」が最も多く、「転倒」がそれに続いている。

[23]答35 × 「平成28年労働災害発生状況の分析等(厚生労働省)」。第三次産業に属する小売業、社会福祉施設、飲食店の死傷災害(休業4日以上)の事故の型別では、小売業、飲食店については「転倒」が最も多くなっているのに対して、社会福祉施設については「動作の反動・無理な動作」が最も多くなっている(いずれの業種においても「転倒」が最も多くなっているわけではない。)。

★ 選択式

※以下の選択式問題においては、各種統計に関しては改題せず、本試験出題当時のまま掲載しています。

★問1 次の文中の □□□□ の部分を選択肢の中の最も適切な語句で埋め、完全な文章とせよ。
H27-選

1　政府は、平成17年度から「中高年者縦断調査(厚生労働省)」を毎年実施している。この調査は、団塊の世代を含む全国の中高年者世代の男女を追跡して調査しており、高齢者対策等厚生労働行政施策の企画立案、実施等のための基礎資料を得ることを目的としている。平成17年10月末現在で50～59歳であった全国の男女約4万人を対象として開始され、前回調査又は前々回調査に回答した人に調査票を送るという形式で続けられている。このような調査形式によって得られたデータを　A　データという。
　　第1回調査から第9回調査までの就業状況の変化をみると、「正規の職員・従業員」は、第1回37.9％から第9回12.6％と減少している。「自営業主、家族従業者」と「パート・アルバイト」は、第1回から第9回にかけて　B　。

2　近年、両立支援やワーク・ライフ・バランスの取組の中で、仕事と介護の両立が重要な課題になっている。「平成25年雇用動向調査(厚生労働省)」で、介護を理由とした離職率(一般労働者とパートタイム労働者の合計)を年齢階級別にみると、男性では55～59歳層と65歳以上層が最も高くなっており、女性では　C　歳層が最も高くなっている。仕事と介護を両立させるには、自社の従業員が要介護者を抱えているかどうかを把握する必要があるが、「仕事と介護の両立に関する企業アンケート調査(平成24年度厚生労働省)」によると、その方法として最もよく使われているのは　D　である。

3　我が国の就業・不就業の実態を調べた「就業構造基本調査(総務省)」をみると、平成24年の男性の年齢別有業率は、すべての年齢階級で低下した。同年の女性については、M字カーブの底が平成19年に比べて　E　。

選択肢

A	① クロスセクション ② サンプル ③ タイムシリーズ ④ パネル
B	① 10ポイント以上減少した ② 10ポイント以上増加した ③ ほぼ半減した ④ ほぼ横ばいで推移している
C	① 45〜49 ② 50〜54 ③ 55〜59 ④ 60〜64
D	① 自己申告制度やキャリア・ディベロップメント・プログラム等 ② 仕事と介護の両立に関する従業員アンケート ③ 人事・総務担当部署等が実施する面談 ④ 直属の上司による面談等
E	① 25〜29歳から30〜34歳に移行した ② 30〜34歳から35〜39歳に移行した ③ 30〜34歳で変化しなかった ④ 35〜39歳で変化しなかった

★答1 「中高年者縦断調査(厚生労働省)」、「平成25年雇用動向調査(厚生労働省)」、「平成24年度仕事と介護の両立に関する企業アンケート調査(厚生労働省)」、「平成24年就業構造基本調査(総務省)」。

A ④ パネル
B ④ ほぼ横ばいで推移している
C ① 45〜49
D ④ 直属の上司による面談等
E ② 30〜34歳から35〜39歳に移行した

※パネルデータとは、同一の標本について、複数の項目を継続的に調べたデータをいい、項目間の関係を時系列に沿って分析することができる。
通常の調査では、調査時点ごとに標本が異なることがあるが、パネルデータは標本を入れ替えることなく、同一の標本を継続的に調査したデータを使用する。

※Bの考え方
平成17年10月末現在で50〜59歳であった人を追跡調査しているので、8年後の第9回調査の時点では、当該者は、58〜67歳になっていることをヒントとする。

★問2
□□□
H28-選

次の文中の □□□□□ の部分を選択肢の中の最も適切な語句で埋め、完全な文章とせよ。

1　「平成23年就労条件総合調査（厚生労働省）」によると、現金給与額が労働費用総額に占める割合は約 　A　 である。次に、法定福利費に注目して、現金給与以外の労働費用に占める法定福利費の割合は平成10年以降上昇傾向にあり、平成23年調査では約 　B　 になった。法定福利費の中で最も大きな割合を占めているのが 　C　 である。

2　政府は、毎年6月30日現在における労働組合数と労働組合員数を調査し、労働組合組織率を発表している。この組織率は、通常、推定組織率と言われるが、その理由は、組織率算定の分母となる雇用労働者数として「　D　」の結果を用いているからである。

　労働組合の組織及び活動の実態等を明らかにするために実施されている「平成25年労働組合活動等に関する実態調査（厚生労働省）」によると、組合活動の重点課題として、組織拡大に「取り組んでいる」と回答した単位労働組合の割合は、 　E　 になっている。

選択肢

A	① 2 割	② 4 割	③ 5 割	④ 8 割
B	① 3 割	② 6 割	③ 7 割	④ 9 割
C	① 健康保険料・介護保険料　③ 児童手当拠出金		② 厚生年金保険料　④ 労働保険料	
D	① 雇用動向調査　③ 毎月勤労統計調査		② 賃金構造基本統計調査　④ 労働力調査	
E	① 約4分の1　③ 約半数		② 約3分の1　④ 約3分の2	

★答2 「平成23年就労条件総合調査(厚生労働省)」、「労使関係総合調査
(厚生労働省)」、「平成25年労働組合活動等に関する実態調査(厚生
労働省)」。

A ④ 8 割
B ② 6 割
C ② 厚生年金保険料
D ④ 労働力調査
E ② 約3分の1

※労働費用とは、使用者が労働者を雇用することによって生じる一切の費用
(企業負担分)をいい、「現金給与額」、「法定福利費」、「法定外福利費」、
「現物給与の費用」、「退職給付等の費用」等をいう。

※法定福利費とは、法律で義務付けられている社会保障制度の費用(企業負
担分)をいい、「健康保険料」、「介護保険料」、「厚生年金保険料」、「労働保
険料」等をいう。

★問3　次の文中の　　　　　　の部分を選択肢の中の最も適切な語句で埋め、完全な文章とせよ。

1　「平成28年度能力開発基本調査(厚生労働省)」をみると、能力開発や人材育成に関して何らかの「問題がある」とする事業所は　A　である。能力開発や人材育成に関して何らかの「問題がある」とする事業所のうち、問題点の内訳については、「　B　」、「人材育成を行う時間がない」、「人材を育成しても辞めてしまう」が上位3つを占めている。正社員の自己啓発に対して支援を行っている事業所は　C　である。

2　労働施策総合推進法に基づく外国人雇用状況の届出制度は、外国人労働者(特別永住者、在留資格「外交」・「公用」の者を除く。)の雇用管理の改善や再就職支援などを目的とし、　D　の事業主に、外国人労働者の雇入れ・離職時に、氏名並びに在留資格及び在留期間(その者が在留資格を有しない者であって、報酬活動許可者である場合には、当該許可を受けている旨)などを確認し、厚生労働大臣(ハローワーク)へ届け出ることを義務付けている。平成28年10月末現在の「「外国人雇用状況」の届出状況まとめ(厚生労働省)」をみると、国籍別に最も多い外国人労働者は中国であり、　E　、フィリピンがそれに続いている。

選択肢

A	① 約3割	② 約5割	③ 約7割	④ 約9割
B	① 育成を行うための金銭的余裕がない ② 鍛えがいのある人材が集まらない ③ 指導する人材が不足している ④ 適切な教育訓練機関がない			
C	① 約2割	② 約4割	③ 約6割	④ 約8割
D	① 従業員数51人以上	② 従業員数101人以上	③ 従業員数301人以上	④ すべて
E	① ネパール	② ブラジル	③ ベトナム	④ ペルー

★答3 労働施策総合推進法 7 条、法28条 1 項、則 1 条の2,1項、則12
条、「平成28年度能力開発基本調査(厚生労働省)」、平成28年10月
末現在「「外国人雇用状況」の届出状況まとめ(厚生労働省)」。

A ③ 約 7 割
B ③ 指導する人材が不足している
C ④ 約 8 割
D ④ すべて
E ③ ベトナム

労一

★問4 次の文中の _____ の部分を選択肢の中の最も適切な語句で埋め、完全な文章とせよ。

☐☐☐
H30-選

　日本社会において、労働環境に大きな影響を与える問題の一つに少子高齢化がある。

　厚生労働省の「人口動態統計」をみると、日本の合計特殊出生率は、2005年に ☐ A ☐ に低下し、第二次世界大戦後最低の水準になった。2015年の合計特殊出生率を都道府県別にみると、最も低いのは ☐ B ☐ であり、最も高いのは沖縄県になっている。

　出生率を上げるには、女性が働きながら子どもを産み育てられるようになることが重要な条件の一つである。それを実現するための一施策として、☐ C ☐ が施行され、同法に基づいて、2011年4月からは、常時雇用する労働者が ☐ D ☐ 以上の企業に一般事業主行動計画の策定が義務化されている。

　少子化と同時に進行しているのが高齢化である。日本の人口に占める65歳以上の割合は、2016年に27.3％になり、今後も急速に上昇していくと予想されている。総務省の人口統計では、15歳から64歳の層を ☐ E ☐ というが、この年齢層が65歳以上の人たちを支えるとすると将来的にさらに負担が大きくなると予想されている。

　選択肢

① 1.16 　　　　　　　　② 1.26
③ 1.36 　　　　　　　　④ 1.46
⑤ 101人 　　　　　　　⑥ 201人
⑦ 301人 　　　　　　　⑧ 501人
⑨ 育児介護休業法 　　　⑩ 大阪府
⑪ 子ども・子育て支援法 ⑫ 次世代育成支援対策推進法
⑬ 就業人口 　　　　　　⑭ 生産年齢人口
⑮ 男女共同参画社会基本法 ⑯ 東京都
⑰ 鳥取県 　　　　　　　⑱ 北海道
⑲ 有業人口 　　　　　　⑳ 労働力人口

★**答4**　次世代法12条１項、「平成27年人口動態統計(厚生労働省)」、「社会・人口統計(総務省統計局)」。

A　②　**1.26**
B　⑯　**東京都**
C　⑫　**次世代育成支援対策推進法**
D　⑤　**101人**
E　⑭　**生産年齢人口**

※「合計特殊出生率」は「15歳から49歳までの女性の年齢別出生率を合計したもの」で、一人の女性がその年齢別出生率で一生の間に生むとしたときの子どもの数に相当する。

※「生産年齢人口」とは、「15歳以上人口」のうち、15歳から64歳までの人口をいう。

　　　次の文中の　　　　　　　　の部分を選択肢の中の最も適切な語句で埋め、完全な文章とせよ。

1　技能検定とは、働く上で身に付ける、又は必要とされる技能の習得レベルを評価する国家検定制度であり、試験に合格すると　　A　　と名乗ることができる。（以下、改正により削除）

2　女性活躍推進法に基づいて行動計画の策定・届出を行った企業のうち、女性の活躍推進に関する取組の実施状況等が優良な企業は、都道府県労働局への申請により、厚生労働大臣の認定を受けることができる。認定を受けた企業は、厚生労働大臣が定める認定マーク　　C　　を商品などに付すことができる。

3　我が国の就業・不就業の実態を調べた「就業構造基本調査（総務省）」をみると、平成29年の女性の年齢別有業率は、平成24年に比べて　　D　　した。また、平成29年調査で把握された起業者総数に占める女性の割合は約　　E　　割になっている。

選択肢

① 1　　　　　　　　　　　　　② 2
③ 3　　　　　　　　　　　　　④ 4
⑤ 25　　　　　　　　　　　　⑥ 30
⑦ 35　　　　　　　　　　　　⑧ 40
⑨ 20歳代以下の層のみ低下　　⑩ 30歳代と40歳代で低下
⑪ 65歳以上の層のみ上昇　　　⑫ えるぼし
⑬ 技術士　　　　　　　　　　⑭ 技能検定士
⑮ 技能士　　　　　　　　　　⑯ くるみん
⑰ 熟練工　　　　　　　　　　⑱ すべての年齢階級で上昇
⑲ プラチナくるみん　　　　　⑳ なでしこ応援企業

★答5 職業能力開発促進法50条1項、女性活躍推進法9条、法10条、
「平成29年版厚生労働白書(厚生労働省)」P.136、「平成29年就業
構造基本調査(総務省)」。

A ⑮ **技能士**

B （改正により削除）

C ⑫ **えるぼし**

D ⑱ **すべての年齢階級で上昇**

E ② **2**

★問6 次の文中の ▢▢▢ の部分を選択肢の中の最も適切な語句で埋め、完全な文章とせよ。

R2-選

1　我が国の労働の実態を知る上で、政府が発表している統計が有用である。年齢階級別の離職率を知るには │ A │ 、年次有給休暇の取得率を知るには │ B │ 、男性の育児休業取得率を知るには │ C │ が使われている。

2　労働時間の実態を知るには、│ D │ や │ E │ 、毎月勤労統計調査がある。│ D │ と │ E │ は世帯及びその世帯員を対象として実施される調査であり、毎月勤労統計調査は事業所を対象として実施される調査である。

　　│ D │ は毎月実施されており、就業状態については、15歳以上人口について、毎月の末日に終わる1週間(ただし、12月は20日から26日までの1週間)の状態を調査している。│ E │ は、国民の就業の状態を調べるために、昭和57年以降は5年ごとに実施されており、有業者については、1週間当たりの就業時間が調査項目に含まれている。

選択肢
① 家計消費状況調査　　　　　　　② 家計調査
③ 経済センサス　　　　　　　　　④ 国勢調査
⑤ 国民生活基礎調査　　　　　　　⑥ 雇用均等基本調査
⑦ 雇用動向調査　　　　　　　　　⑧ 社会生活基本調査
⑨ 就業構造基本調査　　　　　　　⑩ 就労条件総合調査
⑪ 職業紹介事業報告　　　　　　　⑫ 女性活躍推進法への取組状況
⑬ 賃金構造基本統計調査　　　　　⑭ 賃金事情等総合調査
⑮ 有期労働契約に関する実態調査　⑯ 労働基準監督年報
⑰ 労働経済動向調査　　　　　　　⑱ 労働経済分析レポート
⑲ 労働保険の徴収適用状況　　　　⑳ 労働力調査

★答6 「雇用動向調査(厚生労働省)」、「就労条件総合調査(厚生労働省)」、「雇用均等基本調査(厚生労働省)」、「労働力調査(総務省)」、「就業構造基本調査(総務省)」。

A ⑦ **雇用動向調査**
B ⑩ **就労条件総合調査**
C ⑥ **雇用均等基本調査**
D ⑳ **労働力調査**
E ⑨ **就業構造基本調査**

労一

次の文中の　　　　　　　の部分を選択肢の中の最も適切な語句で埋
め、完全な文章とせよ。

1　労働施策総合推進法は、労働者の募集・採用の際に、原則として、
　年齢制限を禁止しているが、例外事由の一つとして、就職氷河期世代
　（　　A　　）の不安定就労者・無業者に限定した募集・採用を可能にし
　ている。
2　生涯現役社会の実現に向けた環境を整備するため、65歳以降の定年
　延長や66歳以降の継続雇用延長、高年齢者の雇用管理制度の整備や定
　年年齢未満である高年齢の有期契約労働者の無期雇用への転換を行う
　事業主に対して、「　　B　　」を支給している。また、　　C　　にお
　いて高年齢退職予定者の情報を登録して、その能力の活用を希望する
　事業者に対してこれを紹介する高年齢退職予定者キャリア人材バンク
　事業を実施している。
　　一方、働きたい高年齢求職者の再就職支援のため、全国の主要なハ
　ローワークに「生涯現役支援窓口」を設置し、特に65歳以上の高年齢
　求職者に対して職業生活の再設計に係る支援や支援チームによる就労
　支援を重点的に行っている。ハローワーク等の紹介により60歳以上の
　高年齢者等を雇い入れた事業主に対しては、「　　D　　」を支給し、
　高年齢者の就職を促進している。
　　　　　　　　　　（以下、改正により削除）

選択肢

A	① 昭和48年４月２日から平成10年４月１日までの間に生まれた者 ② 昭和38年４月２日から平成５年４月１日までの間に生まれた者 ③ 昭和48年４月２日から昭和63年４月１日までの間に生まれた者 ④ 昭和43年４月２日から昭和63年４月１日までの間に生まれた者	
B	① 65歳超雇用推進助成金　　② キャリアアップ助成金 ③ 高年齢労働者処遇改善促進助成金 ④ 産業雇用安定助成金	
C	① (公財)産業雇用安定センター　② 職業能力開発促進センター ③ 中央職業能力開発協会　　④ ハローワーク	
D	① 高年齢者雇用継続助成金　　② 人材開発支援助成金 ③ 人材確保等支援助成金　　④ 特定求職者雇用開発助成金	
E	（改正により削除）	

★答7　労働施策総合推進法施行規則１条の3,1項３号ニ、同則附則10条、雇用保険法施行規則104条１項１号イ、ハ、同則110条２項１号イ、「令和２年版厚生労働白書(厚生労働省)」P.254。

A　④　昭和43年４月２日から昭和63年４月１日までの間に生まれた者
B　①　65歳超雇用推進助成金
C　①　(公財)産業雇用安定センター
D　④　特定求職者雇用開発助成金
E　（改正により削除）

※　設問文の「就職氷河期世代(昭和43年４月２日から昭和63年４月１日までの間に生まれた者)の不安定就労者・無業者に限定した募集・採用」に係る年齢制限の禁止の例外は、令和７年３月31日までの間の暫定措置である。

★問8　難・・・CDE

R4-選改

　次の文中の　　　　　　の部分を選択肢の中の最も適切な語句で埋め、完全な文章とせよ。

1　全ての事業主は、従業員の一定割合（＝法定雇用率）以上の障害者を雇用することが義務付けられており、これを「障害者雇用率制度」という。現在の民間企業に対する法定雇用率は　　Ａ　　パーセントである。

　障害者の雇用に関する事業主の社会連帯責任を果たすため、法定雇用率を満たしていない事業主（常用雇用労働者　　Ｂ　　の事業主に限る。）から納付金を徴収する一方、障害者を多く雇用している事業主に対しては調整金、報奨金や各種の助成金を支給している。

　障害者を雇用した事業主は、障害者の職場適応のために、　　Ｃ　　による支援を受けることができる。　　Ｃ　　には、配置型、訪問型、企業在籍型の３つの形がある。

2　最高裁判所は、期間を定めて雇用される臨時員（上告人）の労働契約期間満了により、使用者（被上告人）が行った雇止めが問題となった事件において、次のように判示した。

　「(1)上告人は、昭和45年12月１日から同月20日までの期間を定めて被上告人のＰ工場に雇用され、同月21日以降、期間２か月の本件労働契約が５回更新されて昭和46年10月20日に至つた臨時員である。(2)Ｐ工場の臨時員制度は、景気変動に伴う受注の変動に応じて雇用量の調整を図る目的で設けられたものであり、臨時員の採用に当たつては、学科試験とか技能試験とかは行わず、面接において健康状態、経歴、趣味、家族構成などを尋ねるのみで採用を決定するという簡易な方法をとつている。(3)被上告人が昭和45年８月から12月までの間に採用したＰ工場の臨時員90名のうち、翌46年10月20日まで雇用関係が継続した者は、本工採用者を除けば、上告人を含む14名である。(4)Ｐ工場においては、臨時員に対し、例外はあるものの、一般的には前作業的要素の作業、単純な作業、精度がさほど重要視されていない作業に従事させる方針をとつており、上告人も比較的簡易な作業に従事していた。(5)被上告人は、臨時員の契約更新に当たつては、更新期間の約１週間前に本人の意思を確認し、当初作成の労働契約書の「４雇用期間」欄に順次雇用期間を記入し、臨時員の印を押捺せしめていた（もつとも、上告人が属する機械組においては、本人の意思が確認されたときは、給料の受領のために預かつてある印章を庶務係が本人に代わつて押捺していた。）ものであり、上告人と被上告人との間の５回にわたる本件労働契約の更新は、いずれも期間満了の都度新たな契約を締結する旨を合意することによつてされてきたものである。」「Ｐ工場の臨時員は、

季節的労務や特定物の製作のような臨時的作業のために雇用されるものではなく、その雇用関係はある程度の　D　ものであり、上告人との間においても5回にわたり契約が更新されているのであるから、このような労働者を契約期間満了によつて雇止めにするに当たつては、解雇に関する法理が類推され、解雇であれば解雇権の濫用、信義則違反又は不当労働行為などに該当して解雇無効とされるような事実関係の下に使用者が新契約を締結しなかつたとするならば、期間満了後における使用者と労働者間の法律関係は　E　のと同様の法律関係となるものと解せられる。」

── 選択肢 ──

① 2.4(令和8年6月30日までの間は2.2)
② 2.7(令和8年6月30日までの間は2.5)
③ 2.9(令和8年6月30日までの間は2.7)
④ 3.0(令和8年6月30日までの間は2.8)
⑤ 50人超　　　⑥ 100人超　　　⑦ 200人超　　　⑧ 300人超
⑨ 安定性が合意されていた
⑩ 期間の定めのない労働契約が締結された
⑪ 継続が期待されていた　　　⑫ 厳格さが見込まれていた
⑬ 合理的理由が必要とされていた　　　⑭ 採用内定通知がなされた
⑮ 従前の労働契約が更新された
⑯ 使用者が労働者に従前と同一の労働条件を内容とする労働契約の申込みをした
⑰ ジョブコーチ　　　⑱ ジョブサポーター
⑲ ジョブマネジャー　　　⑳ ジョブメンター

★答8　障害者雇用促進法20条3号、法22条4号、法43条2項、法49条1項4号の2、法附則4条1項、令9条、令和5年令附則3条1項、最一小昭和61.12.4日立メディコ事件。
A　②　**2.7(令和8年6月30日までの間は2.5)**
B　⑥　**100人超**
C　⑰　**ジョブコーチ**
D　⑪　**継続が期待されていた**
E　⑮　**従前の労働契約が更新された**

※Cのジョブコーチは、障害者雇用促進法においては「職場適応援助者」と規定されているものであり、「身体障害者、知的障害者、精神障害者その他厚生労働省令で定める障害者(職場への適応について援助を必要とする障害者)が職場に適応することを容易にするための援助を行う者」をいう。

★問9 　次の文中の ☐☐☐☐☐ の部分を選択肢の中の最も適切な語句で埋め、完全な文章とせよ。

R5-選

1　最高裁判所は、会社から採用内定を受けていた大学卒業予定者に対し、会社が行った採用内定取消は解約権の濫用に当たるか否かが問題となった事件において、次のように判示した。

　大学卒業予定者(被上告人)が、企業(上告人)の求人募集に応募し、その入社試験に合格して採用内定の通知(以下「本件採用内定通知」という。)を受け、企業からの求めに応じて、大学卒業のうえは間違いなく入社する旨及び一定の取消事由があるときは採用内定を取り消されても異存がない旨を記載した誓約書(以下「本件誓約書」という。)を提出し、その後、企業から会社の近況報告その他のパンフレットの送付を受けたり、企業からの指示により近況報告書を送付したなどのことがあり、他方、企業において、「　　A　　ことを考慮するとき、上告人からの募集(申込みの誘引)に対し、被上告人が応募したのは、労働契約の申込みであり、これに対する上告人からの採用内定通知は、右申込みに対する承諾であつて、被上告人の本件誓約書の提出とあいまつて、これにより、被上告人と上告人との間に、被上告人の就労の始期を昭和44年大学卒業直後とし、それまでの間、本件誓約書記載の5項目の採用内定取消事由に基づく解約権を留保した労働契約が成立したと解するのを相当とした原審の判断は正当であつて、原判決に所論の違法はない。」企業の留保解約権に基づく大学卒業予定者の「採用内定の取消事由は、採用内定当時　　B　　、これを理由として採用内定を取消すことが解約権留保の趣旨、目的に照らして客観的に合理的と認められ社会通念上相当として是認することができるものに限られると解するのが相当である。」

2　労働者派遣法第35条の3は、「派遣元事業主は、派遣先の事業所その他派遣就業の場所における組織単位ごとの業務について、　　C　　年を超える期間継続して同一の派遣労働者に係る労働者派遣(第40条の2第1項各号のいずれかに該当するものを除く。)を行つてはならない。」と定めている。

3　最低賃金制度とは、最低賃金法に基づき国が賃金の最低限度を定め、使用者は、その最低賃金額以上の賃金を支払わなければならないとする制度である。仮に最低賃金額より低い賃金を労働者、使用者双方の合意の上で定めても、それは法律によって無効とされ、最低賃金額と同額の定めをしたものとされる。したがって、最低賃金未満の賃金しか支払わなかった場合には、最低賃金額との差額を支払わなくてはならない。また、地域別最低賃金額以上の賃金を支払わない場合については、最低賃金法に罰則(50万円以下の罰金)が定められており、特定

（産業別）最低賃金額以上の賃金を支払わない場合については、　D　の罰則（30万円以下の罰金）が科せられる。

　なお、一般の労働者より著しく労働能力が低いなどの場合に、最低賃金を一律に適用するとかえって雇用機会を狭めるおそれなどがあるため、精神又は身体の障害により著しく労働能力の低い者、試の使用期間中の者等については、使用者が　E　の許可を受けることを条件として個別に最低賃金の減額の特例が認められている。

┌─ 選択肢 ─
① 　1　　　　　② 　2　　　　　③ 　3　　　　　④ 　5
⑤ 　厚生労働省労働基準局長　　　⑥ 　厚生労働大臣
⑦ 　知ることができず、また事業の円滑な運営の観点から看過できないような事実であつて
⑧ 　知ることができず、また知ることが期待できないような事実であつて
⑨ 　知ることができたが、調査の結果を待つていた事実であつて
⑩ 　知ることができたが、被上告人が自ら申告しなかつた事実であつて
⑪ 　賃金の支払の確保等に関する法律
⑫ 　都道府県労働局長　　　⑬ 　パートタイム・有期雇用労働法
⑭ 　本件採用内定通知に上告人の就業規則を同封していた
⑮ 　本件採用内定通知により労働契約が成立したとはいえない旨を記載していなかつた
⑯ 　本件採用内定通知の記載に基づいて採用内定式を開催し、制服の採寸及び職務で使用する物品の支給を行つていた
⑰ 　本件採用内定通知のほかには労働契約締結のための特段の意思表示をすることが予定されていなかつた
⑱ 　労働契約法　　　⑲ 　労働基準監督署長
⑳ 　労働基準法
└─────────

★答9　派遣法35条の3、労基法24条1項、同法120条1号、最低賃金法7条、最二小昭和54.7.20大日本印刷事件。

　A　⑰　**本件採用内定通知のほかには労働契約締結のための特段の意思表示をすることが予定されていなかつた**

　B　⑧　**知ることができず、また知ることが期待できないような事実であつて**

　C　③　**3**

　D　⑳　**労働基準法**

　E　⑫　**都道府県労働局長**

次の文中の 　　　　 の部分を選択肢の中の最も適切な語句で埋め、完全な文章とせよ。

なお、2については「令和5年版厚生労働白書（厚生労働省）」を参照しており、当該白書による用語及び統計等を利用している。

1　自動車運転者は、他の産業の労働者に比べて長時間労働の実態にあることから、「自動車運転者の労働時間等の改善のための基準」（平成元年労働省告示第7号。以下「改善基準告示」という。）において、全ての産業に適用される労働基準法では規制が難しい　A　及び運転時間等の基準を設け、労働条件の改善を図ってきた。こうした中、過労死等の防止の観点から、労働政策審議会において改善基準告示の見直しの検討を行い、2022（令和4）年12月にその改正を行った。

2　総務省統計局「労働力調査（基本集計）」によると、2022（令和4）年の女性の雇用者数は2,765万人で、雇用者総数に占める女性の割合は　B　である。

3　最高裁判所は、労働協約上の基準が一部の点において未組織の同種労働者の労働条件よりも不利益である場合における労働協約の一般的拘束力が問題となった事件において、次のように判示した。

　「労働協約には、労働組合法17条により、一の工場事業場の4分の3以上の数の労働者が一の労働協約の適用を受けるに至ったときは、当該工場事業場に使用されている他の同種労働者に対しても右労働協約の　C　的効力が及ぶ旨の一般的拘束力が認められている。ところで、同条の適用に当たっては、右労働協約上の基準が一部の点において未組織の同種労働者の労働条件よりも不利益とみられる場合であっても、そのことだけで右の不利益部分についてはその効力を未組織の同種労働者に対して及ぼし得ないものと解するのは相当でない。けだし、同条は、その文言上、同条に基づき労働協約の　C　的効力が同種労働者にも及ぶ範囲について何らの限定もしていない上、労働協約の締結に当たっては、その時々の社会的経済的条件を考慮して、総合的に労働条件を定めていくのが通常であるから、その一部をとらえて有利、不利をいうことは適当でないからである。また、右規定の趣旨は、主として一の事業場の4分の3以上の同種労働者に適用される労働協約上の労働条件によって当該事業場の労働条件を統一し、労働組合の団結権の維持強化と当該事業場における公正妥当な労働条件の実現を図ることにあると解されるから、その趣旨からしても、未組織の同種労働者の労働条件が一部有利なものであることの故に、労働協約の　C　的効力がこれに及ばないとするのは相当でない。

　しかしながら他面、未組織労働者は、労働組合の意思決定に関与する立場になく、また逆に、労働組合は、未組織労働者の労働条件を改

善し、その他の利益を擁護するために活動する立場にないことからすると、労働協約によって特定の未組織労働者にもたらされる不利益の程度・内容、労働協約が締結されるに至った経緯、当該労働者が労働組合の組合員資格を認められているかどうか等に照らし、当該労働協約を特定の未組織労働者に適用することが　D　と認められる特段の事情があるときは、労働協約の　C　的効力を当該労働者に及ぼすことはできないと解するのが相当である。」

4　男女雇用機会均等法第９条第４項本文は、「妊娠中の女性労働者及び出産後　E　を経過しない女性労働者に対してなされた解雇は、無効とする。」と定めている。

選択肢

①　25.8%　　②　35.8%　　③　45.8%　　④　55.8%
⑤　30日　　⑥　8週間　　⑦　6か月　　⑧　1年
⑨　著しく不合理である
⑩　一部の労働者を殊更不利益に取り扱うことを目的としたものである
⑪　規範
⑫　客観的に合理的な理由を欠き、社会通念上相当でない
⑬　強行　　　　　　　　　　　⑭　拘束時間、休息期間
⑮　拘束時間、総実労働時間　　⑯　債務
⑰　直律　　　　　　　　　　　⑱　手待時間、休息期間
⑲　手待時間、総実労働時間
⑳　労働協約の目的を逸脱したものである

★答10　均等法９条４項、最三小平成8.3.26朝日火災海上保険（高田）事件、「令和５年版厚生労働白書（厚生労働省）」P.177、216。

A　⑭　拘束時間、休息期間
B　③　45.8%
C　⑪　規範
D　⑨　著しく不合理である
E　⑧　1年

過去問検索索引

　改正等により、問題の趣旨を損なわずに補正することが困難であると判断した問題および規定自体がなくなってしまった問題の頁数欄には、「―」と表記しています。

　また、MEMO欄には、お手持ちのテキストの該当頁数などを書き込んで、学習に役立ててください。

※「労務管理その他の労働に関する一般常識」の平成27年の択一式問3、平成28年の択一式問3、平成29年の択一式問3、平成30年の択一式問5、令和元年の択一式問5、令和2年の択一式問5、令和3年の択一式問5、令和4年、令和5年の択一式問5、令和6年の択一式問5は、社会保険労務士法からの出題であり、小社刊「よくわかる社労士　合格するための過去10年本試験問題集3健保・社一」に掲載しています。

【選択式】

●雇用

問題番号	頁数	MEMO
H27-選	148	
H28-選	150	
H29-選	151	
H30-選	152	
R元-選	154	
R2-選	156	
R3-選	158	
R4-選	160	
R5-選	164	
R6-選	168	

●労一

問題番号	頁数	MEMO
H27-選	394	
H28-選	396	
H29-選	398	
H30-選	400	
R元-選	402	
R2-選	404	
R3-選	406	
R4-選	408	
R5-選	410	
R6-選	412	

【択一式】
●雇用

問題番号	頁数	MEMO
H27-1A	8	
H27-1B	12	
H27-1C	12	
H27-1D	14	
H27-1E	10	
H27-2A	56	
H27-2B	60	
H27-2C	64	
H27-2D	56	
H27-2E	62	
H27-3A	70	
H27-3B	—	
H27-3C	68	
H27-3D	70	
H27-3E	66	
H27-4ア	92	
H27-4イ	96	
H27-4ウ	122	(H27)
H27-4エ	90	
H27-4オ	90	
H27-5A	98	
H27-5B	104	
H27-5C	100	
H27-5D	98	
H27-5E	102	
H27-6ア	106	
H27-6イ	—	
H27-6ウ	—	
H27-6エ	108	
H27-6オ	110	
H27-7A	40	
H27-7B	34	
H27-7C	36	
H27-7D	36	
H27-7E	40	

問題番号	頁数	MEMO
H28-1A	24	
H28-1B	20	
H28-1C	26	
H28-1D	24	
H28-1E	20	
H28-2ア	74	
H28-2イ	74	
H28-2ウ	76	
H28-2エ	76	
H28-2オ	76	
H28-3ア	42	
H28-3イ	38	
H28-3ウ	42	
H28-3エ	40	
H28-3オ	36	
H28-4A	52	
H28-4B	54	
H28-4C	52	(H28)
H28-4D	54	
H28-4E	52	
H28-5A	128	
H28-5B	126	
H28-5C	128	
H28-5D	126	
H28-5E	130	
H28-6A	94	
H28-6B	90	
H28-6C	134	
H28-6D	92	
H28-6E	96	
H28-7ア	118	
H28-7イ	144	
H28-7ウ	144	
H28-7エ	138	
H28-7オ	142	

問題番号	頁数	MEMO
H29-1A	26	
H29-1B	118	
H29-1C	122	
H29-1D	120	
H29-1E	118	
H29-2A	54	
H29-2B	66	
H29-2C	30	
H29-2D	—	
H29-2E	30	
H29-3A	16	
H29-3B	18	
H29-3C	18	
H29-3D	24	
H29-3E	18	
H29-4A	130	
H29-4B	130	
H29-4C	130	(H29)
H29-4D	130	
H29-4E	130	
H29-5A	78	
H29-5B	80	
H29-5C	88	
H29-5D	78	
H29-5E	138	
H29-6A	112	
H29-6B	116	
H29-6C	112	
H29-6D	110	
H29-6E	114	
H29-7A	134	
H29-7B	134	
H29-7C	136	
H29-7D	136	
H29-7E	132	

問題番号	頁数	MEMO
R3-1A	12	
R3-1B	12	
R3-1C	12	
R3-1D	12	
R3-1E	12	
R3-2A	118	
R3-2B	118	
R3-2C	120	
R3-2D	120	
R3-2E	120	
R3-3A	64	
R3-3B	66	
R3-3C	10	
R3-3D	64	
R3-3E	64	
R3-4A	58	
R3-4B	62	
R3-4C	62	
R3-4D	60	
R3-4E	62	
R3-5A	80	
R3-5B	82	
R3-5C	82	
R3-5D	80	
R3-5E	82	
R3-6A	94	
R3-6B	88	
R3-6C	124	
R3-6D	96	
R3-6E	88	
R3-7A	116	
R3-7B	114	
R3-7C	114	
R3-7D	110	
R3-7E	112	

（左欄外：R3）

問題番号	頁数	MEMO
R4-1A	16	
R4-1B	78	
R4-1C	16	
R4-1D	80	
R4-1E	16	
R4-2A	4	
R4-2B	4	
R4-2C	6	
R4-2D	4	
R4-2E	4	
R4-3A	26	
R4-3B	22	
R4-3C	24	
R4-3D	22	
R4-3E	24	
R4-4A	58	
R4-4B	58	
R4-4C	58	
R4-4D	58	
R4-4E	58	
R4-5A	100	
R4-5B	100	
R4-5C	104	
R4-5D	102	
R4-5E	102	
R4-6ア	110	
R4-6イ	112	
R4-6ウ	110	
R4-6エ	110	
R4-6オ	112	
R4-7A	146	
R4-7B	144	
R4-7C	4	
R4-7D	144	
R4-7E	144	

（左欄外：R4）

問題番号	頁数	MEMO
R5-1A	8	
R5-1B	8	
R5-1C	10	
R5-1D	10	
R5-1E	12	
R5-2A	38	
R5-2B	38	
R5-2C	40	
R5-2D	36	
R5-2E	36	
R5-3A	46	
R5-3B	46	
R5-3C	50	
R5-3D	50	
R5-3E	48	
R5-4A	68	
R5-4B	66	
R5-4C	68	
R5-4D	68	
R5-4E	66	
R5-5ア	84	
R5-5イ	84	
R5-5ウ	86	
R5-5エ	—	
R5-5オ	86	
R5-6A	108	
R5-6B	108	
R5-6C	108	
R5-6D	108	
R5-6E	108	
R5-7A	94	
R5-7B	94	
R5-7C	94	
R5-7D	92	
R5-7E	94	

（左欄外：R5）

【択一式】
●徴収

問題番号	頁数	MEMO
R6-1A	6	
R6-1B	6	
R6-1C	6	
R6-1D	8	
R6-1E	8	
R6-2A	28	
R6-2B	28	
R6-2C	28	
R6-2D	28	
R6-2E	28	
R6-3A	72	
R6-3B	72	
R6-3C	72	
R6-3D	72	
R6-3E	72	
R6-4A	22	
R6-4B	34	
R6-4C	20	
R6-4D	140	
R6-4E	34	
R6-5ア	122	
R6-5イ	116	
R6-5ウ	116	
R6-5エ	132	
R6-5オ	122	
R6-6A	96	
R6-6B	98	
R6-6C	98	
R6-6D	96	
R6-6E	98	
R6-7A	130	
R6-7B	132	
R6-7C	132	
R6-7D	132	
R6-7E	132	

（左列の「R6」は縦書きラベル）

問題番号	頁数	MEMO
H27-災8A	180	
H27-災8B	178	
H27-災8C	180	
H27-災8D	184	
H27-災8E	176	
H27-災9A	178	
H27-災9B	220	
H27-災9C	242	
H27-災9D	222	
H27-災9E	250	
H27-災10A	198	
H27-災10B	196	
H27-災10C	196	
H27-災10D	198	
H27-災10E	198	
H27-雇8A	294	
H27-雇8B	292	
H27-雇8C	292	
H27-雇8D	294	
H27-雇8E	294	
H27-雇9A	232	
H27-雇9B	234	
H27-雇9C	242	
H27-雇9D	226	
H27-雇9E	228	
H27-雇10A	258	
H27-雇10B	258	
H27-雇10C	258	
H27-雇10D	260	
H27-雇10E	260	
H28-災8A	188	
H28-災8B	190	
H28-災8C	190	
H28-災8D	192	
H28-災8E	192	

（左列ラベル：H27, H28）

問題番号	頁数	MEMO
H28-災9ア	286	
H28-災9イ	286	
H28-災9ウ	286	
H28-災9エ	288	
H28-災9オ	286	
H28-災10ア	266	
H28-災10イ	272	
H28-災10ウ	268	
H28-災10エ	272	
H28-災10オ	270	
H28-雇8A	178	
H28-雇8B	178	
H28-雇8C	182	
H28-雇8D	278	
H28-雇8E	200	
H28-雇9A	254	
H28-雇9B	254	
H28-雇9C	256	
H28-雇9D	256	
H28-雇9E	256	
H28-雇10ア	288	
H28-雇10イ	290	
H28-雇10ウ	290	
H28-雇10エ	290	
H28-雇10オ	292	
H29-災8A	210	
H29-災8B	210	
H29-災8C	210	
H29-災8D	208	
H29-災8E	208	
H29-災9A	184	
H29-災9B	180	
H29-災9C	294	
H29-災9D	182	
H29-災9E	186	

（左列ラベル：H28, H29）

【択一式】

●労一

問題番号	頁数	MEMO
R6-雇10A	240	
R6-雇10B	240	
R6-雇10C	188	
R6-雇10D	202	
R6-雇10E	230	
R6-災8A	192	
R6-災8B	194	
R6-災8C	194	
R6-災8D	194	
R6-災8E	194	
R6-災9A	248	
R6-災9B	248	
R6-災9C	248	
R6-災9D	248	
R6-災9E	248	
R6-災10A	174	
R6-災10B	290	
R6-災10C	288	
R6-災10D	288	
R6-災10E	288	

(R6)

問題番号	頁数	MEMO
H27-1A	316	
H27-1B	316	
H27-1C	316	
H27-1D	326	
H27-1E	320	
H27-2A	336	
H27-2B	318	
H27-2C	352	
H27-2D	340	
H27-2E	330	
H27-4A	366	
H27-4B	366	
H27-4C	366	
H27-4D	368	
H27-4E	368	
H27-5A	360	
H27-5B	360	
H27-5C	360	
H27-5D	360	
H27-5E	360	
H28-1ア	318	
H28-1イ	316	
H28-1ウ	324	
H28-1エ	328	
H28-1オ	330	
H28-2A	350	
H28-2B	338	
H28-2C	302	
H28-2D	344	
H28-2E	304	
H28-4A	364	
H28-4B	366	
H28-4C	366	
H28-4D	366	
H28-4E	366	

(H27, H28)

問題番号	頁数	MEMO
H28-5A	374	
H28-5B	374	
H28-5C	374	
H28-5D	374	
H28-5E	374	
H29-1A	314	
H29-1B	322	
H29-1C	322	
H29-1D	326	
H29-1E	330	
H29-2ア	334	
H29-2イ	332	
H29-2ウ	302	
H29-2エ	338	
H29-2オ	340	
H29-4A	362	
H29-4B	362	
H29-4C	362	
H29-4D	362	
H29-4E	362	
H29-5A	358	
H29-5B	358	
H29-5C	358	
H29-5D	358	
H29-5E	358	
H30-1A	392	
H30-1B	392	
H30-1C	392	
H30-1D	392	
H30-1E	392	
H30-2A	356	
H30-2B	356	
H30-2C	356	
H30-2D	356	
H30-2E	358	

(H28, H29, H30)

	問題番号	頁数	MEMO
H30	H30-3ア	320	
	H30-3イ	318	
	H30-3ウ	324	
	H30-3エ	326	
	H30-3オ	328	
	H30-4A	304	
	H30-4B	346	
	H30-4C	354	
	H30-4D	306	
	H30-4E	336	
R元	R元-1A	368	
	R元-1B	368	
	R元-1C	368	
	R元-1D	368	
	R元-1E	368	
	R元-2A	378	
	R元-2B	378	
	R元-2C	378	
	R元-2D	378	
	R元-2E	378	
	R元-3A	316	
	R元-3B	322	
	R元-3C	326	
	R元-3D	328	
	R元-3E	322	
	R元-4A	336	
	R元-4B	—	
	R元-4C	350	
	R元-4D	344	
	R元-4E	344	
R2	R2-1A	372	
	R2-1B	372	
	R2-1C	372	
	R2-1D	372	
	R2-1E	372	

	問題番号	頁数	MEMO
R2	R2-2A	390	
	R2-2B	390	
	R2-2C	390	
	R2-2D	390	
	R2-2E	392	
	R2-3A	338	
	R2-3B	334	
	R2-3C	352	
	R2-3D	332	
	R2-3E	—	
	R2-4A	300	
	R2-4B	302	
	R2-4C	302	
	R2-4D	304	
	R2-4E	300	
R3	R3-1A	354	
	R3-1B	354	
	R3-1C	354	
	R3-1D	356	
	R3-1E	356	
	R3-2A	370	
	R3-2B	370	
	R3-2C	370	
	R3-2D	370	
	R3-2E	370	
	R3-3A	320	
	R3-3B	324	
	R3-3C	324	
	R3-3D	330	
	R3-3E	330	
	R3-4ア	352	
	R3-4イ	348	
	R3-4ウ	342	
	R3-4エ	334	
	R3-4オ	336	

	問題番号	頁数	MEMO
R4	R4-1A	386	
	R4-1B	388	
	R4-1C	388	
	R4-1D	388	
	R4-1E	388	
	R4-2A	364	
	R4-2B	364	
	R4-2C	364	
	R4-2D	364	
	R4-2E	364	
	R4-3A	388	
	R4-3B	388	
	R4-3C	388	
	R4-3D	390	
	R4-3E	390	
	R4-4A	306	
	R4-4B	338	
	R4-4C	350	
	R4-4D	346	
	R4-4E	334	
R5	R5-1A	382	
	R5-1B	382	
	R5-1C	382	
	R5-1D	382	
	R5-1E	382	
	R5-2A	384	
	R5-2B	384	
	R5-2C	384	
	R5-2D	384	
	R5-2E	384	
	R5-3A	386	
	R5-3B	386	
	R5-3C	386	
	R5-3D	386	
	R5-3E	386	

執　筆　者

雇用（雇用保険法）　……………………………………………金子　絵里

徴収（労働保険の保険料の徴収等に関する法律）　…………………織井　妙子

労一（労務管理その他の労働に関する一般常識）　………………満場　賢

2025年度版 よくわかる社労士
合格するための過去10年本試験問題集2　雇用・徴収・労一
（2013年度版　2012年10月15日　初版　第1刷発行）
2024年10月11日　初　版　第1刷発行

編　著　者	Ｔ　Ａ　Ｃ　株　式　会　社	
	（社会保険労務士講座）	
発　行　者	多　　田　　敏　　男	
発　行　所	Ｔ　Ａ　Ｃ株式会社　　出版事業部	
	（TAC出版）	

〒101-8383
東京都千代田区神田三崎町3-2-18
電話　03（5276）9492（営業）
FAX　03（5276）9674
https://shuppan.tac-school.co.jp

印　　刷	株式会社　ワ　コ　ー	
製　　本	東京美術紙工協業組合	

© TAC 2024　　Printed in Japan　　ISBN978-4-300-11383-7
N.D.C.364

社会保険労務士講座

2025年合格目標 開講コース

学習レベル・スタート時期にあわせて選べます!

一般教育訓練給付制度 の指定コースがあります。
詳細は、TAC各校へお問い合わせください。

初学者対象

順次開講中

まずは年金から着実に学習スタート!

総合本科生Basic

初めて学ぶ方も無理なく合格レベルに到達できるコース。Basic講義で年金科目の基礎を理解した後は、労働基準法から効率的に基礎力&答案作成力を身につけます。

初学者対象

順次開講中

Basic講義つきのプレミアムコース!

総合本科生Basic+Plus

大好評のプレミアムコース「総合本科生Plus」に、Basic講義がついたコースです。Basic講義から直前期のオプション講義まで豊富な内容で合格へ導きます。

初学者・受験経験者対象

2024年9月より順次開講

基礎知識から答案作成力まで一貫指導!

総合本科生

長年の指導ノウハウを凝縮した、TAC社労士講座のスタンダードコースです。【基本講義 → 実力テスト → 本試験レベルの答練】と、効率よく学習を進めていきます。

初学者・受験経験者対象

2024年9月より順次開講

充実度プラスのプレミアムコース!

総合本科生Plus

「総合本科生」を更に充実させたプレミアムコースです。「総合本科生」のカリキュラムを詳細に補足する講義を加え、充実のオプション講義で万全な学習態勢です。

受験経験者対象

2024年10月より順次開講

今まで身につけた知識を更にレベルアップ!

上級本科生

受験経験者（学習経験者）専用に独自開発したコース。受験経験者専用のテキストを用いた講義と問題演習を繰り返すことによって、強固な基礎力に加え応用力を身につけていきます。

受験経験者対象

2024年11月より順次開講

インプット期から十分な演習量を実現!

上級演習本科生

コース専用に編集されたハイレベルな演習問題をインプット期から取り入れ、解説講義を行いながら知識を確認していくことで、受験経験者の得点力を更に引き上げていきます。

初学者・受験経験者対象

2024年10月開講

合格に必要な知識を効率よくWebで学習!

スマートWeb本科生

「スマートWeb」ならではの効率良いスマートな学習が可能なコースです。テキストを持ち歩かなくても、隙間時間にスマホ一つで楽しく学習できます。

※上記コースは諸般の事情により、開講月が変更となる場合がございます。

詳細はTAC HPまたは2025年合格目標パンフレットにてご確認ください。

········ ライフスタイルに合わせて選べる3つの学習メディア ········

【通 学】 教室講座・ビデオブース講座 　　【通 信】 Web通信講座

※「総合本科生」のみDVD通信講座もご用意しております。
※「スマートWeb本科生」はWeb通信講座のみの取り扱いとなります。

資格の学校 ■TAC

無料体験入学

はじめる前に体験できる。だから安心!

実際の講義を無料で体験! あなたの目で講義の質を実感してください。

お申込み前に講座の第1回目の講義を無料で受講できます。講義内容や講師、雰囲気などを体験してください。
ご予約は不要です。開講日につきましては、TACホームページまたは講座パンフレットをご確認ください。
※教室での生講義のほか、TAC各校舎のビデオブースでも体験できます。ビデオブースでの体験入学は事前の予約が必要です。詳細は
　各校舎にお問い合わせください。

https://www.tac-school.co.jp/ → 社会保険労務士へ

無料公開セミナー・講座説明会

まずはこちらへお越しください

予約不要・参加無料　知りたい情報が満載!
参加者だけのうれしい特典あり

参加者に
入会金免除券
プレゼント!

専任講師によるテーマ別セミナーや、カリキュラムについて詳しくご案内する講座説明会を実施していま
す。終了後は質問やご相談にお答えする「個別受講相談」を承っております。実施日程はTAC HPまたはパンフ
レットにてご案内しております。ぜひお気軽にご参加ください。

TAC動画チャンネル

Web上でもセミナーが見られる!

セミナー・体験講義の映像など
役立つ情報をすべて無料で視聴できます。

●テーマ別セミナー　●体験講義　等

https://www.tac-school.co.jp/ → TAC動画チャンネル へ

デジタルパンフレット

PCやスマホで快適に閲覧

紙と同じ内容のパンフレットをPCやスマートフォンで!
郵送も待たずに今すぐにご覧いただけます。

↓登録はこちらから

https://www.tac-school.co.jp/ → デジタルパンフ登録フォームに入力

コチラからもアクセス!▶▶

資料請求・お問い合わせはこちらから!

電話でのお問い合わせ・資料請求 　通話無料 **0120-509-117**
ゴウカク　イイナ
※携帯・自動車電話からもご利用いただけます。

【受付時間】
10:00〜19:00(月曜〜金曜)
10:00〜17:00(土曜・日曜・祝日)
※営業時間は変更の場合がございます。詳しくはTAC HPでご確認ください。

TACホームページからのご請求 　**https://www.tac-school.co.jp/**

TAC出版 書籍のご案内

TAC出版では、資格の学校TAC各講座の定評ある執筆陣による資格試験の参考書をはじめ、資格取得者の開業法や仕事術、実務書、ビジネス書、一般書などを発行しています!

TAC出版の書籍

*一部書籍は、早稲田経営出版のブランドにて刊行しております。

資格・検定試験の受験対策書籍

- ❂日商簿記検定
- ❂建設業経理士
- ❂全経簿記上級
- ❂税 理 士
- ❂公認会計士
- ❂社会保険労務士
- ❂中小企業診断士
- ❂証券アナリスト

- ❂ファイナンシャルプランナー(FP)
- ❂証券外務員
- ❂貸金業務取扱主任者
- ❂不動産鑑定士
- ❂宅地建物取引士
- ❂賃貸不動産経営管理士
- ❂マンション管理士
- ❂管理業務主任者

- ❂司法書士
- ❂行政書士
- ❂司法試験
- ❂弁理士
- ❂公務員試験(大卒程度・高卒者)
- ❂情報処理試験
- ❂介護福祉士
- ❂ケアマネジャー
- ❂電験三種　ほか

実務書・ビジネス書

- ❂会計実務、税法、税務、経理
- ❂総務、労務、人事
- ❂ビジネススキル、マナー、就職、自己啓発
- ❂資格取得者の開業法、仕事術、営業術

一般書・エンタメ書

- ❂ファッション
- ❂エッセイ、レシピ
- ❂スポーツ
- ❂旅行ガイド (おとな旅プレミアム/旅コン)

2025年度版 社労士試験対策書籍のご案内

TAC出版では、独学用、およびスクール学習の副教材として、各種対策書籍を取り揃えています。学習の各段階に対応していますので、あなたのステップに応じて、合格に向けてご活用ください！

（刊行内容、発売月、表紙は変更になることがあります。）

みんなが欲しかった! シリーズ

わかりやすさ、学習しやすさに徹底的にこだわった、TAC出版イチオシのシリーズ。大人気の『社労士の教科書』をはじめ、合格に必要な書籍を網羅的に取り揃えています。

基礎学習

『みんなが欲しかった！社労士合格へのはじめの一歩』
A5判、8月 貫場 恵子 著
- 初学者のための超入門テキスト！
- 概要をしっかりつかむことができる入門講義で、学習効率ぐーんとアップ！
- フルカラーの巻頭漫画とスタートアップ講座は必見！

『みんなが欲しかった！社労士の教科書』
A5判、10月
- 資格の学校TACが独学者・初学者専用に開発！フルカラーで圧倒的にわかりやすいテキストです。
- 2冊に分litt冊OK！セパレートBOOK形式。
- 便利な赤シートつき！

『みんなが欲しかった！社労士の問題集』
A5判、10月
- この1冊でイッキに合格レベルに！本試験形式の択一式＆選択式の過去問、予想問を必要な分だけ収載。
- 『社労士の教科書』に完全準拠。

実力アップ

『みんなが欲しかった！社労士合格のツボ 選択対策』
B6判、11月
- 基本事項のマスターにも最適！本試験のツボをおさえた選択式問題厳選333問!!
- 赤シートつきでパパッと対策可能！

『みんなが欲しかった！社労士合格のツボ 択一対策』
B6判、11月
- 択一の得点アップに効く1冊！本試験のツボをおさえた一問一答問題厳選1600問!!基本と応用の2step式で、効率よく学習できる！

『みんなが欲しかった！社労士全科目横断総まとめ』
B6判、12月
- 各科目間の共通・類似事項をこの1冊で整理！
- 赤シート対応で、まとめて覚えられるから効率的

実践演習

『みんなが欲しかった! 社労士の年度別過去問題集 5年分』
A5判、12月
- 年度別にまとめられた5年分の過去問で知識を総仕上げ！
- 問題、解説冊子は取り外しOKのセパレートタイプ！

『みんなが欲しかった！社労士の直前予想模試』
B5判、4月
- みんなが欲しかったシリーズの総仕上げ模試！
- 基本事項を中心とした模試で知識を一気に仕上げます！

書籍の正誤に関するご確認とお問合せについて

書籍の記載内容に誤りではないかと思われる箇所がございましたら、以下の手順にてご確認とお問合せをしてくださいますよう、お願い申し上げます。

なお、正誤のお問合せ以外の**書籍内容に関する解説および受験指導などは、一切行っておりません。**
そのようなお問合せにつきましては、お答えいたしかねますので、あらかじめご了承ください。

1 「Cyber Book Store」にて正誤表を確認する

TAC出版書籍販売サイト「Cyber Book Store」の
トップページ内「正誤表」コーナーにて、正誤表をご確認ください。

CYBER TAC出版書籍販売サイト
BOOK STORE

URL：https://bookstore.tac-school.co.jp/

2 ①の正誤表がない、あるいは正誤表に該当箇所の記載がない ⇒ 下記①、②のどちらかの方法で文書にて問合せをする

★ご注意ください★

お電話でのお問合せは、お受けいたしません。
①、②のどちらの方法でも、お問合せの際には、「お名前」とともに、
「対象の書籍名（○級・第○回対策も含む）およびその版数（第○版・○○年度版など）」
「お問合せ該当箇所の頁数と行数」
「誤りと思われる記載」
「正しいとお考えになる記載とその根拠」
を明記してください。
なお、回答までに1週間前後を要する場合もございます。あらかじめご了承ください。

① ウェブページ「Cyber Book Store」内の「お問合せフォーム」より問合せをする

【お問合せフォームアドレス】

https://bookstore.tac-school.co.jp/inquiry/

② メールにより問合せをする

【メール宛先　TAC出版】

syuppan-h@tac-school.co.jp

※土日祝日はお問合せ対応をおこなっておりません。
※正誤のお問合せ対応は、該当書籍の改訂版刊行月末日までといたします。

乱丁・落丁による交換は、該当書籍の改訂版刊行月末日までといたします。なお、書籍の在庫状況等により、お受けできない場合もございます。
また、各種本試験の実施の延期、中止を理由とした本書の返品はお受けいたしません。返金もいたしかねますので、あらかじめご了承くださいますようお願い申し上げます。

（2022年7月現在）